U0104804

陳振孫研究六種合編

第12冊

陳振孫之文學及其《直齋書錄解題》集錄考證

（第一冊）

何廣棪 著

花木蘭文化出版社

國家圖書館出版品預行編目資料

陳振孫之文學及其《直齋書錄解題》集錄考證（第一冊）／
何廣棪 著 -- 初版 -- 新北市：花木蘭文化出版社，2015〔民
104〕

目 30+292 面；19×26 公分

（陳振孫研究六種合編；第 12 冊）

全套 ISBN 978-986-404-459-7

ISBN-978-986-404-459-7

陳振孫研究六種合編

第十二冊 全套 ISBN 978-986-404-459-7

陳振孫之文學及其《直齋書錄解題》集錄考證（第一冊）

作　　者　何廣棪
總 編 輯　杜潔祥
編　　輯　許郁翎
出　　版　花木蘭文化出版社
社　　長　高小娟
聯絡地址　235 新北市中和區中安街七二號十三樓
　　　　　電話：02-2923-1455／傳真：02-2923-1452
網　　址　http://www.huamulan.tw 信箱 hml 810518@gmail.com
印　　刷　普羅文化出版廣告事業
初　　版　2015 年 12 月
定　　價　共 17 冊（精裝）新台幣 30,000 元

陳振孫之文學
及其《直齋書錄解題》集錄考證（第一冊）

何廣棪　著

提　要

撰人對陳振孫及其《直齋書錄解題》研究多年，功力湛深，前此已就振孫其人其書暨其經、史、子三方面學術深入鑽研，撰作成書，並經由新北市花木蘭文化出版社付印行世。

本書命名《陳振孫之文學及其〈直齋書錄解題〉集錄考證》，乃繼前三書之後，續而探研振孫文學及針對《解題》集錄進行之考證專著。

全書凡六章：首章〈緒論〉，二章〈陳振孫文學創作考述〉，三章〈陳振孫對文學書籍之收藏、編理與識見〉，四章〈《直齋書錄解題》集錄分類及其對集部書籍之評價〉，五章〈《直齋書錄解題》集錄考證〉，六章〈結論〉。另附「參考書目」、「參考文獻」、「〈《直齋書錄解題》集錄考證〉書名索引」、「〈《直齋書錄解題》集錄考證〉著者索引」，均置書末，以供檢索。

有關陳振孫文學及其《解題》集錄考證，自宋以迄當世陳樂素、喬衍琯、武秀成、張守衛諸君子，均未有能作如斯深入而詳備之鑽研者。本書則對上述問題皆作全方位之探討，故研究所得，確能有重大之突破，遠邁前人；至所獲成績之超越，恐亦非時下學人所易逮及也。

目次

第一冊

第二冊

第三冊

第四冊

第五冊

第一章　緒　論

余研治中國學術有年，以文獻目錄之學最所究心。而於鑽研目錄學著作中，尤用力於陳振孫及其《直齋書錄解題》，經始於民國七十七年（1988），辛勤耕耘，迄茲已逾二十寒暑矣。

二十年間，最早撰就者乃博士論文〈陳振孫之生平及其著述研究〉，成書於民國八十年（1991），八十二年（1993）十月交臺灣文史哲出版社初版。同年八月間東渡，離別香港，轉赴寶島，任教臺灣華梵大學東方人文思想研究所。授學之翌年起，即絡繹向國家科學委員會申請研究計畫，皆蒙通過。八十四年（1995）八月完成〈陳振孫之經學及其《直齋書錄解題》經錄考證〉，其後得國科會同意，授權臺北里仁書局印製成書，八十六年（1997）三月面世。余藉是書，八十七年（1998）六月升教授，八十八年（1999）十二月獲中華文化復興運動總會頒發「中正文化獎」及獎狀。

嗣後，抖擻精神，仍力奮進。八十五年（1996）八月完成〈陳振孫之史學及其《直齋書錄解題》史錄考證〉，次年（1997）同月完成〈陳振孫之子學及其《直齋書錄解題》子錄考證〉，以迄八十八年（1999）八月完成〈陳振孫之文學及其《直齋書錄解題》集錄考證〉。是則余對陳振孫及其《直齋書錄解題》之研究，前後十二載，總算告一段。

九十四年（2005），潘美月教授、杜潔祥總編輯主編《古典文獻研究輯刊》，其年十二月，花木蘭文化出版社出版《輯刊》初編。承潘、杜二位雅意，九十五年（2006）三月，經余將《陳振孫之經學及其〈直齋書錄解題〉經錄考證》增訂後，收入《輯刊》第二編，予以再版；同年九月，將《陳振孫之史學及其〈直齋書錄解題〉史錄考證》收入第三編。九十六年（2007）三月，又將《陳振孫之子學及其〈直齋書錄解題〉子錄考證》收入第四編。至《陳振孫之生平及其著述研究》，亦經余增訂部分內容，重予整治，收入第八編，九十八年（2009）三月出版。

有關〈陳振孫之文學及其《直齋書錄解題》集錄考證〉，自八十八年（1999）八月撰成後，因覺有增訂需要，工作即絡繹進行。惟授課繁忙，另指導博、碩士生論文寫作，負擔亦甚沈重。能挪出時間修訂舊作，殊非易易，是以延綿歲月，及今十載，始漸告完成。

余之研究陳振孫之文學，頗具特色。回溯民國以還，研究陳振孫之學者，似未有撰作長文以討論振孫文學與其成就者。陳樂素乃研究振孫學術導夫先路之學人，先後發表〈直齋書錄解題作者陳振孫〉〔註1〕與〈略論陳振孫直齋書錄解題〉〔註2〕二文，後文所討論者與振孫文學殊無關係，〔註3〕而前文則僅於「二、述作」有以下之論說，其文云：

> 其述作者錄於《解題》中者，有《玄眞子漁歌碑傳集錄》一卷，以張志和漁歌世止傳「西塞山前」一章，嘗得其一時倡和諸賢之辭及南卓、柳宗元所賦，因以顏魯公碑述、《唐書》本傳以至近世用其詞入樂府者，集爲一編，以備《吳興故事》。見卷十五。〔註4〕

則所述殊尠，況其中所考，全據《解題》迻抄，殊無新意也。

繼軌研治直齋而有成績者，厥爲喬衍琯。喬氏有《陳振孫學記》，〔註5〕其書第五章〈學術思想〉、第三節爲〈文學〉，下分甲、散文，乙、詩詞，予以述說。內容未見繁富，論說發明亦少。多屬徵引《解題》原文，分條迻錄，徒佔篇幅，未具成績，殊可惋也。

近歲則有南京大學古典文獻研究所武秀成教授撰成《陳振孫評傳》一書，〔註6〕又發表〈《直齋書錄解題》佚文辨正〉一文；〔註7〕另有安徽大學張守衛

〔註1〕原刊民國三十五年（1946）十一月二十日《大公報・文史周刊》。

〔註2〕原刊一九八四年《中國史研究》、第二期。

〔註3〕其文凡分（一）《解題》作者、（二）政治影響、（三）論人論書、（四）宋人重視地方史志、（五）《解題》出現了年譜、（六）《解題》反映了南宋圖書印行的盛況、（七）《解題》中一些不應有的錯誤、（八）《解題》的傳本、（九）《四庫提要》與《解題》的關係、（十）結語。全篇殊未考及振孫文學。

〔註4〕徐小蠻、顧美華點校本《直齋書錄解題》，（上海古籍出版社，1987年12月第一版）收此文，見附錄二，頁695～696）

〔註5〕喬衍琯：《陳振孫學記》，臺灣文史哲出版社，民國69年（1980）6月初版。

〔註6〕武氏此書，收入南京大學出版《中國思想家評傳叢書》，2006年8月第一版。

教授，先後發表〈陳振孫著作考略〉〔註8〕與〈《直齋書錄解題》佚文八條〉，〔註9〕材料雖頗豐富，考論亦見心得，所惜多與陳振孫文學無涉。

余所撰作此書，凡分六章，首章〈緒論〉，略述本人研治陳振孫及《直齋書錄解題》之過程、刊行諸書之經過，及民國以還相關學者研究振孫文學之情況及得失。次章〈陳振孫文學創作考述〉，則詳考及論說振孫所撰「記」、「序」、「跋」、「考」、「題識」，凡十五篇，另含「詩」一篇。三章〈陳振孫對文學書籍之收藏、編理與識見〉，考得振孫收藏集部書籍 1017 種，爲四部之冠；而所編理與文學相關之書籍，乃有《玄真子漁歌碑傳集錄》一卷、《秦隱君集》一卷、《柳宗元詩》一卷、《武元衡集》一卷等四種。至振孫文學之識見，則考及其「一、對西漢劉向以還至宋世之《楚辭》學研究深有認知」；「二、對歷代詩、文、詞之看法及評論」；「三、對編理文學書籍及選詩、注詩之見解」；「四、認同『文以氣爲主』、『文以貫道』，兼及對文體之明辨」；「五、論文評及其人品德，偶亦透露『文觀世變』之觀點」。四章〈《直齋書錄解題》集錄分類及其對集部書籍之評價〉，則詳考《解題・集錄》分類方法，用《隋書・經籍志》、《舊唐書・經籍志》、《新唐書・藝文志》、《崇文總目》、《郡齋讀書志》、《遂初堂書目》、《宋史・藝文志》、《文獻通考・經籍志》、《四庫全書總目》等九種用四部分類法編目之目錄書籍，以考其與《解題》之異同；終乃考出其中有振孫繼承前人者，亦有振孫獨創而影響後人者。五章〈《直齋書錄解題》集錄考證〉，則爲考證《解題》集錄 1017 條，針對每條其人、其書及相關問題，廣徵文獻，詳作考論。撰作此章，用力最勤，創獲亦多，前人及今人研究《解題》皆未及於此事。六章〈結論〉，則爲略述本書之成績及其貢獻。

本書之組織結構及各章條目，與前此研究經、史、子三錄之書，頗有不同。其原因：一以避雷同、重複；二則因對文學之研究，固應別闢蹊徑，有異於經、史、子者也。

〔註 7〕 原刊南京大學古典文獻研究所主編《古典文獻研究》第十二輯。2009 年 7 月。

〔註 8〕 原刊安徽大學《古籍研究》、2007・卷上，總第 51 期。

〔註 9〕 原刊《中國典籍與文化》，2008 年、第 1 期。

第二章　陳振孫文學創作考述

陳振孫以目錄學成就知名於時，然細讀其《直齋書錄解題・集錄》之部，可見其對先秦迄南宋文學，有頗多真知灼見及理論見解；而對各朝代文學家及其文學成就，亦有甚確當之論述與恰如其份之褒貶，余擬於第三章處始就《解題》及相關文獻，多舉實例，一一分析之。由是觀之，振孫雖不能被稱爲文學家，惟其對歷代文學固有所涉獵或深究矣，故其《解題・集錄》中鑽研所及，與其所呈現之褒貶或見解，均可被吾人用作研究「陳振孫文學」之素材，且應加以重視者也。

陳振孫雖非文學家，惟亦有撰作文學作品並流傳後世。余前撰《陳振孫之生平及其著述研究》，〔註1〕該書第六章乃〈陳振孫之其他著作〉，〔註2〕所采錄振孫作品，計史學著作《白文公年譜》一種，另〈華勝寺碑記〉、〈陳忠肅公祠堂記〉、〈重建碧瀾堂記〉等「記」三篇，〈崇古文訣序〉、〈寶刻叢編序〉等「序」二篇，〈玉臺新詠集後序〉、〈關尹子跋〉、〈易林跋〉、〈吳興張氏十詠圖跋及詩〉等「跋」四篇，〈律呂之說定於太史公考〉、〈貢法助法考〉等「考」二篇，另有〈皇祐新樂圖記題識〉一篇。其後，余又於《直齋書錄解題》中發現振孫尚有〈洛陽名園記跋〉一篇，〈追昔遊編題識〉、〈文章玄妙題識〉二篇，皆前所未嘗考論及者，是則振孫所撰「跋」，凡五篇；「題識」之文，凡三篇；統計其著作，除《解題》、《白文公年譜》不屬文學著作外，振孫文學作品，合應有十五篇。

〔註1〕該書收入臺灣臺北縣花木蘭文化出版社出版《古典文獻研究輯刊》第八編、第十一、十二冊。2009年3月增訂初版。

〔註2〕同註1，頁341～408。

以下擬將振孫文學作品分類詳錄其原文，並針對作品實況進行考述如次：

一、陳振孫之「記」

振孫所撰「記」體文章凡三篇，其首篇即爲〈華勝寺碑記〉，其文曰：

> 嘉定四年十二月，邑教諭陳振孫記曰：「嘉定初，余爲吏溧水。南出縣門二里，有寺曰華勝，間送迎賓客至其所。寺據南亭岡，右臨官道，爲旁出。其南則贛船、馬鞍諸山，環列如屏障。北眺縣郭，市井屋木，歷歷可數。丈室後，稚松成林，葱翠茂悅。由左而下，隙地十餘畝，井泉洌甘，仲竹半圃。其前稍空曠，誅茅爲亭，與向之諸山相賓揖。余樂其境幽勝，每至，輒裴回不能去。顧寺猶草創，殊弗稱其境，僅有講堂、寢室及左廡數十楹而已。主僧宗應方聚材於庭，爲興造計。余因叩以建置本末。應言：『寺本在邑西佛子墩，久廢。當紹興十七年，吳興僧如日駐錫此地，得古井焉，浚之以飲行旅。縣民倪實爲卓庵其傍。至乾道五年，始請於郡，得寺之故名，揭之。日年九十餘死，其徒嗣之者志常；常老，以屬宗應，由紹興迄今，六十餘年矣。邑無富商大賈，其民力農而嗇施；無深林壽木，作室者常取材他郡。寺無常產，丐食足日，斂其餘，銖銖積之，綿歲月迺能集一事，故祖孫三世所就僅若此。今將爲門，爲右廡，即廡爲輸藏；所未暇者：佛廬、鐘閣，役最大，度未易彊勉。以吾三世六十餘年所不能爲之事，而欲以一身數年之力爲之哉！姑盡吾力，以爲前所欲爲者。幸而有成，則與求文刻石，爲記其已成者，以期其未成者。方將有請於君，而未敢也。』會歲薦饑，弗果役。三年，余去官歸。其冬，應以書來曰：『役且畢矣，向所言者，今無不酬，石具而未有文，敢以請。』書再至，請益勤，余不獲辭。釋氏行乎中土千餘歲，余生長浙右，見其徒皆赤手興大役，捐金輸盡，鬨者爭勸。其規制奢廣，飛檐傑棟，金碧晃耀，往往談笑而成之，視應所爲，若不足乎紀。顧俗有富貧，緣法有深淺，以彼其易，以此其難，所遭者固殊焉。要之，釋氏之教，以空攝有。所謂華嚴樓閣，克遍十方；毘耶室中，容納廣坐；回觀世間諸所有相，皆是虛妄，尚復區區較計於規摹之廣狹、功力之難易哉！均之以有爲法作佛

事，而其艱勤積累，苦行勞力，視夫因順乘便，持福禍之說以聳世俗，而爲媮食安座之資者，猶愈也。故樂爲之書。」

案：振孫〈華勝寺碑記〉，載見《溧水縣志》卷二十、〈二氏志・寺觀類〉。〔註3〕據文首所記年月，可推知此篇乃作於宋寧宗嘉定四年（1211）辛未，時振孫正卸任溧水縣教授未久。〔註4〕有關〈碑記〉之文學特色與成就，前撰《陳振孫之生平及其著述研究》曾予評述，茲迻錄如次：

案：直齋撰作此〈碑記〉，行文謹嚴而有法度，確具匠心。文首寫華勝寺周遭景物，筆法雄奇雅健，深得柳子厚模山範水意趣。繼述華勝寺建置本末，由主僧宗應絮絮道來，娓娓可聽。文末夾敘夾議，所記浙右僧徒與信眾捐金建寺，飛檐傑棟，談笑而成。是段文字，直可作南宋佛教建築史觀。至直齋所論釋氏「以空攝有」之義，亦深入肯綮。蓋直齋博極群書，兼通內典，《解題》卷十二、〈釋氏類〉所收佛教典籍甚富，讀〈碑記〉，更足證直齋既冠後，已涵泳浮屠典籍，故此篇議論風發，造意精微，且不墜釋氏宗旨。〔註5〕

是則振孫此「記」之成就，殆可覘之。

振孫所撰「記」，其第二篇乃〈陳忠肅公祠堂記〉，其文云：

故贈諫議大夫忠肅陳公，立朝著節，爲宋名臣，去之百有餘歲，其精忠確論、絕識危行，士無賢不肖，皆口誦心慕，磊磊落落，若前日事。孟子有言：「奮乎百世之上，百世之下聞者，莫不興起也。」公之謂矣。始公事祐陵，爲諫官，首論蔡京交結外戚，謫監當。未幾，以司攝，夕拜，又坐上時相書，言私史、邊費，謫外祠；遂入黨籍，遷嶺表。甫自便，則又以子訟蔡氏不軌，謫通川；以進《尊堯集》，謫天台。晚稍牽復，則又以飛語連徙南康、山陽以歿。其平生出處本末如此。知、仁、勇，天下之達德也。士生斯世，維其知不足以知，勇不足以行，仁不足以守，則至於敗名喪節，失國負身而不恤。夫既知之矣，而行之或不決，守之或不固者，亡他焉，其知之非眞知故也。是故三達德，以知爲首，而《大學》、《中庸》

〔註3〕《溧水縣志》，清傅觀光主纂、丁維誠纂輯，臺北成文出版社民國五十九年（1970）據清光緒九年（1883）刊本影印。

〔註4〕請參考同註1，第三章、第一節，頁42～44。

〔註5〕請參考同註1，第六章、第三節，頁357～358。

> 之教，必於明德、明善拳拳焉。公之攻蔡氏不遺餘力，至以射馬擒王爲喻。凡人孰不樂富貴而悲貧賤，公視美官若將浼己，而甘心於廢放竄斥；凡人之蒙患難，始而安，中而悔，終而變者有矣。公坐謫至六七不變，卒窮以死，可謂行之決而守之固矣。其論絕滅史學，比之王衍，謂必有南北分裂之禍。方是時，天下承平，不見牙孽；未三十年而其言信，雖灼兆食墨，揲蓍命繇，不足喻其先見之審也。公之所以大過人者，豈非《大學》、《中庸》所謂明德、明善之君子，而兼天下之達德者歟！公之在台凡五年，始至，無以居，借僦皆莫與；末迺寓寶城之僧舍，故老相傳，能指其處。紹定癸巳，趙侯爲州，訪公遺跡而得之。深惟昔賢遷謫之地，往往有祠，以見其高山景行之意，如韓文公之於潮、蘇文忠公之於黃，邦人至今奉嘗不懈。台人之於公，不可以莫之知也，迺即其處而祠焉。明年正月祠成，擇郡士林表民掌之，取田之在官者十有二畝，畀寺僧以爲晨香夕燈之費，而屬振孫爲之記。後學不佞，何足以識先儒之大節，竊嘗論之，其事如右，遂書以遺台人，使刻之。侯名必願，丞相忠定公嗣孫。妙年擢世科，立身有家法，爲政識大體，歷數郡皆有循聲能名，他舉錯率類是，不盡紀。今以直秘閣，知婺州。

案：振孫此文，載見南宋林表民所編《赤城集》卷八。文中提及之陳忠肅，名瓘，字瑩中，南劍州沙縣人，《宋史》卷三百四十五、〈列傳〉第一百四有傳。振孫此〈記〉，於忠肅大節，推崇備至，均符史實。文中之趙必願，或作必愿，字立夫，丞相忠定公趙汝愚嗣孫，《宋史》卷四百一十三、〈列傳〉第一百七十二有傳。其傳略云：

> （紹定六年癸巳），詔依舊主管官告院兼知台州，一循大父之政，察民疾苦，撫摩凋瘵，修養濟院，建陳瓘祠，政教兼舉。端平元年，以直秘閣，知婺州。

是趙汝愚嘗知台州，故必愿乃得「一循大父之政」。史謂必愿「建陳瓘祠」，參證振孫此〈記〉，是祠始建於紹定六年（1233），而成於端平元年（1234）正月。惟祠成未久，必愿即「以直秘閣，知婺州」，故振孫〈記〉云：「今以直秘閣，知婺州。」〈記〉與史傳正相吻合。且〈記〉末數語，頗暗示出文之作年。竊謂必愿既知台州，嘗訪陳瓘遺跡而建祠紀念，則其對瓘之崇敬欽仰，固不在振孫下；至祠成之日，必愿離台州而改知婺州，未能爲祠堂作〈記〉；

而振孫既知台州，乃以此事相委矣。據此推判，則〈記〉之作年當爲端平三年（1236），而其時必愿已在婺州任矣。〔註6〕

振孫所撰第三篇「記」爲〈重建碧瀾堂記〉，乃一佚文，全文僅存「鏡波藍浪，萬頃空闊」八字，見錄元人韋居安《梅磵詩話》卷上。《梅磵詩話》載：

> 吾鄉地瀕具區，故郡以湖名。葉水心爲趙守希蒼作〈勝賞樓記〉，有「四水會於霅溪，鏡波藍浪」等語；然直齋爲吳守子明記重建碧瀾堂，亦云：「鏡波藍浪，萬頃空闊。」以是觀之，則水晶宮之稱，非浪得也。環城數十里，彌望皆菰蒲芰荷，城中月河、蓮花莊一帶亦然。余嘗愛楊廷秀〈過霅川大溪〉詩數語，形容最佳。詩云：「菰蒲際天青無邊，只堪蓮蕩不堪田。中有一溪元不遠，摺作三百六十灣。正如綠錦衣地上，玉龍盤屈於其間。」味此詩，則霅之勝概大略可見。〔註7〕

讀《梅磵詩話》此條，是知直齋此〈記〉祇存者「鏡波藍浪，萬頃空闊」八字耳，而前四字且采自葉適〈勝賞樓記〉也。〔註8〕譬之七寶樓臺，茲存片礫，振孫之〈記〉不幸散佚，固可惋息者矣！

二、陳振孫之「序」

振孫所撰「序」，現存者凡二篇，首篇乃〈崇古文訣序〉。《崇古文訣》一書，乃宋樓昉所編著，而振孫〈序〉則見載清陸心源《皕宋樓藏書志》卷一百十四、〈集部・總集類〉「《迂齋先生標注崇古文訣》二十卷」條，惟〈序〉首有闕文，文中又有闕字。其〈序〉曰：

> 上缺則又何足以爲文，迂齋樓□（廣棪案：「□」疑乃「氏」字），文名於時，士之從其游者一□□援，皆有師法。閒嘗采集先□□以來迄於今世之文，得一百六十有八篇，爲之標注，以諗學者。凡其用意之精深、立言之警拔，皆深索而表章之，蓋昔人所以爲文之法備矣。振〔孫〕觀公之去取，至於伊川先生講筵二〈疏〉，與夫致堂、澹齋二胡所上高廟〈書〉，彼皆非蘄以文著者也，而顧有取焉，毋亦道統之傳，接續孔、孟，忠義之氣，貫通神明，殆所謂有本者，非耶？然則公之是編，

〔註6〕請參考同註1，第六章、第七節，頁374～376。

〔註7〕見《續四庫全書・集部・詩文評類》（上海：上海古籍出版社，2002年）第1694冊，頁453。

〔註8〕請參考同註1，第六章、第十三節，頁405～408。

豈徒文而已哉！昔之論文者，曰文以氣爲主，又曰文者貫道之器也。學者其亦以是觀之，則得所以爲文之法矣。公名昉，字暘叔，鄞人；迂齋，其自謂也。寶慶丙戌嘉平月既望，永嘉陳振孫序。

案：《解題》卷十五、〈總集類〉載：

《迂齋古文標注》五卷，宗正寺簿四明樓昉暘叔撰。大略如呂氏《關鍵》，而所取自《史》、《漢》，而下至於本朝，篇目增多，發明尤精當，學者便之。

同卷〈總集類〉又載：

《古文關鍵》二卷，呂祖謙所取韓、柳、歐、蘇、曾諸家文，標抹注釋，以教初學。

據上所引，竊疑《解題》著錄《迂齋古文標注》，亦即《皕宋樓藏書志》著錄之《迂齋先生標注崇古文訣》，二者同書而異名。惟前者作五卷，後者作二十卷。然此書亦有作三十五卷者，《皕宋樓藏書志》同卷〈集部・總集類〉載：

《新刊迂齋先生標注崇古文訣》三十五卷，明吳邦楨刊本。宋樓昉編。姚珤序，寶慶丁亥。陳森跋。寶慶三祺。

是此書有明吳邦楨所刊本，即作三十五卷，乃新刊本。蓋三書所收材料迭有遞增，至遞增實況若何，斯則容俟研究樓昉書版本者詳考之。

迂齋既師事呂東萊，故其《崇古文訣》乃一本呂氏《古文關鍵》以爲選文標注準的，俾諗來學。凡文中之用意精深、立言警拔者，皆深索而表章之。茲所流傳振孫〈序〉，〈序〉首雖有闕文，然皆評騭允當。如〈序〉謂迂齋所取「毋亦道統之傳，接續孔、孟，忠義之氣，貫通神明，殆所謂有本者，非耶」？又謂「昔之論文者，曰文以氣爲主，又曰文者貫道之器也。學者其亦以是觀之，則得所以爲文之法矣」。蓋迂齋所甄選者，多程伊川、胡致堂、胡澹齋文，此等文章乃貫道之作，非僅蘄以文著者也。振孫之〈序〉，作於宋理宗寶慶二年（1226）丙戌嘉平（十二）月既望，考其時，振孫已充興化軍通判矣。〔註 9〕

振孫另一序文乃〈寶刻叢編序〉。《寶刻叢編》，南宋臨安人陳思所編著，而振孫爲之序。其〈序〉云：

始歐陽兗公爲《集古錄》，有卷秩次第，而無時世先後。趙德甫《金石錄》，迺自三代、秦漢而下敘次之，而不著所在郡邑。及鄭漁仲作

〔註 9〕請參考同註 1，第六章、第五節，頁 365～371。

> 《系時》、《系地》二錄，亦疏略弗備。其他如《諸道石刻錄》、《訪碑錄》之類，於所在詳矣，而考訂或杂焉。都人陳思儥書於都市，士之好古博雅，蒐遺獵忘，以足其所藏；與夫故家之淪墜不振，出其所藏以求售者，往往交於其肆。且售且儥，久而所閱滋多，望之輒能別其眞贋，一旦盡取諸家所錄，輯爲一編，以今九域、京府、州縣爲本，繫其名物於左，昔人辨證審定之語，具著之。既鋟木，首以遺余，求識其端。凡古刻所以貴重於世，歐陽公以來，言之悉矣，不待余言。余獨感夫古今宇宙之變，火焚水漂，陵騫谷堙，雖金石之堅不足保恃，載祀悠緬，其毀勿存，存弗全者，不勝數矣。矧今河洛尚隔版圖，其幸而存且全可椎榻者，非邊牙市不可得，得或貫兼金，固不能家有而人見之也；則得是書而觀之，猶可想象彷彿於上下數千載間，其不謂之有補於斯文矣乎！思，市人也，其爲是編，志於儥而已矣，而於斯文有補焉；視他書坊所刻，或蕪釀不切，徒費板墨、靡檖楮者，可同日語哉！誠以是獲厚利，亦善于擇術矣。余故樂爲之書，是亦柳河東述宋清之意云爾。紹定辛卯小至，直齋陳伯玉父。

案：振孫此〈序〉，末署「紹定辛卯小至，直齋陳伯玉父」。是〈序〉撰就於宋理宗紹定四年（1331）辛卯小至日，即冬至前一日也，其時振孫在軍器監簿任中。〈序〉首歷論歐陽修《集古錄》、趙明誠《金石錄》、鄭樵《系時》、《系地錄》及《諸道石刻錄》、《訪碑錄》諸書，皆指責其短，極具卓識。至陳思以一市人，儥書臨安市上，乃能蒐求好古博雅君子所需，及淪墜不振故家所藏金石名碑，又一旦盡取諸家所錄，輯爲《叢編》。振孫謂其書以宋之九域、京府、州縣爲本，而繫其名物於左，至前人辨證審定之語亦著焉，故所輯別具理致，確有補於斯文者矣。《叢編》凡二十卷，資料亦至富贍也。〔註10〕

三、陳振孫之「跋」

振孫所撰「跋」，茲可得者凡五篇。首篇爲〈玉臺新詠集後序〉。《玉臺新詠》，南朝陳徐陵編。《解題》卷十五、〈總集類〉著錄此書，曰：

> 《玉臺新詠》十卷，陳徐陵孝穆集，且爲作〈序〉。

〔註10〕請參考同註1，第六章、第六節，頁371～374。

惟《解題》並未附載振孫〈後序〉。〈後序〉，最早見於明人趙均小宛堂覆宋本《玉臺新詠》，陸心源《皕宋樓藏書志》卷一百十二、〈總集類〉一轉錄之，曰：

> 右《玉臺新詠集》十卷，幼時至外家李氏，於廢書中得之，舊京本也。宋失一葉，間復多錯謬，版亦時有刓者，欲求他本是正，多不獲。嘉定乙亥在會稽，始從人借得豫章刻本，財五卷，蓋至刻者中徙，故弗畢也。又聞有得石氏所藏錄本者，復求觀之，以補亡校脫，於是其書復全，可繕寫。夫詩者，情之發也。征戍之勞苦、室家之怨思，動於中而形於言，先王不能禁也。豈惟不能禁，且逆探其情而著之，〈東山〉、〈杕杜〉之詩是矣。若其他變風化雅，謂「豈無膏沐，誰適爲容」、「終朝采綠，不盈一掬」之類，以此《集》揆之，語意未大異也。顧其發乎情則同，而止乎禮義者蓋鮮矣！然其間僅合者亦一二焉。其措詞託興高古，要非後世樂府所能及。自唐《花間集》已不足道，而況近代狹邪之說，號爲以筆墨動淫者乎！又自漢、魏以來，作者皆在焉，多蕭統《文選》所不載，覽者可以睹歷世文章盛衰之變云。是歲十月旦日書其後，永嘉陳玉父。

案：〈後序〉末之「永嘉陳玉父」，乃「永嘉陳振孫伯玉父」之誤，文字有訛脫。拙著《陳振孫之生平及其著述研究》、第三章〈陳振孫之仕履與行誼〉、第二節〈補紹興府教授〉中詳考之矣，茲不贅。〔註 11〕振孫〈後序〉撰就於宋寧宗嘉定八年（1215）乙亥，振孫三十七歲，在紹興府教授任。據〈後序〉所記，振孫整治《玉臺新詠》，最初所得之本，乃舊京本（即北宋汴京本），書乃取自外家李氏。《解題》卷十七、〈別集類〉中載：

> 《丁永州集》三卷，知永州吳興丁注葆光撰。元豐中余中榜進士。喜爲歌詞，世所傳〈催雪・無悶〉及〈重午・慶清朝〉，皆有承平閒雅氣象。有女適樂清令富春李素見素，實先妣之大父母也。

觀《解題》此條，是李素乃振孫外曾祖父，其妻丁氏則振孫外曾祖母。〈後序〉所言「外家李氏」者，即指富春李素家，《玉臺新詠集》十卷舊京本，當取自李素後人。此本「宋失一葉」，所失之葉即在卷第四中。又此本多錯謬，版亦時有刓者，振孫不得已乃從人借得豫章刻本，才五卷；又求觀於石氏所藏錄本，以爲補亡校脫，其書始得復全，可繕寫。振孫所補校《玉臺新詠》，其後

〔註 11〕請參考同註 1，第三章、第二節，頁 51～52。

有宋本刊行，明崇禎六年（1633）癸酉趙均小宛堂覆宋本，即據此本，故覆宋本仍附振孫〈後序〉也。〔註12〕

振孫所撰〈關尹子跋〉，爲其跋文第二篇。有關《關尹子》一書，《解題》卷九、〈道家類〉著錄：

> 《關尹子》九卷，周關令尹喜，蓋與老子同時，啓老子著書言道德者。案《漢志》有《關尹子》九篇，而《隋》、《唐》及《國史志》皆不著錄，意其書亡久矣。徐藏子禮得之於永嘉孫定，首載劉向校定〈序〉，篇末有葛洪〈後序〉。未知孫定從何傳授，殆皆依託也。〈序〉亦不類向文。

案：今人張心澂《僞書通考》上海商務印書館一九五七年十一月三版修訂本〈子部・道家類〉載有振孫撰〈關尹子跋〉，較諸《解題》所載多出一百一十二字，惜張氏未注明引文依據與出處。茲將原〈跋〉迻錄如次：

> 陳振孫曰：「周關令尹喜蓋與老子同時，啓老子著書言道德者。按《漢志》有《關尹子》九篇，而《隋》、《唐》及《國史志》皆不著錄，意其書亡久矣。徐藏子禮得之於永嘉孫定。首載劉向校定〈序〉；篇末有葛洪〈後序〉。未知孫定從何傳授？殆皆依託也。〈序〉亦不類向文。今考其書，時取釋氏及神仙方伎家，如識想起滅，暨嬰兒蕊女、金樓絳宮之類，周時或無是語也。至豆中攝鬼、杯中釣魚，又似漢、晉間左慈、郭景純事。豈本書存而或附益之歟？抑假託者歟？然文詞峻潔，闡揚道意，深得二氏肯綮，非冥契玄解者不能作也。謂爲關令書，則不可必爾。丁丑夏日志。」《書錄解題》〔註13〕

案：振孫此〈跋〉，末署「丁丑夏日」。丁丑爲宋寧宗嘉定十年（1217），是年振孫三十九歲，在紹興教授任。《僞書通考》修訂本徵引此條，較館本《解題》多出之文字，正全篇精華所在，蓋乃辨《關尹子》爲僞書之重要考證也，微此一節，全文眞黯然失色矣！此段文字，余嘗檢校明宋濂《文憲集》卷二十七、〈諸子辨・關尹子〉條，確知宋濂得讀之《關尹子》亦有此節，故《僞書通考》修訂本所載，殊非杜撰，可確信也。〔註14〕

〔註12〕請參考同註1，第六章、第三節，頁358～363。

〔註13〕振孫〈關尹子跋〉，原刊張心澂《僞書通考》，上海，商務印書館，1957年11月三版（修訂本），頁803。

〔註14〕請參考同註1，第六章、第四節，頁363～365。

振孫第三篇「跋」文為〈易林跋〉。考漢焦延壽所撰《易林》一書，《解題》亦有著錄。《解題》卷十二、〈卜筮類〉載：

《易林》十六卷，漢小黄令梁焦延壽贛撰。又名《大易通變》。唐會昌丙寅越五雲谿王俞〈序〉。凡四千九十六卦，其辭假出於經史，其意雅通於神祇。蓋一卦可以變六十四也。舊見沙隨程迥所記，南渡諸人以《易林》筮國事，多奇驗。求之累年，寶慶丁亥始得之莆田，皆韻語古雅，頗類《左氏》所載繇辭，或時援引古事。閒嘗筮之，亦驗。頗恨多脱誤，嘉熙庚子從湖守王寺丞侑借本，兩相校，十得八九。其中亦多重複，或諸卦數爻共一繇，莫可考也。

至朱彝尊《經義考》卷六、「《易林變占》」條則載：

陳振孫曰：「又名《大易通變》。唐會昌景寅越五雲谿王俞〈序〉。凡四千九十六卦，蓋一卦可以變六十四也。」又曰：「舊見沙隨程氏所紀：紹興初，諸公以《易林》筮時事，奇驗。求之多年，寶慶丁亥始得其書於莆田，錄而藏之。皆韻語古雅，頗類《左氏》所載繇辭。閒嘗筮之，亦驗。獨恨多脱誤，無他本是正。嘉熙庚子自吳門歸雲川，偶爲鄉守王寺丞侑道之，因以家藏本見假，雖復多脱誤，而用兩本參互相校，十頗得八九，於是兩家所藏，皆成全書。其間亦重複，或數爻共繇，莫可稽究。校畢，歸其書王氏，而誌其校正本末於此。淳祐辛丑五月。」

案：將《解題》「《易林》」條與《經義考》「《易林變占》」條「陳振孫曰」相較，二者所著錄同屬一書，而後者記載較詳明。從文章撰作體裁觀之，《經義考》所載，明顯爲校讎後之跋文，故文末有「校畢，歸其書王氏，而誌其校正本末於此」諸語，則〈跋〉當誌於《易林變占》書上，是亦可稱之爲〈易林跋〉矣！今人陳樂素則稱此〈跋〉爲「識語」，樂素所撰〈略論陳振孫直齋書錄解題〉、八〈解題的傳本〉，於徵引《解題》「《易林》」條後，亦迻錄《經義考》「《易林變占》」條，惟竟抄脱三十七字，亦可謂失愼之至矣。樂素其後續曰：

這是一篇識語。《經義考》引自《解題》，還是朱彝尊有《易林變占》這部書，書中有陳振孫這篇識語？不易斷定。但《通考・經籍考》和現行武英殿本《解題》所載，顯然是一篇節文，不如識語詳明。

樂素疑朱彝尊有《易林變占》一書，上有振孫識語；此與愚見相合。至其謂《解題》所載爲節文，故不如識語詳明；此説則未盡然。蓋《解題》之撰作，自有其體例，與題跋顯有不同。例如題跋文末可明署寫成年月，《解題》大可不必，否則即爲蛇足矣。是故《解題》此條，盡符目錄書籍體例，且內容適當，殊非節文；樂素所言，未甚愜當。

據〈易林跋〉文末署年，此〈跋〉蓋撰於宋理宗淳祐元年（1241）辛丑五月，其時振孫剛離浙西提舉任未久，故〈跋〉有「嘉熙庚子自吳門歸霅川」之語。案：嘉熙庚子，即嘉熙四年（1240）；吳門即平江府，乃浙西提舉治所之地。霅川，即吳興，振孫故里也。余前撰《陳振孫之生平及其著述研究》、第三章〈陳振孫之仕履與行誼〉、第九節〈知嘉興府與升浙西提舉〉，曾疑振孫離浙西提舉任不遲於淳祐元年（1241）二月；依此〈跋〉，則知其準確之年應爲嘉熙庚子。是則前所疑振孫離任歲月，猶幸與事實相距匪遙。至〈易林跋〉中「嘉熙庚子自吳門歸霅川，偶爲鄉守王寺丞侑道之，因以家藏本見假，雖復多脫誤，而用兩本參互相校，十頗得八九」諸語，《解題》僅作「嘉熙庚子從湖守王寺丞侑借兩本相校，十得八九」，文辭雖較簡潔；獨惜刪去「自吳門歸霅川」六字，反使振孫離任後曾返霅川一事隱沒無聞。是又《解題》文字之簡潔，猶不若〈跋〉文記述詳明爲尤愈也。〔註15〕

振孫第四篇「跋」乃〈吳興張氏十詠圖跋及詩〉。此篇見載南宋周密《齊東野語》卷十五、「〈張氏十詠圖〉」條，其辭曰：

> 先世舊藏〈吳興張氏十詠圖〉一卷，乃張子野圖其父維平生詩，有十首也。其一〈太守馬太卿會六老於南園〉，云：「賢侯美化行南國，華髮欣欣奉宴娛。政績已聞同水薤，恩輝遂喜及桑榆。休言耳外榮名好，但恐人間此會無。他日定知傳好事，丹青寧羨〈洛中圖〉。」其二〈庭鶴〉，云：「戢翼盤桓傍小庭，不無清夜夢煙汀。靜翹月色一團素，閑啄苔錢數點青。終日稻粱聊自足，滿前鷄鶩漫相形。已隨秋意歸詩筆，更與幽樓上畫屏。」其三〈蝴蝶花〉，云：「雪朵中間蓓蕾齊，驟聞尤覺綉工遲。品高多說瓊花似，曲妙該將玉笛吹。散舞不休零晚樹，團飛無定撼風枝。漆園如有須爲夢，若在藍田種更宜。」其四〈孤帆〉，云：「江心雲破處，遙見去帆孤。浪闊疑升漢，風高若泛湖。依微過遠嶼，彷彿落荒蕪。莫問乘舟客，利名同一途。」其五〈宿清江小舍〉，破損，僅存一句云：「菰葉青青綠荇齊。」其六〈歸燕〉，云：「社燕秋歸何處鄉，群雛齊老稻青黃。猶

〔註15〕請參考同註1，第六章、第九節，頁382～388。

能時暫棲庭樹，漸覺稀疏度苑牆。已任風庭下簾幕，却隨煙艇過瀟湘。前春認得安巢所，應免差池揀杏樑。」其七〈聞砧〉，云：「遙野空林砧杵聲，淺沙棲雁自相鳴。西風送響暝色靜，久客感秋愁思生。何處征人移塞帳，即時新月落江城。不知今夜搗衣曲，欲寫秋閨多少情。」其八〈宿後陳莊〉，云：「臘凍初開苕水清，煙村遠郭漫吟行。灘頭斜日鳧鷖隊，枕上西風鼓角聲。一棹寒燈隨夜釣，滿犁膏雨趁春耕。誰言五福仍須富，九十年餘樂太平。」其九〈送丁遜秀才赴舉〉，云：「鵬去天池鳳翼隨，風雲高處約先飛。青袍賜宴出關近，帶取瓊林春色歸。」其十〈貧女〉，云：「萬簪掠鬢布裁衣，水鑑雖明亦嬾窺。數畝秋禾滿家食，一機官帛幾梭絲。物爲貴寶天應與，花有秋香春不知。多少年來豪族女，總教時樣畫蛾眉。」孫覺莘老序之云：「富貴而壽考者，人情之所甚慕；貧賤而夭短者，人情之所甚哀。然有得於此者，必遺於彼。故寧處康強之貧、壽考之賤，不願多藏而病憂、顯榮而夭短也。贈尚書刑部侍郎張公諱維，吳興人。少年學書，貧不能卒業，去而躬耕以爲養。善教其子，至於有成。平居好詩，以吟詠自娛。浮游閭里，上下於谿湖山谷之間，遇物發興，率然成章，不事彫琢之巧、采繪之華，而雅意自得。徜徉閑肆，往往與異時處士能詩者爲輩。蓋非無憂於中，無求於世，其言不能若是也。公不出仕，而以子封至正四品，亦可謂貴；不治職，而受祿養以終其身，亦可謂富；行年九十有一，可謂壽考。夫享人情之所甚慕，而違其所哀，無憂無求，而見之吟詠，則其自得而無怨懟之辭，蕭然而有沈澹之思，其亦宜哉！公卒十八年，公子尚書都官郎中先亦致仕家居，取公平生所自愛詩十首，寫之縑素，號〈十詠圖〉，傳示子孫，而以序見屬。余既愛侍郎之壽、都官之孝，爲之序而不辭。都官字子野，蓋其年八十有二云。」此事不詳於郡志，而張維之名亦不顯，故人少知者。會直齋陳振孫貳卿方修《吳興志》，討摭舊事，見之大喜，遂傳其圖，且詳考顛末，爲之〈跋〉云：「慶曆六年，吳興郡守宴六老於南園，酒酣賦詩，安定胡先生瑗教授湖學，爲序其事。六人者，工部侍郎郎簡年七十九，司封員外郎范說年八十六，衛尉寺丞張維年九十一，俱致仕。劉維慶年九十二，周守中年九十五，吳琰年七十二，皆有子弟列爵於朝。劉，殿中丞述之仲父；周，大理丞頌之父；吳，大理丞知幾之父也。詩及序刻石園中，園廢，石亦不存。其事見《圖經》及《安定言行錄》。余嘗考之，郎簡，杭人也，或嘗寓於湖。范說，治平三年進士，同學究出身。周頌，天聖八年進士。劉、吳盛族，述與知幾皆有名蹟可見，獨張維無所考。近周明叔史君得古畫三幅，號〈十詠圖〉者，乃維所作詩也。首篇即南園宴集所賦，孫覺莘老序之，其略云云。於是始知維爲子野之父也。時熙寧五年，歲在壬子，逆數而上八十二年，子野之生當在淳化辛卯，其父享年九十有一，正當爲守。會六老之年，實慶曆丙戌。逆數而上九十一年，則周世宗顯德丙辰也。後四年宋興，自是日趨太平極盛之世，及於熙寧、元豊，再更甲子矣。子野於其間，擢儒科，登膴仕，爲時聞人，贈其父官四品，仍父子皆耄期，流風雅韻，使人遐想慨慕不能已，可謂吾鄉衣冠之盛事矣。世固知有子野，而不知有其父也。自慶曆丙戌後十八年，子野爲〈十詠圖〉，當治平甲辰；又後八年，孫莘老爲太守，爲之作〈序〉，當熙寧壬子；又後一百七十七年，當淳祐己酉，其〈圖〉爲好古博雅君子所得。會余方緝《吳興人物志》，見之如獲拱璧，因細考而詳錄之，庶幾不朽於世。其詩亦清麗閒雅，如『灘頭斜日鳧鷖隊，枕上西風鼓角聲』，又『花有秋香春不知』，皆佳句也。子野之墓在卞山多寶寺，今其後影響不存矣。此〈圖〉之獲，豈不幸哉！本朝有兩張先，皆字子野。其一博州人，天聖三年進士，歐陽公爲作〈墓志〉；其一天聖八年進士，則吾州人也。二人名姓字偶皆同，而又適同時，不可不知也。」且賦詩云：「平生聞說張三影，〈十詠〉誰知有乃翁。逢世昇平百年久，與齡耆艾一家同。名賢敘述文章好，勝事流傳繪素工。遐想盛時生恨晚，恍如身在畫圖中。」南園故址在今南門內，牟存叟端平所居是也。其地尚爲張氏物，先君爲經營得之。存叟大喜，亦嘗賦五絕句，其一云：「買家喜傍水晶宮，正是南園故址中。我欲築堂名『六老』，追還慶曆太平風。」蓋紀實也。余家又偶藏子野詩一帙，名《安六集》，舊京本也。鄉守楊嗣翁見之，因取刻之郡齋。適二事皆出余家，似與子野父子有緣耳。〔註 16〕

〔註 16〕　周密：《齊東野語》（上海：上海古籍出版社，1987 年），《欽定四庫全書》第 865 冊，頁 794～796。

案：《齊東野語》此條，不惟記及振孫致仕鄉居修輯《吳興人物志》情事，更難得者則爲載及振孫〈張氏十詠圖跋及詩〉。至振孫遐想慨慕北宋昇平盛世之情懷，於其跋語與所賦詩中均足以覘之。振孫撰此〈跋〉後，繼附以詩。詩乃七律一首。首二句及頷聯均寫張維、張先父子事。「張三影」指先，「乃翁」指維，〈十詠〉詩正維所作也。維、先父子，皆生逢北宋盛世；維卒年九十一，先卒八十九，故頷聯二句詠之。頸聯「名賢」云云，指胡瑗與孫覺作〈序〉事，惜胡〈序〉散佚，不可見矣。〈十詠〉詩後繪圖三幅，〈跋〉謂：「近周明叔史君得古畫三幅，號〈十詠圖〉者，乃維所作詩。」此即詩所云「〈十詠〉誰知有乃翁」及「勝事流傳繪素工」之意。末二句則感慨系之，振孫生値南宋戎馬倥傯之時，而遙想承平，恨己生之晚，乃哀思無窮，不覺將一腔幽恨付諸楮墨間矣。

振孫此〈跋〉與〈詩〉之作年，蓋在淳祐十年（1250）庚戌振孫致仕家居之後，《齊東野語》謂：

> 會直齋陳振孫貳卿方修《吳興志》，討摭舊事，見之大喜，遂傳其〈圖〉，且詳考顚末，爲之〈跋〉云。

蓋振孫致仕後，欲修《吳興人物志》，討摭舊事，因得周晉所藏〈張氏十詠圖〉，喜而跋之，且附〈詩〉以詠其事。淳祐十年，振孫年七十二，已逾古稀矣。〔註 17〕周晉，周密父。

振孫第五篇「跋」乃〈洛陽名園記跋〉，附見《解題》卷八、〈地理類〉「《續成都古今集記》二十卷」條中，其條曰：

> 《續成都古今集記》二十卷，知府事王剛中居正撰。寔紹興三十年。余嘗手寫〈洛陽名園記〉，而題其後曰：「晉王右軍聞成都有漢時講堂、秦時城池、門屋樓觀，慨然遠想，欲一遊目。其〈與周益州帖〉，蓋數致意焉。近時，呂太史有感於宗少文臥遊之語，凡昔人記載人境之勝，錄爲一編。其奉祠亳社也，自以爲譙、沛眞源，恍然在目，而兗之太極、嵩之崇福、華之雲臺，皆將臥遊之。噫嘻！弧矢四方之志，高人達士之懷，古今一也。顧南北分裂，蜀在境內，雖遠，患不往爾，往則至矣。亳、兗、嵩、華，視蜀猶邇封也，欲往，其可得乎？然則太史之情，其可悲也已！余近得此〈記〉，手寫一通，與《東京記》、《長安》、《河南志》，《夢華錄》諸書並藏，而時自覽

〔註 17〕請參考同註 1，第六章、第十節，頁 389～400。

焉，是亦臥遊之意云爾。于時歲在己丑，蜀故亡也。後七年而有虜禍，秦、漢故跡，焚蕩無遺，今其可見者，惟此二〈記〉耳，而板本亦不可復得矣。嗚呼！悲夫！〔註18〕

案：此〈跋〉亦見清陸心源《皕宋樓藏書志》卷三十三、〈史部·地理類〉五，〔註19〕惟文字有出入。如「蓋數致意焉」句，《皕宋樓藏書志》作「蓋所致意焉」；「凡昔人記載人境之勝，錄爲一篇」句，無「錄」字；又闕「于時歲在己丑」至「嗚呼！悲夫」數句；而〈跋〉末反增「永嘉陳瑗伯玉書」七字，惟未悉陸氏所本。陳瑗即陳振孫，今人陳樂素撰〈直齋書錄解題作者陳振孫〉，「本名」條云：

末題永嘉陳瑗伯玉書。此文具載《解題》卷八「《續成都古今集記》」條中，則固直齋之文也。《藏書志》所載有譌奪字，今依《解題》。然則直齋本名瑗，字伯玉，做春秋蘧大夫。《宋史·寧宗紀》：「嘉定十七年（公元1224）閏八月，帝崩，史彌遠傳遺詔立姪貴誠爲皇子，更名昀，即皇帝位。」是爲理宗。直齋之更名振孫，蓋緣於此，避嫌名也。〔註20〕

是則《皕宋樓藏書志》所載「永嘉陳瑗」，即振孫也。有關振孫原名瑗，更名振孫說，余未敢以爲然，見拙著《陳振孫之生平及其著述研究》第二章、第三節。〔註21〕振孫撰此〈跋〉，蓋欲抒發其對國土淪亡，欲往無從之幽憂矣。至文中謂「宗少文臥遊」云云者，反藉以可得推知振孫內心之沉痛與無奈。

四、陳振孫之「題識」

陳振孫所撰「題識」，第一篇乃〈皇祐新樂圖記題識〉。收入《四庫全書》宋阮逸、胡瑗奉敕撰《皇祐新樂圖記》書末，其辭曰：

嘉熙己亥良月，借虎邱寺本錄，蓋當時所賜，藏之名山者也。末用蘇州觀察使印，長、貳押字，志頒降歲月。平生每見承平故物，輒慨然起敬，恨生不於其時，乃錄藏之，一切做元本，無豪釐差。伯玉識。

〔註18〕見《直齋書錄解題》，徐小蠻、顧美華點校本，上海：上海古籍出版社，1987年12月第1版，頁256～257。

〔註19〕收入《續修四庫全書》第928冊，上海：上海古籍出版社，1995年初版，頁369～370。

〔註20〕陳樂素之文，發表於1946年11月20日《大公報·文史周刊》。徐小蠻、顧美華點校本《解題》轉載，頁691～704。

〔註21〕同註1，頁36～40。

案：此識語即振孫所撰〈皇祐新樂圖記題識〉也。嘉熙己亥良月，乃宋理宗嘉熙三年（1239）己亥十月，實〈題識〉作年，其時振孫正調升浙西提舉。至其錄藏虎邱寺藏本《皇祐新樂圖記》亦在此時。而《解題》卷十四、〈音樂類〉著錄：

> 《皇祐新樂圖記》三卷，屯田員外郎阮逸、光祿寺丞胡瑗撰。凡十二篇，首載詔旨，次及律、度、量、衡、鍾磬、鼓鼎、鸞刀，圖其形製，刊板頒之天下。虎丘寺有本，當時所頒，藏之名山者也。其末志頒降歲月，實皇祐五年十二月二十一日，用蘇州觀察使印，長、貳押字。余平生每見承平故物，未嘗不起敬，因錄藏之，一切依元本摹寫，不少異。〔註22〕

考《解題》此條，應成於撰〈題識〉後，故《解題》內容與〈題識〉似一致而略有增益，如虎丘寺藏本之頒降歲月，乃〈題識〉所闕記者。蓋振孫所撰〈題識〉，乃逕寫於借錄本上，借錄本一切倣虎丘寺藏本摹寫，「無毫釐差」，其上已明識頒降歲月，故〈題識〉無須再贅，此行文所宜然也。今振孫借錄本已散佚，虎丘寺藏本之頒降歲月，反藉《解題》所記而獲悉其蹤跡，斯固非振孫撰《解題》時所可卜知者矣。〔註23〕

振孫第二篇「題識」爲〈追昔遊編題識〉，附見《解題》卷十九、〈詩集類〉上、「《追昔遊編》三卷」條。該條云：

> 《追昔遊編》三卷，唐宰相李紳公垂撰。皆平生歷官及遷謫所至，述懷紀遊之作也。余嘗書其後云：「讀此編，見其飾智矜能，誇榮殉勢，益知子陵、元亮爲千古高人。」〔註24〕

案：李紳《追昔遊編》，振孫所撰〈題識〉僅二十四字，抨擊紳「飾智矜能，誇榮殉勢」，實無能與嚴子陵、陶元亮等千古高人相比。紳，兩《唐書》均有傳。《舊唐書》卷一百七十三、〈列傳〉第一百二十三載之，曰：

> 紳始於文藝節操進用，受顧禁中。後爲朋黨所擠，濱於禍患。賴正人匡救，得以功名始終。歿後，宣宗即位，李德裕失勢罷相，歸洛陽，而宗閔、嗣復之黨崔鉉、白敏中、令狐綯欲置德裕深罪。大中初，教人發鎮揚州時舊事，以傾德裕。初，會昌五年，揚州江都縣

〔註22〕同註4，頁403。
〔註23〕請參考同註1，第六章、第十一節，頁400～403。
〔註24〕同註17，頁570。

尉吳湘坐贓下獄，準法當死，具事上聞。諫官疑其冤，論之，遣御史崔元藻覆推，與揚州所奏多同，湘竟伏法。及德裕罷相，群怨方構，湘兄進士汝納，詣闕訴冤，言紳在淮南恃德裕之勢，枉殺臣弟。德裕即貶，紳亦追削三任官告。〔註25〕

《新唐書》卷一百八十一、〈列傳〉第一百六亦載之，曰：

始，以文藝節操見用，而屢爲怨仇所根卻，卒能自伸其才，以名位終。所至務爲威烈，或陷暴刻，故雖沒而坐湘冤云。〔註26〕

兩《唐書》所載李紳事，其中引吳汝納言，謂「紳在淮南恃（李）德裕之勢」，枉殺其弟吳湘；《新唐書》更指斥其「所至務爲威烈，或陷暴利，故雖沒而坐（吳）湘冤云」；是則與振孫所抨擊其過，庶幾相近。

振孫第三篇題識乃〈文章玄妙題識〉，附見《解題》卷二十二、〈文史類〉「《文章玄妙》一卷」條。其條云：

《文章玄妙》一卷，唐任藩撰。言作詩聲病、對偶之類。凡世所傳詩格，大率相似。余嘗書其末云：「論詩而若此，豈復有詩矣。唐末詩格汙下，其一時名人，著論傳後乃爾，欲求高尚，豈可得哉？」〔註27〕

案：任藩《文章玄妙》，振孫撰〈題識〉，凡三十四字，指其論詩僅重聲病、對偶，而不及其餘，遂使詩格汙下，欲求其高尙而不可得。藩，兩《唐書》無傳。元人辛文房《唐才子傳》作任蕃。其書卷五、〈任蕃〉載：

蕃，會昌間人，家江東，多遊會稽苕、雪間。初，亦舉進士之京，不第，牓罷進謁主司曰：「僕本寒鄉之人，不遠萬里，手遮赤日，步來長安，取一第榮父母不得。侍郎豈不聞江東一任蕃，家貧吟苦，忍令其去如來日也？敢從此辭，彈琴自娛，學道自樂耳！」主司慚，欲留不可得。歸江湖，專尚聲調。去遊天台巾子峯，題寺壁間云：「絕頂新秋生夜涼，鶴翻松露滴衣裳。前峯日照一江水，僧在翠微開竹房。」既去百餘里，欲回改作「半江水」，行到題處，他人已改矣。後復有題詩者，亡其姓氏，曰：「任蕃題後無人繼，寂寞空山二百年。」才名類是。凡作必使人改視易聽，如〈洛陽道〉云：「憧憧洛陽道，

〔註25〕《舊唐書》，後晉劉昫等撰，北京：中華書局，1975年5月第一版，頁4500。

〔註26〕《新唐書》，宋歐陽修、宋祁撰，北京：中華書局，1975年2月第一版，頁5350。

〔註27〕同註17，頁645。

> 塵下生春草。行者豈無家，無人在家老。雞鳴前結束，爭去恐不早。百年路傍盡，白日車中曉。求富江海狹，取貴山嶽小。二端立在途，奔走何由了？」想蕃風度，此亦足舉其梗概。〔註28〕

是《唐才子傳》亦謂蕃「專尚聲調」，其人風度不佳也。會昌，唐武宗李炎年號，是蕃乃其時人。

五、陳振孫之「考」

振孫有「考」二篇，皆余從馬端臨《文獻通考》中發現，並於撰《陳振孫之生平及其著述研究》時已有考證。其一爲〈律呂之說定於太史公考〉，其二爲〈貢法助法考〉。茲不妨將前之研究所得，迻錄如次。

「考」之第一篇乃〈律呂之說定於太史公考〉，拙文云：

> 直齋此篇，本無篇名，篇名乃余所命定。直齋之有此〈考〉，自宋迄清，以至近人如陳樂素、喬衍琯二氏，皆不之知；而爲余偶所蒐獲，且爲之命名者，亦云幸事矣。此篇載見馬端臨《文獻通考》卷一百三十一、〈樂考〉四、「漢文帝令丞相北平侯張蒼始定律曆」條，馬氏於條末引「永嘉陳氏曰」，繼乃錄及此文。「永嘉陳氏」，疑即直齋也。茲將全文迻錄如下：
>
> > 永嘉陳氏曰：「律呂之法，起於黃帝氏。律呂之說，定於太史公。知黃帝氏之法，而不知太史公之說，則難於制律。知太史公之說，而未知黃帝氏之法，則雖未能制律，而不害其爲律矣。何者？黃帝使伶倫取嶰谷之竹，制十二之宮，吹陽律以候鳳，吹陰律以擬凰；而十二律之法，由是而定，信乎起於黃帝氏者也。黃帝氏之法雖存，而太史公之說未出，則天下之人雖知律之不可闕於樂，而不知所以制律之本；雖知律之不可廢於度量衡，而不達所以制律之意。本不知而意不達，則雖斷竹鑄銅，定形穴竅，區區用上黨之黍，分其長短而較其合否，窮日夜之力以爲之，未見其能定也。然則，太史公之說果安在哉？蓋太史公之爲《律書》也，其始不言律而言兵，不言兵之用而言兵之偃，及言兵之偃，而於漢之文帝尤加詳焉。既曰：『陳武請伐朝鮮，而文帝以謂願且堅邊設候，結和通使；由是而天

〔註28〕《唐才子傳》，元辛文房撰。見《欽定四庫全書》〈史部〉七、〈傳記類〉三、〈總錄之屬〉第451冊，頁448。上海：上海古籍出版社，1987年6月第一版。

下富庶，鳴鷄吠狗，煙火萬里，可謂和樂者矣。』又曰：『文帝之時，能不擾亂，由是而百姓遂安，耆老之人不至市廛，游敖嬉戲，如小兒狀。』嗚呼！若太史公者，可謂知制律之時，而達制律之意者也。何則？當文帝時，偃兵息民，結和通使，而天下安樂，則民氣歡洽。陰陽協和，而天地之氣亦隨以正。苟制度以候之，其氣之相應自然，知吾律之爲是；其氣之不合自然，知吾律之爲非。因天地之正氣，以定一代之正律，律有不可定者乎？古人所謂天地之氣，合以生風；天地之風氣正，而十二律定，殆謂是歟！然則，律呂之說，豈非定於太史公者哉！」

案：馬端臨《文獻通考》中引用宋人之說，有作「致堂胡氏曰」、「山齋易氏曰」、「巽岩李氏曰」、「西山眞氏曰」者，此皆連用其字號與姓氏以表示其人者也。致堂胡氏者，胡寅也；山齋易氏者，易祓也；巽岩李氏者，李燾也；西山眞氏者，眞德秀也。亦有作「東萊呂氏曰」、「山陰陸氏曰」、「江陵項氏曰」、「永嘉陳氏曰」者，此則連用其祖籍與姓氏矣。東萊呂氏者，呂祖謙也；山陰陸氏者，陸游也；江陵項氏者，項安世也；是則永嘉陳氏者，其必屬陳振孫無疑矣。蓋直齋有所撰作，其序跋署名多作「永嘉陳振孫伯玉父」，或「永嘉陳振孫序」、「永嘉陳振孫伯玉書」，皆冠祖籍，是可推知馬端臨於《通考》中逕稱直齋爲「永嘉陳氏」，應屬適當，此篇必直齋之文矣。直齋此篇，幾全取材《史記・律書》。(《史記・律書》即〈兵書〉) 考《史記》卷二十五、〈律書〉第三有曰：

高祖有天下，三邊外畔，大國之王雖稱蕃輔，臣節未盡。會高祖厭苦軍事，亦有蕭、張之謀，故偃武一休息，羈縻不備。歷至孝文即位，將軍陳武等議曰：「南越、朝鮮，自全秦時，内屬爲臣子，後且擁兵阻阸，選蠕觀望。高祖時，天下新定，人民小安，未可復興兵。今陛下仁惠撫百姓，恩澤加海内，宜及士民樂用，征討逆黨，以一封疆。」孝文曰：「朕能任衣冠，念不到此。會呂氏之亂，功臣宗室共不羞恥，誤居正位，常戰戰慄慄，恐事之不終。且兵，凶器，雖克所願，動亦耗病，謂百姓遠方何？又先帝知勞民不可煩，故不以爲意。朕豈自謂能？今匈奴内侵，軍吏無功，邊民父子荷兵日久，朕常爲動心傷痛，無日忘之。今未能銷距，願且堅邊設候，結和通使，休寧北陲，爲功多矣。且無議軍。」故百姓無内外之繇，得息肩於田畝，天下殷富，粟至十餘錢，鳴鷄吠狗，煙火萬里，可謂和樂者乎！

> 太史公曰：「文帝時，會天下新去湯火，人民樂業，因其欲然，能不擾亂，故百姓遂安。自年六七十翁亦未嘗至市井，游敖嬉戲，如小兒狀。孔子所稱有德君子者邪！」

案：漢文帝仁惠愛民，偃兵息戰，故太史公借孔子語而稱之。《史記》卷十、〈孝文本紀〉第十亦載：

> 太史公曰：「孔子言：『必世然後仁。善人之治國百年，亦可以勝殘去殺。』誠哉是言！漢興，至孝文四十有餘載，德至盛也。廩廩鄉改正服封禪矣，謙讓未成於今。嗚呼，豈不仁哉！」

是史公又以「德至盛也」、「豈不仁哉」推譽文帝。竊意直齋此篇，雖名爲論史公律呂之說，惟史公所欲探求者，乃制律之本與制律之意，而其本旨則在說明制律以偃兵。蓋偃武修文，「而天下富庶，雞鳴狗吠，煙火萬里，可謂和樂者矣」。此史公探研律呂之意也。直齋此篇作論，乃不惜辭費詳引《史記．律書》之文，其於漢文帝事尤加詳焉，揣其用意，蓋在暗示偃兵息武之重要。考宋寧宗世，權臣韓侂冑有伐金開邊之舉，《宋史》卷四百七十四、〈列傳〉第二百三十三、〈姦臣〉四載：

> 或勸侂冑立蓋世功名以自固者，於是恢復之議興。以殿前都指揮使吳曦爲興州都統，識者多言曦不可，主西師必叛，侂冑不省。安豐守厲仲方言淮北流民願歸附，會辛棄疾入見，言敵國必亂必亡，願屬元老大臣預爲應變計，鄭挺、鄧友龍等又附和其言。開禧改元，進士毛自知廷對，言當乘機以定中原，侂冑大悅。詔中外諸將密爲行軍之計。先是，楊輔、傅伯成言兵不可動，抵罪；至是，武學生華岳叩閽乞斬侂冑、蘇師旦、周筠以謝天下，諫議大夫李大異亦論止開邊。岳下大理劾罪編置，大異斥去。

竊意直齋之撰此篇，固不止在論律呂，其用心乃反對韓侂冑妄開邊釁而塗炭生靈，故屢引漢文帝爲喻，並以有德之君開導寧宗。惜寧宗非孝文比，故言者諄諄，而聽者藐藐耳。直齋此篇固足與楊輔、傅伯成言兵不可動，及李大異論止開邊同其功。後楊、傅二人以抵罪聞，大異則遭斥去。開禧改元，歲在乙丑（1205），其時直齋年二十七，尚未出仕，故庶免於被懲耳。然則直齋偃武仁民之思，及此篇作年在開禧元年（1205），或可因是而推考得之。〔註 29〕

〔註 29〕請參考同註 1，第六章、第十一節，頁 400～403。

至振孫第二篇「考」乃〈貢法助法考〉，余亦從《文獻通考》中輯出此文，並嘗作考證如次：

《文獻通考》卷一、〈田賦考〉一「歷代田賦之制」條又另引「永嘉陳氏曰」一段文字，此亦直齋文也。惜無篇名，茲據其內容而爲之命名。此篇亦前人所未嘗論及，乃余所蒐獲者也。《文獻通考》凡二百卷，引「永嘉陳氏曰」者，僅此二條，此條曰：

> 永嘉陳氏曰：「鄉遂用貢法，〈遂人〉是也。都人用助法，〈匠人〉是也。按〈遂人〉云：『百夫有洫，十夫有溝。』即不見得包溝洫在內，若是在內，當云百夫、十夫之間矣。〈匠人〉溝洫却在內，故以間言。方十里者，以開方法計之爲九百夫。方百里者，以開方法計之爲萬夫，〈遂人〉、〈匠人〉兩處，各是一法。朱子總其說，謂：『貢法十夫有溝，助法八家同井。』其言簡而盡矣，但不知其必分二法者，何故？竊意鄉遂之地，在近郊、遠郊之間，六軍之所從出，必是平原曠野，可畫爲萬夫之田，有溝有洫，又有途路方圓，可以如圖。蓋萬夫之地所佔不多，以井田一同法約之，止有九分之一，故以徑法攤算，逐一見其子數。若都鄙之地，謂之甸。稍縣都乃公卿、大夫之采地，包山林、陵麓在內，難用溝洫法整齊分畫，故逐處畫爲井田，雖有溝洫，不能如圖，故但言在其間。其地綿亘，一同之地爲萬夫者九，故以徑法紐算，但止言其母數。」

案：直齋此篇論貢法與助法，其撰作目的，固欲補朱子論此二法之所未及。《文獻通考》此條之前引朱子《集註》之論曰：

> 周時一夫授田百畝，鄉遂用貢法，十夫有溝；都鄙用助法，八家同井。耕則通力而作，收則計畝而分，故謂之徹，其實皆什一也。貢法固以十分之一爲常數，惟助法乃是九一，而商制不可考。周制則公田百畝中，以二十畝爲廬舍，一夫所耕公田，實計十畝，通私田百畝，爲十一分取其一，蓋又輕於什一矣。竊料商制亦當似此，而以十四畝爲廬舍，一夫實耕公田七畝，是亦什一也。

是朱子此處所論者，不過考證貢法、助法、徹法三種田賦之制，皆同爲十一之法耳。至於何以必須分貢、助二法之因由，朱子則未遑道及，故直齋乃撰此篇而詳言之。竊疑直齋此篇乃其讀《四書集注》之箚記耳。嘗讀《直齋書錄解題》之人，固應知直齋於朱子，不惟拳拳服膺，且推崇備至。如《解題》卷三〈孝經類〉云：

> 《孝經刊誤》一卷，朱熹撰。抱遺經於千載之後，而能卓然悟疑辨惑，非豪傑特起獨立之士，何以及此？後學不敢倣傚，而亦不敢擬議也。

又同卷〈語孟類〉云：

> 《論語集注》十卷、《孟子集注》十四卷，朱熹撰。大略本程氏學，通取注疏、古今諸儒之說，間復斷以己見。晦翁生平講解，此為第一，所謂毫髮無遺憾者矣。

然而朱子之著述，直齋亦非盲從而不敢置喙者。如《解題》卷十六、〈別集類〉上則載：

> 《校定韓昌黎集》四十卷、《外集》十卷，晦庵朱侍講熹以方氏本校定。凡異同定歸於一，多所發明，有益後學。《外集》皆如舊本，獨用方本，益大顛三書。愚案：方氏用力於此《集》勤矣，《外集》刪削甚嚴，而存此書，以見其邀速常語，初無崇信之說，但欲明世間問答之僞，而不悟此書為僞之尤也，蓋由歐陽公〈跋〉語之故。不知歐陽公自以《易大傳》之名與己意合，從而實之，此自通人之一蔽，東坡固嘗深辨之，然其謬妄，三尺童子所共識，不待坡公也。今朱公決以為韓筆無疑，方氏未足責，晦翁識高一世，而其所定者迺爾，殆不可解。今案：《外集》第七卷曰「疑誤」者，韓郁注云：「潮州靈山寺所刻。」末云：「吏部侍郎、潮州刺史者，非也。退之自刑部侍郎貶潮，晚乃由兵部為吏部，流俗但稱韓吏部爾。其書蓋國初所刻，故其謬如此。又潮本《韓集》不見有此書，使靈山舊有此刻，集時何不編入？可見此書妄也。」然其妄甚白，亦不待此而明。

是朱子以韓昌黎《外集》為「韓筆無疑」，其妄甚白，故直齋辨之，並斥為「殆不可解」。至此篇論貢法與助法，亦用以補朱子所未及。然直齋此文仍有欠詳明之處，故馬端臨於此條後下案語曰：

> 永嘉陳氏謂〈遂人〉十夫有溝，是以直度之；〈匠人〉九夫為井，是以方言之。又謂〈遂人〉所言者積數，〈匠人〉所言者方法，想亦有此意，但其說欠詳明矣。然鄉遂附郭之地，必是平衍沃饒，可以分畫，宜行助法，而反行貢法。都鄙野分之地，必是有山谷之險峻、溪澗之阻隔，難以分畫，宜行貢法，而反行助法。何也？蓋助法九取其一，似重於貢。然地有肥磽，歲有豐凶，民不過任其耕耨之事，

而所輸盡公田之粟，則所取雖多，而民無預。貢法十取其一，似輕於助。然立爲一定之規，以樂歲之數，而必欲取盈於凶歉之年，至稱貸而益之，則所取雖寡，而民已病矣。此孟子所以言莫善於助，莫不善於貢也。鄉遂迫近王城，豐凶易察，故可行貢法。都鄙僻在遐方，情僞難知，故止行助法。此又先王之微意也。然鄉遂之地少，都鄙之地多，則行貢法之地必少，而行助法之地必多。至魯宣公始稅畝。杜氏注：「以爲公無恩信於民，民不肯盡力於公田，故履踐案行，擇其善畝好穀者稅取之。」蓋是時公田所收，必是不給於用，而爲此橫斂。孟子曰：「《詩》云：『雨我公田，遂及我私。』惟助爲有公田。由此觀之，雖周亦助也。」則是孟子之時，助法之廢已久，盡胥而爲貢法矣。孟子特因《詩》中兩語，而想像成周之助法耳。自助法盡廢，胥而爲貢法，於是民所耕者私田，所輸者公租。田之豐歉靡常，而賦之額數已定，限以十一，民猶病之，況過取於十一之外乎！

案：馬氏此段案語，分析貢、助二法對民之利弊，所言鞭辟入裏，又足補直齋之未及矣。〔註 30〕

以上謹將振孫文學作品一十五篇（附詩一篇）考述完竣，由是可知，振孫雖非文學家，惟其於詩、文撰作，亦允稱能兼擅矣。

〔註 30〕請參考同註 1，第六章、第十二節，頁 403～405。

第三章　陳振孫對文學書籍之收藏、編理與識見

陳振孫以藏書富贍名震宋代，所撰著《直齋書錄解題》一書亦享譽後世。周密《齊東野語》卷十二、〈書籍之厄〉條云：

> 近年惟直齋陳氏書最多。蓋嘗仕於莆，傳錄夾漈鄭氏、方氏、林氏、吳氏舊書，至五萬一千一百八十餘卷，且倣《讀書志》作解題，極其精詳。〔註 1〕

是其證也。

振孫所藏書，據《解題》著錄者約略統計，凡經部書 370 種、史部書 841 種、子部書 823 種、集部書 1017 種，四者以集部書收藏最多，是則振孫好文學而富其收藏，固可推知矣。

又據《解題》著錄，振孫所藏書中有文學〈總集類〉書一種、〈詩集類〉書三種，均其本人編理或輯佚而成。《解題》卷十五、〈總集類〉著錄：

> 《玄眞子漁歌碑傳集錄》一卷，玄眞子漁歌，世止傳誦其「西塞山前」一章而已。嘗得其一時倡和諸賢之辭各五章，及南卓、柳宗元所賦，通爲若干章。因以顏魯公〈碑述〉、《唐書》本傳以至近世用其詞入樂府者，集爲一編，以備吳興故事。〔註 2〕

此乃振孫編理文學〈總集類〉書一種之證。

同書卷十九、〈詩集類〉上著錄：

〔註 1〕周密：《齊東野語》（上海：上海古籍出版社，1987 年），《欽定四庫全書》，第 865 冊，頁 757-758。

〔註 2〕徐小蠻、顧美華點校：《直齋書錄解題》（上海，上海古籍出版社，1987 年），頁 449。

> 《秦隱君集》一卷，唐處士秦系公緒撰。系自天寶間有詩名。藩鎮奏辟，皆不就。嘗隱越之剡、泉之南安，至貞元中，年八十餘，不知所終。此本南安所刻，余又嘗於宋次道《寶刻叢章》得其逸詩二首，書冊末。〔註3〕

此又振孫輯得秦系逸詩二首，乃就南安刻本增訂而成〈詩集類〉書之證。

同卷、同類著錄：

> 《柳宗元詩》一卷，唐柳宗元撰。子厚詩在唐與王摩詰、韋應物相上下，頗有陶、謝風氣，古律、絕句總一百四十五篇，在全集中不便於觀覽，因鈔出別行。〔註4〕

是乃振孫據柳氏全集「鈔出別行」之《柳宗元詩》一卷，凡一百四十五篇，皆古律、絕句，以便觀覽。

同卷、同類又著錄：

> 《武元衡集》一卷，唐宰相武元衡伯蒼撰。初用莆田李氏本傳錄，後以石林葉氏本校。益以六首，及李吉甫唱酬六首，川本作二卷。〔註5〕

是又振孫對《武元衡集》作校勘，增益六首，並附李吉甫唱酬詩以成此書者也。綜上所考，則振孫對文學書籍收藏及編理工作，甚爲重視，且具成績，殆可悉矣。

振孫亦嘗從事文學創作，雖無詩文集傳世，惟其文學作品仍可得而讀者，計「記」三篇、「序」二篇、「跋」五篇、「題識」三篇、「考」二篇，凡十五篇，另附「詩」一首，內容尚富贍，文辭又順適，余已於第二章處詳作考述，茲不多贅。

至振孫對宋以前各朝文學創作亦深有研究，且富識見。茲擬據振孫作品所述，及其《解題》書中所載，並蒐求相關資料，略分五項，考論如次：

一、對西漢劉向以還至宋世之《楚辭》學研究深有認知

戰國之際，屈原、宋玉等撰《楚辭》，西漢劉向集爲十七卷，東漢王逸注之，南宋洪興祖又補注之，振孫則加以評論，以爲諸家注《楚辭》，「訓詁名物詳矣」。《解題》卷十五、〈楚辭類〉著錄：

> 《楚辭》十七卷，漢護都水使者光祿大夫劉向集，後漢校書郎南郡

〔註3〕同註2，頁560。
〔註4〕同註2，頁564。
〔註5〕同註2，頁567。

王逸叔師注，知饒州曲阿洪興祖慶善補注。逸之注雖未能盡善，而自淮南王安以下爲訓傳者今不復存，其目僅見於《隋》、《唐志》，獨逸《注》幸而尚傳，興祖從而補之，於是訓詁名物詳矣。〔註6〕

觀《解題》歷舉叔師、興祖注而作分析，並兼取劉安以下爲《楚辭》訓傳者以爲說，則振孫言之邃矣，詳矣，且見源流矣。故其「訓詁名物詳矣」之說，應屬確評。

《楚辭》有古本，有今本，而古、今本篇次有所不同。振孫於《解題》卷十五、〈楚辭類〉中論述之，曰：

《離騷釋文》一卷，古本，無名氏。洪氏得之吳郡林虙德祖。其篇次不與今本同。今本首〈離騷〉，次〈九歌〉、〈天問〉、〈九章〉、〈遠遊〉、〈卜居〉、〈漁父〉、〈九辨〉、〈招魂〉、〈大招〉、〈惜誓〉、〈招隱〉、〈七諫〉、〈哀時命〉、〈九懷〉、〈九歎〉、〈九思〉。《釋文》亦有〈離騷〉，次〈九辨〉，而後〈九歌〉、〈天問〉、〈九章〉、〈遠遊〉、〈卜居〉、〈漁父〉、〈招隱士〉、〈招魂〉、〈九懷〉、〈七諫〉、〈九歎〉、〈哀時命〉、〈惜誓〉、〈大招〉、〈九思〉。洪氏按：王逸〈九章注〉云「皆解於〈九辨〉中」，則《釋文》篇第蓋舊本也，後人始以作者先後次序之耳。朱侍講按：「天聖十年陳說之〈序〉以爲舊本篇第混并，乃考其人之先後，重定其篇第。然則今本說之所定也。」余按：《楚辭》劉向所集，王逸所注，而〈九歎〉、〈九思〉亦列其中，蓋後人所益也歟？〔註7〕

據是，則《楚辭》既有古、今本之分，篇數同，而篇次不同。又洪興祖得自林虙之《離騷釋文》，篇第則據古本，其〈九辨〉在〈九章〉前，即其證也。今本篇第則依撰作者先後排比作品，朱熹以爲乃宋仁宗天聖十年（1032）陳說之所定。至〈九歎〉、〈九思〉二篇，振孫謂爲後人增益，王逸注《楚辭》時所未有。惟其說未見所本，及今思之，恐未必然也。〔註8〕

〔註6〕同註2，頁433。

〔註7〕同註2，頁433～434。

〔註8〕案：考紀昀《四庫全書總目》卷一百四十八、〈集部〉一、〈楚辭類〉「《楚辭章句》十七卷」條云：「劉向裒集屈原〈離騷〉、〈九歌〉、〈天問〉、〈九章〉、〈遠遊〉、〈卜居〉、〈漁父〉，宋玉〈九辨〉、〈招魂〉，景差〈大招〉，而以賈誼〈惜誓〉，淮南小山〈招隱士〉，東方朔〈七諫〉，嚴忌〈哀時命〉，王褒〈九懷〉，及向所作〈九歎〉，共爲《楚辭》十六篇。是爲總集之祖。逸又益以己作〈九思〉，與班固二〈敘〉爲十卷，而各爲之注。」是則〈九歎〉、〈九思〉皆非後人所益，振孫之說與紀昀不同，故未必然也。

洪興祖爲《楚辭考異》，用力至勤，振孫知之亦審。《解題》同卷、同類著錄：

> 《楚辭考異》一卷，洪興祖撰。興祖少時從柳展如得東坡手校《楚辭》十卷，凡諸本異同，皆兩出之；後又得洪玉父而下本十四五家參校，遂爲定本。始補王逸《章句》之未備者；書成，又得姚廷輝本，作《考異》，附古本《釋文》之後；其末，又得歐陽永叔、孫莘老、蘇子容本於關子東、葉少協，校正以補《考異》之遺。洪於是書用力亦以勤矣。〔註 9〕

據是，則興祖著此書，其工序繁多。初則以十數家本參校，以成定本，並補王逸《章句》所未備。繼又得姚廷輝本，乃作《考異》。其後又以歐陽、孫、蘇三家本校正，用補《考異》之遺。振孫於其事知之既審，故於《解題》中言之甚詳，而次序先後亦秩然不亂也。

晁補之整治《楚辭》亦頗建其功，振孫審悉之，故能於《解題》同卷、同類中著錄甚詳備，曰：

> 《重定楚辭》十六卷、《續楚辭》二十卷、《變離騷》二十卷，禮部郎中濟北晁補之無咎撰。去〈九思〉一篇入《續楚辭》，定著十六卷，篇次亦頗改易，又不與陳說之本同。《續》、《變》二篇皆《楚辭》流派，其曰「變」者，又以其類〈離騷〉而少變也。新序三篇述其意甚詳，然其去取之際，或有不可盡曉者。〔註 10〕

補之《重定楚辭》十六卷，去王逸〈九思〉而入之《續楚辭》，又改易全書篇次，以〈離騷〉居首，其後乃爲〈遠遊〉、〈九章〉、〈九歌〉、〈天問〉、〈卜居〉、〈漁父〉、〈大招〉、〈九辯〉、〈招魂〉、〈惜誓〉、〈七諫〉、〈哀時命〉、〈招隱士〉、〈九懷〉、〈九歎〉，其序次既不同《離騷釋文》之古本，又不同陳說之所定之今本，但莫悉其所據依，故振孫不得不謂「然其去取之際，或有不可盡曉者」，蓋表示懷疑。至於補之所撰「新序三篇」，即〈離騷新序〉上、中、下三篇，今見晁著《雞肋集》卷三十六，文長不錄。

振孫治學，於朱子最表崇敬，而於朱子所撰《楚辭集注》、《楚辭辨證》二書，亦推譽至隆。《解題》同卷、同類著錄：

〔註 9〕 同註 2，頁 434。

〔註 10〕 同註 2，頁 434～435。

> 《楚辭集註》八卷、《辨證》二卷，侍講建安朱熹元晦撰。以王氏、洪氏注或迂滯而遠於事情，或迫切而害於義理，遂別爲之注。其訓詁文義之外，有當考訂者，則見於《辨證》，所以袪前注之蔽，而明屈子微意於千載之下，忠魂義魄，頓有生氣。其於〈九歌〉、〈九章〉，尤爲明白痛快。至謂《山海經》、《淮南子》殆因〈天問〉而著書，說者反取二書以證〈天問〉。可謂高世絕識、毫髮無遺恨者矣。公爲此《注》在慶元退歸之時，〈序〉文所謂「放臣棄子、怨妻去婦」，蓋有感而託者也。其生平於六經皆有訓傳，而其殫見洽聞、發露不盡者，萃見於此書。嗚呼偉矣！其篇第視舊本益賈誼二賦而去〈諫〉、〈歎〉、〈懷〉、〈思〉。屈子所著二十五篇爲《離騷》，而宋玉以下則曰《續離騷》。其言「〈七諫〉以下辭意平緩，意不深切，如無所疾痛而強爲呻吟者」，尤名言也。〔註11〕

是振孫以爲朱子撰《楚辭》二書固在袪王逸、洪興祖注之蔽，並欲明屈原微意於千載之下；又謂朱子以爲《山海經》、《淮南子》乃因〈天問〉而作，後人反取以證〈天問〉，振孫乃稱朱子爲「高世絕識，毫髮無遺恨者」。至朱子評〈七諫〉諸作，批評其「辭意平緩，意不深切，如無所疾痛而強爲呻吟者」，振孫亦以爲「名言」。朱子另有《楚辭後語》六卷，乃據晁補之《續楚辭》、《變離騷》以爲刊定，收文凡五十二篇，振孫稱其去取「嚴而有意」。若振孫者，眞朱子後世知音矣！

《解題》尚著錄有周紫芝《楚辭贅說》四卷、林應辰《龍岡楚辭說》五卷，又有黃伯思《校定楚辭》十卷、《翼騷》一卷、《洛陽九詠》一卷，振孫皆予以游揚，並考及周紫芝所爲〈哀湘纍賦〉，謂其用意乃在一反賈誼、揚雄之評屈。振孫之說可信。由是觀之，振孫固邃於《楚辭》學者矣。

二、對歷代詩、文、詞之看法正確及評論深中肯綮

振孫能詩、文，對歷代文學之成敗利鈍亦有所研究，往往發之於《解題》，而所論又深中肯綮。《解題》卷十八、〈別集類〉下著錄：

> 《浮溪集》六十卷，翰林學士婺源汪藻彥章撰。四六偶儷之文，起於齊、梁，歷隋、唐之世，表、章、詔、誥多用之。然令狐楚、李商隱之流號爲能者，殊不工也。本朝楊、劉諸名公猶未變唐體，至

〔註11〕同註2，頁435。

歐、蘇，始以博學富文，爲大篇長句，敘事達意，無艱難牽強之態，而王荊公尤深厚爾雅，儷語之工，昔所未有。紹聖後置詞科，習者益眾，格律精嚴，一字不苟措，若浮溪尤其集大成者也。〔註12〕

振孫於此條中歷評齊、梁以降四六文，認爲令狐楚、李商隱，「號爲能者」，其四六文「殊不工」；而楊億、劉筠，則「猶未變唐體」；至其所揚譽者乃歐與蘇，謂二人「博學富文」，「敘事達意」；尤盛讚王荊公「深厚爾雅」，「儷語之工，昔所未有」；至汪藻更是集大成者，所撰偶儷之文，「格律精嚴，一字不苟措」。上述振孫之評，眞慧眼獨具，述來且具見源流者。

詩重聲律，一般認爲導源於南朝蕭梁之沈約，惟自是日益淫靡，影響所及，下至初唐沈佺期、宋之問，二人鏤章刻句，揣合浮切，謂之唐律。《解題》卷十六、〈別集類〉上、「《沈佺期集》十卷」條曾述及之，曰：

《沈佺期集》十卷，唐中書舍人內黃沈佺期雲卿撰。自沈約以來，始以音韻、對偶爲詩，至之問、佺期，益加靡麗。學者宗之，號爲沈、宋。唐律蓋本此。〔註13〕

《解題》卷十九、〈詩集類〉上「《韋蘇州集》十卷」條亦曰：

《韋蘇州集》十卷，……詩律自沈、宋以後日益靡嫚，鏤章刻句，揣合浮切，雖音韻諧婉，屬對麗密，而閑雅平淡之氣不存矣。〔註14〕

是振孫認爲詩重聲律，其佳處固在「音韻諧婉，屬對麗密」，然「鏤章刻句，揣合浮切」之結果，則令詩「日益靡嫚」，「而閑雅平淡之氣不存矣」。振孫斯說雖是篤論，然檢《郡齋讀書志》，乃知其說沿自晁公武；其後，元人辛文房撰《唐才子傳》又沿用之。〔註15〕

五代後蜀趙崇祚，字宏基，輯成《花間集》十卷，振孫雖謂「未詳何人」，然亦盛稱其書乃「近世倚聲塡詞之祖」，非虛譽也。《解題》卷二十一、〈歌詞類〉著錄：

〔註12〕同註2，頁526。

〔註13〕同註2，頁467-468。

〔註14〕同註2，頁562。

〔註15〕晁公武《郡齋讀書志》卷第十七、〈別集類〉上著錄：「《韋應物集》十卷。右唐韋應物，京兆人。……詩律自沈、宋以後日益靡曼，鏤章刻句，揣合浮切，雖音韻婉諧，屬對麗密，而嫺雅平淡之氣不存矣。」是振孫沿用公武說。其後辛文房《唐才子傳》卷第四、〈韋應物〉載：「論曰：詩律自沈、宋之下日益靡嫚，鏤章刻句，揣合浮切；音韻婉諧，屬對藻密；而閑雅平淡之氣不存矣。」是《唐才子傳》又沿用晁、陳。

《花間集》十卷，蜀歐陽炯作〈序〉，稱衛尉少卿字宏基者所集，未詳何人。其詞自溫飛卿而下十八人，凡五百首，此近世倚聲塡詞之祖也。詩至晚唐、五季，氣格卑陋，千人一律，而長短句獨精巧高麗，後世莫及，此事之不可曉者，放翁陸務觀之言云爾。〔註16〕

此條文末評及晚唐、五季詩「氣格卑陋，千人一律」，而長短句則「精巧高麗，後世莫及」，又謂「放翁陸務觀之言云爾」，是知振孫乃據陸放翁以立說。考《渭南文集》卷第三十有〈跋《花間集》〉云：「唐自大中後，詩家日趣淺淺。其間傑出者，亦不復有前輩閎妙渾厚之作，久而自厭。然梏於俗尚不能拔出。會有倚聲作詞者，本欲酒間易曉，頗擺故態，適與六朝跌宕意氣差近。此《集》所載是也。故歷唐季五代，詩愈卑，而倚聲者輒簡古可愛。蓋天寶以後，詩人常恨文不逮；大中以後，詩衰而倚聲作。使諸人以其所長，格力施於所短，則後世孰得而議。筆墨馳騁，則一能此不能彼，未易以理推也。」蓋放翁所論如此。是則《解題》「氣格卑陋，千人一律」，與「精巧高麗，後世莫及」諸語，大抵與陸氏意同，然皆非陸〈跋〉中文字，應屬振孫一己之評論也。

振孫於江西詩派多有不以爲然者，故於《解題》中一再批評及之。《解題》卷十五、〈總集類〉著錄：

《江西詩派》一百三十七卷、《續派》十三卷，自黃山谷而下三十五家，又曾紘、曾思父子詩。詳見〈詩集類〉。詩派之說本出於呂居仁，前輩多有異論，觀者當自得之。〔註17〕

據是，則振孫不慊江西詩派之情，露於言表矣。其所謂「前輩多有異論」者，殆指劉過乎？劉過撰此書〈總序〉云：「呂紫微作江西宗派，自山谷而下凡二十六人，內何人表顒、潘仲達大觀，有姓名而無詩。詩存者凡二十四家，王直方詩絕少，無可采；……派中如陳后山，彭城人；韓子蒼，陵陽人；潘邠老，黃州人；夏均父，二林，蘄人；晁叔用、江子之，開封人；李商老，南康人；祖可，京口人；高子勉，京西人；非皆江西人也。同時如曾文清乃贛人，又與紫微公以詩往還而不入派。不知紫微去取之意云何，惜當日無人以此叩之。」劉氏此條所批駁至合情理，〈總序〉載見馬端臨《文獻通考》卷二百四十九、〈經籍考〉七十六、〈集・總集類〉「《江西詩派》一百三十七卷、《續派》十三卷」條。

〔註16〕同註2，頁614。
〔註17〕同註2，頁449。

振孫於《解題》卷二十、〈詩類〉下又著錄：

> 《后山集》六卷、《外集》五卷，陳師道無己撰。亦於正集中錄出入《詩派》。江西宗派之說，出於呂本中居仁。前輩固有議其不然者矣。后山雖曰見豫章之詩，盡棄其學而學焉，然其造詣平澹，眞趣自然，寔豫章之所缺也。〔註 18〕

此又謂陳后山雖曰學詩於江西詩派，宗師黃山谷，然其詩「造詣平淡，眞趣自然」，境界至高，既與江西詩派異趨，亦正山谷詩所缺者也。

《解題》卷十八、〈別集類〉下著錄：

> 《誠齋集》一百三十三卷，寶謨閣學士文節公廬陵楊萬里廷秀撰。……自作〈江湖集序〉曰：「予少作有詩千餘首，至紹興壬午皆焚之。」大概江西體也。今所存曰《江湖集》者，蓋學后山及半山及唐人者也。〔註 19〕

考楊萬里另有〈荊溪集自序〉曰：「予之詩始學江西諸君子，既又學后山五字律，既又學半山老人七字絕句，晚乃學絕句於唐人。」與《解題》此條所述正可相參證。蓋萬里少學江西體，後不愜意，紹興三十二年（1162）壬午前所作皆焚之，轉學陳師道、王安石及唐人五、七言絕句。振孫論述及此，固欲藉之以貶抑江西體詩耳。

《解題》卷十七、〈別集類〉中著錄：

> 《宛陵集》六十卷、《外集》十卷，都官員外郎國子監直講宣城梅堯臣聖俞撰。……聖俞爲詩，古澹深遠，有盛名於一時。近世少有喜者，或加毀訾，惟陸務觀重之，此可爲知者道也。自世競宗江西，已看不入眼，況晚唐卑格方錮之時乎？杜少陵猶有竊議妄論者，其於宛陵何有？〔註 20〕

此條讚譽聖俞詩「古澹深遠，有盛名於一時」，然「世競宗江西」，乃於宛陵詩「看不入眼」，竊議妄論。振孫愛重后山、誠齋、宛陵詩，而貶斥江西詩派之作，推其本人爲詩亦必珍重「古澹深遠」、「眞趣自然」之詩風。觀其所作〈吳興張氏十詠圖詩〉，風格宛然相近，惜不多覯，余已於第二章介紹之。

〔註 18〕同註 2，頁 592-593。
〔註 19〕同註 2，頁 542。
〔註 20〕同註 2，頁 494。

三、對編理文學書籍及選詩、注詩有獨到見解

振孫亦編理書籍，固有較豐富之經驗及較成熟之識見。其所編就之文學著作，前已述及，計有《玄眞子漁歌碑傳集錄》一卷、《秦隱君集》一卷、《柳宗元詩》一卷、《武元衡集》一卷，凡四種，雖均屬詩集小品，然亦可見其治此事用力頗勤也。

振孫論書籍之編理，有謂隋以前文集存全者亡幾，其餘多從類書鈔出者。《解題》卷十九、〈詩集類〉上著錄：

> 《薛道衡集》一卷，隋內史侍郎河東薛道衡玄卿撰。詩凡十九篇。本集三十卷，所存止此。大抵隋以前文集存全者亡幾，多好事者於類書中鈔出，以備家數也。〔註21〕

是隋薛道衡原有《集》三十卷，《隋書・經籍志》、《舊唐書・經籍志》、《新唐書・藝文志》、《通志・藝文略》著錄均同；而此書宋時則僅存一卷，詩十九首，振孫認爲其《集》大抵「好事者於類書中鈔出，以備家數也」。

於《解題》中亦見振孫選詩之意見，所論頗精闢。《解題》卷十五、〈總集類〉著錄：

> 《本朝百家詩選》一百卷，太府卿曾慥端伯編。官至太府卿。編此所以續荊公之《詩選》，而識鑒不高，去取無法，爲小傳無義類，議論亦凡鄙。陸放翁以比《中興間氣集》，謂相甲乙，非虛語也。〔註22〕

據是，殆可推知振孫頗具選詩標準，其標準乃要求選者識鑒須高，去取有法，而爲小傳則須有義類，議論又須卓爾不凡。振孫謂曾端伯此《選》，陸放翁比之《中興間氣集》。《中興間氣集》者，其書殆集至德以後終於大曆錢起等二十六人詩、一百三十二首而成，《解題》亦收之。振孫評此書謂「各有小傳，敘其大略，且拈提其警句，而議論、文辭皆凡鄙」，〔註23〕則此二種選詩著作，格調不高，故皆以「凡鄙」評之，難副振孫要求也。

至振孫對注詩亦自有其識見，以爲注詩須戒臆決，又謂注詩不獨須注事，兼須注意也。《解題》卷二十、〈詩集類〉下著錄：

> 《注東坡集》四十二卷、《年譜》、《目錄》各一卷，司諫吳興施元之德初與吳郡顧景蕃共爲之。……陸放翁爲作〈序〉，頗言注之難，蓋

〔註21〕同註2，頁557。

〔註22〕同註2，頁447。

〔註23〕《中興間氣集》，《解題》卷十五、〈總集類〉著錄。同註2，頁441。

> 其一時事實，既非親見，又無故老傳聞，有不能盡知者。噫，豈獨坡詩也哉！注杜詩者非不多，往往穿鑿傅會，皆臆決之過也。〔註24〕

斯乃振孫注詩戒臆決之說。蓋有所臆決，則所注詩往往流於穿鑿傅會矣。

《解題》同卷、同類著錄：

> 《注黃山谷詩》二十卷、《注后山詩》六卷，新津任淵子淵注。鄱陽許尹爲〈序〉。大抵不獨注事而兼注意，用功爲深。〔註25〕

斯又振孫引任淵爲鑑，提倡注詩「不獨注事而兼注意」也。振孫是說，乃沿用許尹撰任淵注黃山谷、陳后山詩〈序〉中語，許〈序〉曰：「二公（指山谷、后山）之詩，……其用事深密，雜以儒佛，虞初稗官之說、雋永鴻寶之書，牢籠漁獵，取諸左右。後生晚學，此祕未覩者，往往苦其難知。三江任君子淵，博極群書，尚友古人，暇日遂以二家詩爲之注解，且爲原本立意始末，以曉學者，非若世之箋訓，但能標題出處而已也。」此乃許尹論注詩，而頗及注事與注意，振孫沿用其說者也。

四、認同「文以氣爲主」、「文以貫道」，兼及對文體之明辨

振孫對「文以氣爲主」、「文以貫道」之認同，集中見所撰〈崇古文訣序〉。《崇古文訣》，南宋孝、光宗朝文士樓昉所編著，振孫此〈序〉頗有闕佚，見載清陸心源《皕宋樓藏書志》卷一百十四、〈集部・總集類〉「《迂齋先生標注崇古文訣》二十卷」條後。其〈序〉曰：

> 上缺則又何足以爲文，迂齋樓□文名於時，士之從其游者一□□援，皆有師法。閒嘗采集先□□以來迄於今世之文，得一百六十有八篇，爲之標注，以諗學者。凡其用意之精深、立言之警拔，皆深索而表章之。蓋昔人所以爲文之法備矣，振〔孫〕觀公之去取，至於伊川先生講筵二〈疏〉，與夫致堂、澹齋二胡所上高廟〈書〉，彼皆非蘄以文著者也，而顧有取焉，毋亦道統之傳，接續孔、孟，忠義之氣，貫通神明，殆所謂有本者，非耶？然則公之是編，豈徒文而已哉！昔之論文者，曰文以氣爲主，又曰文者貫道之器也。學者其亦以是觀之，則得所以爲文之法矣。〔註26〕

〔註24〕同註2，頁591～592。

〔註25〕同註2，頁593。

〔註26〕陸心源：《皕宋樓藏書志》（光緒八年壬午冬月十萬卷樓藏版），第29冊，頁2～3。

案：樓迂齋此書，不以文著，故其去取及於伊川講筵之〈疏〉，致堂、澹齋上宋高宗〈書〉。振孫推譽之，以爲其所選之文實得「道統之傳」，且能「接續孔、孟，忠義之氣，貫通神明，殆所謂有本者」，評價至高；又謂昔人論文每言「文以氣爲主」，又言「文者貫道之器」，而迂齋取之以作「爲文之法」也。深味《解題》此條，固可推知振孫於「文以氣爲主」、「文者貫道之器」二說，實亦拳拳服膺者也。

振孫於文體之使用，亦每能明辨，並作批評與糾正，茲無妨略舉一例，以況其餘。《解題》卷十八、〈別集類〉下著錄：

> 《竹西集》十卷、《西垣集》五卷，兵部侍郎維揚王居正剛中撰。宣和三年進士。紹興初入詞掖。《西垣集》者，制草及繳章也。其篇目，凡繳章皆云「封還詞頭」，蓋其子孫編次者之失也。除授則有詞頭，政刑庶事，何詞頭之有？〔註27〕

此條之「詞頭」，乃指朝廷命詞臣撰擬詔敕時所作摘由或提要。惟除授之制則需詞頭，政刑庶事則否。振孫能明辨文體及其正確使用，故讀《西垣集》，乃能糾正王居正子孫編次之誤，及所貽疏失也。

五、論文評及其人品德，偶亦透露「文觀世變」之觀點

《解題》一書，本從目錄學角度以著錄群書，然振孫每喜於論述撰人文學成就之同時，亦褒貶其人品德。茲舉褒、貶例各一，以資說明。

《解題》卷十八、〈別集類〉下著錄：

> 《合齋集》十六卷，祕書少監王枘木叔撰。乾道丙戌進士。在永嘉諸老最爲先登。其容貌偉然，襟韻灑落，雖不以文自鳴，而諸老皆推敬之。〔註28〕

此言王枘不以文鳴，然「襟韻灑落」，其品德爲人推敬，振孫亦從而褒譽之。此褒例也。

《解題》卷十七、〈別集類〉中著錄：

> 《華陽集》一百卷，丞相岐國文恭公龍舒王珪禹玉撰。本成都人，故稱「華陽」。典內、外制十八年。《集》中多大典冊、詔令。其詩

〔註27〕同註2，頁531。

〔註28〕同註2，頁548～549。

> 號「至寶丹」，以其好爲富貴語也。在相位無所建明，人目爲「三旨」：於上前曰取聖旨，曰領聖旨，退謂吏則曰已得旨。元豐末命，珪本無異論，亦緣其備首相，不能早發大議，依違遷延，以召讒賊，卒爲本朝大禍。〈需〉，事之賊也，豈不然哉！珪一身追貶，不足道也。〔註 29〕

此言王珪爲文，雖閎侈瓌麗，自成一家。然在相位十六年，無所建明，當時被目爲「三旨相公」。元豐末命，於建儲事又依違遷延，不能當機立斷，卒成朝廷大禍。故振孫貶之，謂其雖遭讒賊，「一身追貶，不足道也」，對之殊不同情。此貶例也。

《解題》中有「文觀世變」之觀點，此亦振孫見解也。其書卷十五、〈總集類〉著錄：

> 《擢犀策》一百九十六卷、《擢象策》一百六十八卷，《擢犀》者，元祐、宣、政以及建、紹初年時文也，《擢象》則紹興末。大抵科舉場屋之文，每降愈下，後生亦不復識前輩之舊作，姑存之以觀世變。〔註 30〕

《擢犀策》、《擢象策》二書所蒐集，乃哲宗至高宗士子應試之時文，本無甚文學價値，振孫以其內容涉世事，藉之可觀世變而姑存之。是振孫能將時文作史料用，以觀世變，此亦極難能可貴之識解也。

綜上所述，本章既述及振孫重文學、收藏書籍與編理文學書籍事，又續分五項舉例具論其對文學之識見，則全章內容尚稱富贍賅備矣。

〔註 29〕 同註 2，頁 498。
〔註 30〕 同註 2，頁 458。

第四章　《直齋書錄解題》集錄分類及其對集部書籍之評價

陳振孫乃南宋有數目錄學家，所著《直齋書錄解題》與晁公武《郡齋讀書志》齊名，早負盛譽，紀昀《四庫全書總目》給予極高評價。〔註1〕《解題》凡分經、史、子、集四錄，至其〈集錄〉分類方法，既有繼承前人者，亦有爲振孫所獨創而影響其後目錄書籍編理者，茲據《隋書・經籍志》、《舊唐書・經籍志》、《新唐書・藝文志》、《崇文總目》、《郡齋讀書志》、《遂初堂書目》、《宋史・藝文志》、《文獻通考・經籍考》、紀昀《四庫全書總目》等九部均以四部分類法編目之目錄書籍，用與《解題》作比較，列表如次，藉見《解題・集錄》分類法之傳承及其創新與影響。

	隋志	舊唐志	新唐志	崇文總目	讀書志	遂初目	解題	宋志	經籍考	四庫總目
集部	1. 楚辭類	1. 楚辭類	1. 楚辭類		1. 楚辭類		1. 楚辭類	1. 楚辭類	1. 楚辭類	1. 楚辭類
	3..總集類	3..總集類	3..總集類	1. 總集類	3. 總集類	3. 總集類	2. 總集類	3. 總集類	6. 總集類	3. 總集類
	2. 別集類	2. 別集類	2. 別集類	2. 別集類	2. 別集類	1. 別集類	3. 別集類	2. 別集類	2. 別集類	2. 別集類
							4. 詩集類		3. 詩集類	
						5. 樂曲類	5. 歌詞類		4. 歌詞類	5. 詞曲類
						2. 奏章類	6. 章奏類		5. 章奏類	
				3. 文史類	4. 文說類	4. 文史類	7. 文史類	4. 文史類	7. 文史類	4. 詩文評類

〔註1〕紀昀《四庫全書總目》卷八十五、〈史部〉四十一、〈目錄類〉一著錄「《直齋書錄解題》二十二卷」條評此書曰：「方今聖天子稽古右文，蒐羅遺籍，列於《四庫》之中，浩如煙海，此區區一家之書，誠不足以當萬一。然古書之不傳於今者，得藉是以求其崖略；其傳於今者，得藉是以辨其眞僞，核其異同，亦考證之所必資，不可廢也。」評價甚高。

綜上表所列示，《解題》集錄〈楚辭〉、〈總集〉、〈別集〉三類，皆傳承於《隋志》、《舊唐志》、《新唐志》、《郡齋讀書志》，惟彼此編次則略有不同。《解題》將〈總集〉列於〈別集〉前，蓋效《崇文總目》，而不同於《遂初目》。〈詩集〉、〈歌詞〉、〈章奏〉三類則爲《解題》所獨創，其稱謂前無所承。〈章奏類〉，《遂初目》作〈奏章類〉；〈歌詞類〉，《遂初目》作〈樂曲類〉，《解題》稱謂雖與之略相似而實不全同。《解題》影響所及，其最大者乃馬端臨《文獻通考・經籍考》，其次爲紀昀《四庫全書總目》。《通考・經籍考》集部分類依次爲〈楚辭〉、〈別集〉、〈詩集〉、〈歌詞〉、〈章奏〉、〈總集〉、〈文史〉，所有類目稱謂均與《解題》同，惟編次則將〈總集類〉移至〈章奏〉後，而微見不同耳。《四庫全書總目》集部分類凡五種，似較《解題》少二種；其實乃將〈詩集類〉歸併於〈別集類〉，又將〈章奏類〉移入史部，改稱〈詔令奏議類〉耳。至類目之稱謂，《解題》之〈歌詞類〉，《四庫全書總目》作〈詞曲類〉（內收詞集、詞選、詞話、詞譜詞韻、南北曲之書）；〈文史類〉，《郡齋讀書志》作〈文說類〉，《四庫全書總目》作〈詩文評類〉，亦略異耳。

《解題》之〈詩集類〉與〈章奏類〉各有小序。其〈詩集類〉小序云：

> 凡無他文而獨有詩，及雖有他文而詩集復獨行者，別爲一類。

是小序明顯揭示詩集不同於別集，其人雖刊行有詩文相併之別集，而詩集仍獨行者，則其詩集收歸此類。

其〈章奏類〉小序則云：

> 凡無他文而獨有章奏，及雖有他文而章奏復獨行者，亦別爲一類。

此一小序，其意與上條略同，即其人之別集，雖收有章奏，惟另有章奏獨行之集，亦收歸此類。

〈詩集〉、〈章奏〉兩類之稱謂爲《解題》所獨創，振孫且有意將之別出於〈別集〉，不與〈別集類〉相混，又撰小序細加剖析、說明。於此不惟可見振孫心思縝密，亦足見其治學富創闢力也。

至《解題》創〈歌詞類〉，使其別出於〈別集類〉，則其用意亦與前二者相同。

振孫對集部書籍每多月旦，有見於其本人所撰序跋文章者，亦有見後人詩話所記及《解題・集錄》中。茲不妨各徵引資料，並擇取其具代表性之例子予以考述。

北宋李格非撰《洛陽名園記》，振孫手寫一通，與《東京記》、《長安志》、《河南志》、《夢華錄》諸書並收藏之，而時自賞覽，用達臥遊之志。蓋南宋之時，北地長陷金人之手，南北隔閡，振孫欲遊洛陽而無從。乃撰〈洛陽名園記跋〉，以表其憂幽傷國之情。其文曰：

> 晉王右軍聞成都有漢時講堂、秦時城池、門屋樓觀，慨然遠想，欲一游目，其與周益公帖，蓋所致意焉。近時呂太史有宗少文臥游之語，凡昔人紀載人境之勝爲一編。其奉祠亳社也，自以爲譙、沛眞源，恍然在目，視兖之太極、嵩之崇福、華之雲臺，皆將臥游之。噫嘻！弧矢四方之志、高人達士之懷，古今一也。顧南北分裂，蜀在境內，雖遠，患不往爾，往則至矣。亳、兖、嵩、華，視蜀猶邇封也，欲往，其可得乎？然則太史之情，其可悲也已！〔註2〕

文中之王右軍即王羲之，呂太史即呂祖謙，祖謙有《呂太史集》。振孫撰此〈跋〉，揣其意，不過欲借他人之酒杯，澆一己之塊壘矣！既不能親涉北境，而假之以臥游，國愁家恨橫梗胸臆，久久無由洩散排解，則其內心之苦楚沈痛，可想見矣！

《玉臺新詠》一書，《解題》卷十五、〈總集類〉有著錄，而僅謂：「陳徐陵孝穆集。且爲作〈序〉。」未有任何評論，實屬疏略。惟振孫另有〈玉臺新詠集後序〉，評述詳明，足補《解題》之缺失。其文略曰：

> 夫詩者，情之發也。征戍之勞苦、家室之怨思，動於中而形於言，先王不能禁也。豈惟不能禁，且逆探其情而著之，〈東山〉、〈杕杜〉之詩是矣。若其他變風化雅，謂「豈無膏沐，誰適爲容」、「終朝采綠，不盈一掬」之類，以此《集》揆之，語意未大異也。顧其發乎情則同，而止乎禮義者蓋鮮矣！然其間僅合者亦一二焉。其措詞託興高古，要非後世樂府所能及。〔註3〕

案：振孫於〈後序〉中，明言詩乃發情工具，《詩經》之詩是其證也。而《玉臺新詠》所收眾詩，則有近於「變風化雅」者，爲政者固可從中「逆探其情」，而求悉民隱也。所惜《玉臺》之詩，其「發乎情」者雖有同於《詩經》，而合於「止乎禮義」者則僅得一二焉。〈後序〉又謂《玉臺》「措詞託興高古，要非後世樂府所能及」也。序文褒貶兼備，得其貞咎，堪稱公允。

〔註2〕見徐小蠻、顧美華點校《直齋書錄解題》，（上海：上海古籍出版社，1987年）卷八、〈地理類〉「《續成都古今集記》二十二卷」條，頁256。

〔註3〕同注2，附錄三，頁710。

《崇古文訣》，樓昉撰。《解題》卷十五、〈總集類〉有著錄，惟書名改作《迂齋古文標注》。《解題》曰：

> 《迂齋古文標注》五卷，宗正寺簿四明樓昉暘叔撰。大略如呂氏《關鍵》，而所取自《史》、《漢》而下至於本朝，篇目增多，發明尤精當，學者便之。〔註4〕

案：呂氏《關鍵》，乃指呂祖謙所編《古文關鍵》，其書選取《史》、《漢》，下及韓愈、柳宗元、歐陽脩、蘇軾、曾鞏諸家文，標抹注釋，以教初學。書僅二卷，《解題》卷十五、〈總集類〉著錄於《迂齋古文標注》前。振孫另撰〈崇古文訣序〉，而評是書，曰：

> 間嘗采集先□□以來迄於今世之文，得一百六十有八篇，爲之標注，以諗學者。凡其用意之精深、立言之警拔，皆深索而表章之。蓋昔人所以爲文之法備矣。振〔孫〕觀公之去取，至於伊川先生講筵二〈疏〉，與夫致堂、澹齋二胡公所上高宗〈書〉，彼皆非蘄以文著者也，而顧有取焉，毋亦道統之傳，接續孔、孟；忠義之氣，貫徹神明，殆所謂有本者，非耶？然則公之是編，豈徒文而已哉！〔註5〕

案：振孫此〈序〉，內容翔實，既及全書采選篇數，而其所爲標注，則舉凡選文「用意之精深、立言之警拔，皆深索而表章之」，深符「昔人所以爲文之法」。其〈序〉又謂書中之選文，所取竟及於伊川講筵之〈疏〉，二胡上高宗之〈書〉，則知選者用心，乃在求「道統之傳，接續孔、孟；忠義之氣，貫徹神明」，而「非蘄以文著者也」。褒譽至隆。如斯之評，鞭辟入裏，至其精贍之處，過於《解題》所載遠矣！

南宋人沈作喆，作〈哀扇工〉詩，掇怒洪帥魏道弼，振孫亦評其詩。元人韋居安《梅磵詩話》卷上記其事，曰：

> 沈作喆字明遠，吳興人，守約丞相之姪，自號寓山。登紹興進士第，嘗爲江右漕屬。作〈哀扇工〉詩，掇怒洪帥魏道弼，捃深文劾之，坐奪三官。其後從人使虜，南澗韓無咎遺之詩曰：「但如王粲賦〈從軍〉，莫爲班姬詠〈團扇〉。」有旨哉！洪有士子與寓山往來相款洽，一日清晨來訪，寓山猶在寢，遂徑造書室，翻篋中紙，詩稿在焉，

〔註 4〕 同注2，卷十五、〈總集類〉，頁451～452。
〔註 5〕 同注2，附錄三，頁710～711。

由是達魏之聽。陳直齋《吳興氏族志》云：「〈哀扇工〉詩，罵而非諷，非言之者罪也。」其詩不傳。〔註6〕

案：《梅磵詩話》謂〈哀扇工〉不傳。其實沈詩非不傳也，厲鶚輯《宋詩紀事》卷四十四「沈作喆」條收之。其詩曰：

黃州竹扇名字著，織扇供官困追捕。吏官開府未浹旬，欲戴綸巾揮白羽。新模巧製旋剪裁，百中無一中程度。犀革鐫柄出蟲魚，麝煤熏紙生煙霧。蕺山老姥羞翰墨，漢宮佳人掩紈素。衙內白取知何名，帳下雄拏不知數。供輸不辦箠楚頻，一朝赴水將誰訴？史君崇重了不聞，嗚呼何以慰黎庶！聞道園家賣菜翁，又說江南打魚户。號令亟下須所無，官不與錢期限遽。歸來痛哭辭妻兒，宿昔投繯挂枯樹。一雙婉婉良家子，吏兵奪取名爲顧。弟兄號叫鄰里驚，兩家吞聲喪其嫗。死者已矣可奈何，冤魂成群空號呼去聲。殺人縱欲勢位尊，貪殘無道天所怒。邦人蓄慎不敢言，君其拊馬章臺路。《清波別志》。〔註7〕

觀其詩語，作喆重視民瘼，嚴厲抨擊在位者盤剝黎民，振孫謂其詩「罵而非諷，非言之者罪也」，既敢回護作者，又能指出其詩之價值，眞的評也。

以上已就振孫所撰序、跋及後世詩話所引材料，以分析其對若干集部著作及詩篇之評論。以下則擬從《解題．集錄》各類中，選擇具代表性之著錄各二、三篇，略事徵引，並加闡說，以見振孫對歷朝集部書籍之評論或褒貶。

《解題．楚辭類》著錄書籍凡九條、十四種。其中於朱熹《楚辭集註》八卷、《辨證》二卷，推譽不絕口。《解題》曰：

《楚辭集註》八卷，《辨證》二卷，侍講建安朱熹元晦撰。以王氏、洪氏注或迂滯而遠於事情，或迫切而害於義理，遂別爲之注。其訓詁文義之外，有當考訂者，則見於《辨證》，所以祛前注之蔽陋，而明屈子微意於千載之下，忠魂義魄，頓有生氣。其於〈九歌〉、〈九章〉，尤爲明白痛快。至謂《山海經》、《淮南子》殆因〈天問〉而著書，說者反取二書以證〈天問〉。可謂高世絕識，毫髮無遺恨者矣。公爲此《注》在慶元退歸之時，〈序〉文所謂「放臣棄子、怨妻去婦」，蓋有感而託者也。其生平於六經皆有訓傳，而其殫見洽聞，發露不

〔註6〕見《續四庫全書．集部．詩文評類》，第1694冊（上海：上海古籍出版社，2002年），頁458。

〔註7〕見《欽定四庫全書．集部》九、〈詩文評類〉第1487冊，詩名作〈哀扇工歌〉。（上海：上海古籍出版社，1987年6月），頁841。

盡者，萃見於此書。嗚呼偉矣！其篇第視舊本益賈誼二賦，而去〈諫〉、〈歎〉、〈懷〉、〈思〉。屈子所著二十五篇爲《離騷》，而宋玉以下則曰《續離騷》。其言「〈七諫〉以下辭意平緩，意不深切，如無所疾而強爲呻吟者」，尤名言也。〔註8〕

此條所述詳明。其解題中既考及朱子作《註》之原由，又考及《辨證》之不同於《集註》。其下更述及朱子注〈九歌〉、〈九章〉、〈天問〉，而兼及朱子撰《集註》之背景與感慨。最後則道及全書去取與編次，並朱子評論〈七諫〉以下諸作之弊病。層層道來，有若剝繭抽絲，可謂詳而有體矣！

《解題・楚辭類》中另著錄一條，則明辨其書立說之得失，並列示確據以資辨說。《解題》曰：

《龍岡楚辭說》五卷，永嘉林應辰渭起撰。以〈離騷〉章分段釋爲二十段，〈九歌〉、〈九章〉諸篇亦隨長短分之。其推屈子不死於汨羅，比諸浮海居夷之意，其說甚新而有理。以爲〈離騷〉一篇雖哀痛而意則宏放，與夫直情徑行、勇於踣河者，不可同日語；且其興寄高遠，登昆侖、歷閬風、指西海、陟陞皇，皆寓言也；世儒不以爲實，顧獨信其從彭咸葬魚腹以爲實者，何哉？然沈湘之事，傳自司馬遷、賈誼、揚雄，皆未嘗有異說，漢去戰國未遠，決非虛語也。〔註9〕

此條既論其各篇分段之得宜，推許其說屈子「浮海居夷」之新穎，並能批評世儒獨信屈原「從彭咸葬魚腹以爲實」。然屈子沈湘，傳自馬遷、賈誼、揚雄自漢以來之說法，則「決非虛語也」。

《解題・總集類》著錄書籍凡一百二十三條，一百四十三種。其中著錄呂祖謙《皇朝文鑑》一百五十卷一種，並記載其成書經過與鋟板未成，及時人批評其得失，均甚詳盡，《解題》曰：

《皇朝文鑑》一百五十卷，呂祖謙編。初，淳熙丁酉，孝廟因觀《文海》，下臨安府校正刊行，翰苑周必大夜直，宣引偶及之，因奏：「此書江佃類編，殊無倫理，書坊板行可耳，恐難傳後，莫若委館閣別加銓次。」遂以命祖謙。既成，賜名《文鑑》，詔必大爲之序。時祖謙已得末疾，遂除直中祕，且賚銀絹各三百。中書舍人陳騤駁之，論皆不行。繼有近臣密啓，云其所取之詩，多言田里疾苦，乃借舊

〔註8〕同注2，卷十五、〈楚辭類〉，頁435。
〔註9〕同注2，卷十五、〈楚辭類〉，頁436。

作以刺今；又所載章疏，皆指祖宗過舉，尤非所宜。於是鋟板之議亦寢。周益公序既成，封以遺呂一讀，命藏之，蓋亦未當乎呂之意也。張南軒以爲無補治道，何益後學？而朱晦庵晚歲嘗語學者曰：「此書編次，篇篇有意，每卷首必取一大文字作壓卷，如賦取〈五鳳樓〉之類；其所載奏議，亦繫一時政治大節，祖宗二百年規模與後來中變之意，盡在其中，非《選》、《粹》比也。」〔註10〕

此條可見祖謙編成此書後，時人攻訐與相阻，即周益公所撰序，亦有未當呂之意。惟朱子最爲知音，賞譽至隆，且以爲《文鑑》一書，高出《政和文選》、《聖宋文粹》上。

《解題・總集類》另著錄眞德秀「《文章正宗》二十卷」一種，曰：

參知政事眞德秀希元撰。〈自序〉:「正宗」云者，以後世文詞之多變，欲學者識其源流之正也。自昔集錄文章，若杜預、摰虞諸家，往往湮沒不傳。今行於世者，惟梁《昭明文選》、姚鉉《文粹》而已。繇今視之，二書所錄，果得源流之正乎？故今所集，以明義理、切世用爲主，其體本乎古而旨近乎經者，然後取焉；否則，辭雖工亦不錄。其目凡四，曰「辭命」、曰「議論」、曰「敘事」、曰「詩賦」。去取甚嚴。〔註11〕

此條徵引眞德秀〈自序〉之言，以闡明其書命名「正宗」之主旨，及批評《昭明文選》、《唐文粹》選文未得其「源流之正」；繼又指出《文章正宗》錄文之原則，蓋以「明義理、切世用，其體本乎古而旨近乎經」者乃錄焉。其後又標示全書編理「辭命」、「議論」、「敘事」、「詩賦」之四目。至振孫之評價，則認爲其書「去取甚嚴」。去取嚴固選文第一要義，否則碔砆眩玉，魚目疑珠，則書終非佳本也。

《解題・別集類》分上、中、下，著錄最富，凡三百七十六條，五百零七種。其中「《唐太宗集》三卷」條，不惟考及其書之篇數、版刻，又考及所收文之未備、重出與眞僞等問題。《解題》曰：

《唐太宗集》三卷，唐太宗皇帝本集四十卷。《館閣書目》但有詩一卷、六十九首而已。今此本第一卷賦四篇、詩六十五首，後二卷爲碑銘、書詔之屬，而訛謬頗多。世所傳太宗之文見於石刻者，如〈帝

〔註10〕同注2，卷十五、〈總集類〉，頁447～448。

〔註11〕同注2，卷十五、〈總集類〉，頁458。

> 京篇〉、〈秋日效庾信體詩〉、〈三藏聖教序〉，皆不在。又《晉書》紀、傳論，稱「制曰」者四，皆太宗御製也。今獨載宣、武二〈紀論〉，而〈陸機〉、〈王羲之傳論〉不預焉。〈宣紀論〉復重出，其他亦多有非太宗文者雜廁其中，非善本也。〔註 12〕

是三卷本《唐太宗集》，其本與原作四十卷者差異甚大，且「訛謬頗多」。計所脫漏者，有〈帝京篇〉等三篇均見於石刻之文；而《晉書》紀、傳論，本四篇，又僅載二篇。況《集》中〈宣紀論〉重出，又有「非太宗文者雜廁其中」，而未能加以辨僞。是以振孫貶抑之，指爲「非善本」。

《解題・別集類》上著錄「《王右丞集》十卷」條，則曰：

> 唐尚書右丞河中王維摩詰撰，建昌本與蜀本次序皆不同，大抵《蜀刻唐六十家集》多異于他處本，而此《集》編次尤無倫。維詩清逸，追逼陶、謝。〈輞川別墅圖畫〉摹傳至今。嘗與裴迪同賦，各二十絕句。《集》中又有〈與迪書〉，略曰：「夜登華子岡，輞水淪漣，與月上下。寒山遠火，明滅林外。深巷寒犬，吠聲如豹。村墟夜舂，復與疎鐘相間。此時獨坐，僮僕靜默。每思曩昔，攜手賦詩。當待春中，卉木蔓發。輕鯈出水，白鷗矯翼。露濕青皋，麥雉朝雊。儻能從我遊乎？」余每讀之，使人有飄然獨往之興。迪詩亦佳，然他無聞於世，蓋亦高人也。〔註 13〕

本條雖斥責十卷本《王右丞集》「編次尤無倫」，惟盛讚王維詩之清逸，及其〈輞川別墅圖畫〉，蓋右丞詩、畫固雙絕也。至其〈與（裴）迪書〉，則辭采華茂，情感濃摯，振孫讀之而有「飄然獨往之興」，足見感染力之深。是則右丞文能移人之情，其影響後世邃且遠矣！

振孫《解題》中有評文品，而兼及其人人品者。《解題・別集類》中著錄：

> 《夏文莊集》一百卷，樞密使鄭國文莊公九江夏竦子喬撰。竦父死王事，身中賢科，工爲文辭，復多材術，而不自愛重，甘心姦邪。聲伎之盛，冠於承平。夫婦反目，陰慝彰播。皆可爲世戒也。〔註 14〕

是夏子喬本名家子，「身中賢科，工爲文辭，復多材術」，而「甘心姦邪」，終致「陰慝彰播」。振孫既著錄其文，並述其行事，揭其罪惡，以爲世戒。

〔註 12〕同注 2，卷十六、〈別集類〉上，頁 466。
〔註 13〕同注 2，卷十六、〈別集類〉上，頁 468～469。
〔註 14〕同注 2，卷十六、〈別集類〉中，頁 492。

《解題・詩集類》分上、下，著錄詩集凡三百零八條，三百四十六種。所著錄《劉孝綽集》一卷，既評其人，又及於其家族文學。《解題》云：

> 《劉孝綽集》一卷，梁秘書監彭城劉孝綽撰。宋僕射勔之孫。本傳稱《文集》數十萬言，今所存止此。又言兄弟及群從子姪，當時有七十人，並能屬文，近古未有。其三妹亦並有才學，適徐悱者，文尤清拔，所謂劉三娘者也。今《玉臺集》中有悱妻詩。〔註 15〕

孝綽生於梁世，深得梁武、昭明父子鍾愛，文名籍甚，不意其兄弟子姪之善文者，亦達七十人之盛，眞古今所未有，故振孫推譽之。其妹劉三娘詩尤清拔。《解題》云《玉臺集》，即《玉臺新詠集》，該書卷六中收有徐悱妻劉令嫻〈答外詩〉二首，即劉三娘之作，哀怨感人，甚有才思也。

《解題・詩集類》下「《雪巢小集》二卷」條，則評及林憲其人其詩，且載及振孫宰南城時行事，甚可珍貴。《解題》云：

> 《雪巢小集》二卷，東魯林憲景思撰。初寓吳興，從徐度敦立游，後爲參政賀允中子忱孫壻，寓臨海。其人高尚，詩清澹，五言四韻古句尤佳，殆逼陶、謝。梁谿尤延之、誠齋楊廷秀皆爲之〈序〉，且爲〈雪巢賦〉及〈記〉。余爲南城，其子遊謁至邑，以《家集》見示，愛而錄之；及守天台，則板行久矣，視所錄本稍多。然其暮年詩似不逮其初，往往以貧爲累，不能不衰索也。〔註 16〕

此條評景思詩，實事求是。其早年詩清澹，逼近陶、謝；晚歲詩衰索，以貧爲累，故不逮其初。所述皆平情之論。而振孫宰南城，約在宋寧宗嘉定十四年（1221），至理宗寶慶三年（1227）前；守天台，則在理宗端平三年（1236）。可參拙著《陳振孫之生平及其著述研究》、第三章、〈陳振孫之仕履與行誼〉。〔註 17〕

《解題・歌詞類》著錄一百一十六條，一百二十二種。其述「《張子野詞》一卷」條云：

> 《張子野詞》一卷，都官郎中吳興張先子野撰。李常公擇爲六客堂，子野與焉。所賦詞卒章云「也應傍有老人星」，蓋以自謂，是時年八

〔註 15〕同注 2，卷十九、〈詩集類〉上，頁 556。
〔註 16〕同注 2，卷十六、〈詩集類〉下，頁 604。
〔註 17〕何廣棪：《陳振孫之生平及其著述研究》，《古典文獻研究輯刊・八編》，（臺北縣：花木蘭文化出版社）2009 年 3 月。頁 59-63。

> 十餘矣。東坡倅杭，數與唱酬，聞其買妾，爲之賦詩，首末皆用張姓事。《吳興志》稱其晚年漁釣自適，至今號張釣魚灣，死葬并山下，在今多寶寺。案：《歐陽集》有〈張子野墓誌〉，死於寶元中者，乃博州人，名姓字偶皆同，非吳中之子野也。〔註18〕

此條考及張先事迹甚夥。《解題》引其所賦詞乃〈南鄉子〉句也。至東坡賦詩，首末皆用張姓事，其詩「詩人老去鶯鶯在，公子歸來燕燕忙」兩句，「詩人」謂張籍，「公子」謂張祜，皆張姓，趙德麟《侯鯖錄》卷七載之。又宋世另有博州人張先，振孫〈張氏十詠圖跋〉亦記之，可互參。〔註19〕

《解題．歌詞類》著錄「《順庵樂府》五卷」條，既評其人，又論其詞，平情而道，絕不意氣。《解題》云：

> 《順庵樂府》五卷，康與之伯可撰。與之父倬惟章詭誕不檢，事見《揮麈錄》。與之又甚焉，嘗挾吳下妓趙芷遁。與蘇師德仁仲有隙，遂與蘇玭訓直之獄。玭，仁仲之子，而常同子正之壻也。與之受知於子正，一朝背之，士論不齒，周南仲嘗爲作〈傳〉，道其實如此。世所傳康伯可詞鄙褻之甚，此《集》頗多佳語，陶定安世爲之〈序〉，王性之、蘇養直皆稱之，而其人不自愛如此，不足道也。〔註20〕

此條詳記康與之平生醜惡事，謂其人不自愛，士論恥之，固不足道也。然《順庵樂府》中頗多佳語，振孫亦隨從陶安世、王性之、蘇養直而稱揚之，蓋不以人廢言也。

《解題．章奏類》著錄三十九條，四十六種。所著錄「《閑樂奏議》一卷」條，云：

> 《閑樂奏議》一卷，殿中侍御史建陽陳師錫伯修撰。熙寧九年第進士，裕陵素知其文行，擢爲第三人。蘇軾知湖州，師錫掌書記，軾下御史獄，師錫篤賓友之義，安輯其家。軾入西掖，薦自代，明著其事。師錫在元豐已爲察官，坐論進士習律罷去，建中靖國再入，未幾又罷。〔註21〕

〔註18〕同注2，卷二十一、〈歌詞類〉，頁615-616。
〔註19〕同注2，附錄二，頁678-680。
〔註20〕同注2，卷二十一、〈歌詞類〉，頁620。
〔註21〕同注2，卷二十二、〈章奏類〉，頁637。

此條歷述師錫宦海浮沈，及其與東坡交往而能「篤賓友之義」，則其人固勇於任事、敦於友誼之君子也。

《解題・章奏類》另著錄：

> 《連寶學奏議》二卷，寶文閣學士安陸連南夫鵬舉撰。紹興初知饒州，扞禦有功。及和議成，南夫知泉州，上〈表〉略曰「不信亦信，其然豈然」又曰：「雖虞舜之十二州，昔皆吾有；然商於之六里，當念爾欺」，由是得罪。〔註22〕

南夫反對和議，上〈表〉針砭時政，痛惜國土淪亡，且以楚懷王暗諷宋高宗，由是得罪。所惜《連寶學奏議》已亡，惟及今得讀《解題》所引佚句，猶覺其虎虎生風，有英烈氣。

《解題・文史類》著錄六十五條，七十種。其中著錄「《史通》二十卷」條，云：

> 《史通》二十卷，唐崇文館學士劉知幾子玄撰。《新史》以爲工訶古人，拙于用己，然爲書亦博矣。「史通」者，漢封司馬遷後爲史通子，而亦兼《白虎通》之義也。〔註23〕

此條引歐陽修等撰《新唐書》，批評知幾「工訶古人，拙于用己」，然亦稱其書「亦博矣」，則知幾爲人爲學，瑕瑜互見。至謂《史通》兼《白虎通》之義，則譽其書乃屬史之經、經之史耶？未可知也。

《解題・文史類》另著錄「《文章玄妙》一卷」條，云：

> 《文章玄妙》一卷，唐任藩撰。言作詩聲病、對偶之類。凡世所傳詩格，大率相似。余嘗書其末云：「論詩而若此，豈復有詩矣。唐末詩格汙下，其一時名人，著論傳後世乃爾，欲求高尚，豈可得哉？」〔註24〕

此條尤可貴者，以其保存振孫題識一條，余於第二章處已引論及之。振孫固不以作詩須苛求聲律、對偶爲然，以爲唐末詩格汙下，正坐此矣！欲求詩之「玄妙」，豈可得哉！

《解題・文史類》另著錄蔡傳《吟窗雜錄》三十卷，曰：

> 《吟窗雜錄》三十卷，莆田蔡傳撰。君謨之孫也。取諸家詩格、詩

〔註22〕同注2，卷二十二、〈章奏類〉，頁638。
〔註23〕同注2，卷二十二、〈文史類〉，頁641。
〔註24〕同注2，卷二十二、〈文史類〉，頁645。

評之類集成之。又爲《吟譜》，凡魏、晉而下能詩之人，皆略具其本末，總爲此書。麻沙嘗有刻本，節略不全。〔註 25〕

此條著錄蔡傳之書，其內容皆詩格、詩評之類。又有《吟譜》，略具魏、晉以下詩人本末。《解題》且考及《吟窗雜錄》麻沙刻本，謂其書節略不全。振孫所考固翔實也。

綜上所考述，可知《解題》集錄分類，其中有繼承《隋志》、《新》、《舊唐志》、《讀書志》與《遂初目》者，惟其能於〈別集類〉中分出〈詩集類〉則屬蹊徑獨闢，其分類方法影響《文獻通考・經籍考》爲最大。其〈歌詞類〉、〈章奏類〉命名，雖近於《遂初目》之〈樂曲類〉、〈奏章類〉，然絕非雷同。《四庫全書總目》將〈歌詞類〉改稱〈詞曲類〉，蓋以類中增收南北曲也。《解題》之〈文史類〉，取法《崇文總目》，而不用《讀書志》之〈文說類〉，其後《四庫全書總目》又改爲〈詩文評類〉。是則《解題》與其他九部目錄書籍之分類，其有所傳承與相異之大較乃如此。

振孫對集部書籍之批評，余既取其所撰序跋文字並後人詩話所載，引例述說；又徵引《解題》集錄各類中具代表性之例子，予以說明。所引雖僅十六例，與《解題》集錄所著錄書籍上千種相校，則嫌過少。惟舉例太多，亦恐過繁。無乃嘗鼎一臠，藉知餘味矣！

〔註 25〕同注 2，卷二十二、〈文史類〉，頁 647。

第五章　《直齋書錄解題》集錄考證

楚辭類　廣棪案：盧校本作卷四十七〈楚辭類〉。校注曰：「有元本。」

楚辭十七卷

《楚辭》十七卷，漢護都水使者光祿大夫劉向集，後漢校書郎南郡王逸叔師注，

廣棪案：王逸《楚辭章句・離騷經章句・敘》曰：「昔者，孔子叡智明喆，天生不群，定經術，刪《詩》、《書》，正《禮》、《樂》，制作《春秋》，以為後王法。門人三千，罔不昭達。臨終之日，則大義乖而微言絕。其後周室衰微，戰國竝爭，道德陵遲，譎詐萌生。於是揚、墨、鄒、孟、孫、韓之徒，各以所知著造傳記，或以述古，或以明世。而屈原履忠被譖，憂悲愁思，獨依詩人之義而作〈離騷〉，上以諷諫，下以自慰。遭時闇亂，不見省納，不勝憤懣，遂復作〈九歌〉以下凡二十五篇。楚人高其行義，瑋其文采，以相教傳。至於孝武帝，恢廓道訓，使淮南王安作《離騷經章句》，則大義粲然。後世雄俊，莫不瞻慕，舒肆妙慮，纘述其詞。逮至劉向，典校經書，分為十六卷。孝章即位，深弘道藝，而班固、賈逵復以所見改易前疑，各作《離騷經章句》。其餘十五卷，闕而不說。又以壯為狀，義多乖異，事不要括。今臣復以所識所知，稽之舊章，合之經傳，作十六卷章句。雖未能究其微妙，然大指之趣，略可見矣。」據是，則劉向所集之《楚辭》，凡十六卷；王逸作《章句》，亦十六卷；今作十七卷者，晁公武《郡齋讀書志》卷第十七、〈楚辭類〉「《楚辭》十七卷」條云：「至逸自以爲南陽人，與原同土，悼傷之，復作十六卷《章句》，又續爲〈九思〉，取班固二〈序〉附之，爲十七篇。」則十七卷者，亦逸所定。〈九思〉有〈序〉，曰：「〈九思〉者，王逸之所作也。逸，南陽人，博雅多覽，讀《楚辭》而傷愍屈原，故爲之作解。又以自屈原終沒之後，忠臣介士、遊覽學者讀〈離騷〉、〈九章〉之文，莫不愴然，心爲悲感，高其節行，妙其麗雅。至劉向、王褒之徒，感嘉其義，作賦騁辭，以讚其志。則皆列於譜錄，世世相傳。逸與屈原同土共國，悼傷之情與凡有異。竊慕向、褒之風，作頌一篇，號曰〈九思〉，以裨其辭。未有解說，故聊敘訓誼焉。」是王逸既爲《楚辭》作解，又效向、褒而撰〈九思〉也。〈九思〉有注，洪興祖《楚辭補注》曰：「逸不應自爲注解，恐其子延壽之徒爲之爾。」是〈九思〉注非逸自爲也。向，《漢書》卷三十六、附〈楚元王傳〉第六，其〈傳〉曰：「向字子政，本名更生。……成帝即位，(石) 顯等伏辜，更生乃復進用，更名向。向以故九卿召拜爲中郎，使領護三輔都水。數奏封事，遷光祿大夫。」逸，《後漢書》卷八十上、〈文苑列傳〉第七十上有傳。其〈傳〉曰：「王逸字叔師，南郡宜城人也。元初中，舉上計吏，爲校書郎。順帝時，爲侍中。著《楚辭章句》，行於世。」可知其得官梗概。

知饒州曲阿洪興祖慶善補注。

案：《宋史》卷四百三十三、〈列傳〉第一百九十二、〈儒林〉三有興祖傳，載：「洪興祖字慶善，鎮江丹陽人。……登政和上舍第，爲湖州士曹，改宣教郎。……徙知饒州。先夢持六刀，覺曰：『三刀爲益，今倍之，其饒乎？』已而果然。……興祖好古博學，自少至老，未嘗一日去書。著《老莊本旨》、《周易通義》、《繫辭要旨》、《古文孝經序贊》、《離騷楚詞考異》，行于世。」而未載此書。明人汲古閣後人毛扆曾撰〈楚辭補注識語〉，於文首即曰：「今世所行《楚辭》，率皆紫陽注本，而洪氏《補注》絕不復見。」殆元、明之際，《補注》罕見，故《宋史》本傳闕載之。

逸之《注》雖未能盡善，而自淮南王安以下為訓傳者今不復存，其目僅見於《隋》、《唐志》，獨逸《注》幸而尚傳。

案：《隋書》卷三十五、〈志〉第三十、〈經籍〉四、〈集〉著錄：「《楚辭》十二卷，并〈目錄〉。後漢校書郎王逸注。」而未有「自淮南王安以下爲訓傳者」之「目」，兩《唐志》亦然。《隋志》僅於〈楚辭類〉小序中曰：「《楚辭》者，屈原之所作也。……始漢武帝命淮南王爲之章句，旦受詔，食時而奏之，其書今亡。後漢校書郎王逸，集屈原已下，迄於劉向，逸又自爲一篇，并敘而注之，今行於世。」兩《唐志》均著錄：「《楚辭》十六卷，王逸注。」是「獨逸《注》幸而尙傳」也。

興祖從而補之，廣棪案：《文獻通考》「祖」下有「又」字。盧校注：「《通考》本（祖下）有『又』字，非。」**於是訓詁名物詳矣。**廣棪案：《文獻通考》「物」下有「始」字。

案：《郡齋讀書志》卷第十七、〈楚辭類〉著錄：「《補注楚辭》十七卷、《考異》一卷。右未詳撰人。凡王逸《章句》有未盡者補之。〈自序〉云：『以歐陽永叔、蘇子瞻、晁文元、宋景文家本參校之，遂爲定本。』」是公武亦謂逸《章句》有未盡者，而公武且不知《補注》乃興祖撰，無怪《宋史》興祖本傳闕載此書也。毛扆〈楚辭補注識語〉評曰：「慶善少時即得諸家善本，參校異同，後乃補王叔師《章句》之未備而成書，其援據該博，考證詳審，名物訓詁，條析無遺，雖紫陽病其未能盡善，而當時歐陽永叔、蘇子瞻、孫莘老諸君子之是正，慶善師承其說，必無刺謬。……學者得紫陽而究其意指，更得洪氏而溯其源流，其於是書，庶無遺憾。」《四庫全書總目》卷一百四十八、〈集部〉一、〈楚辭類〉亦評曰：「《楚辭補注》十七卷，內府藏本。宋洪興祖撰。……漢人註書，大抵簡質，又往往舉其訓詁，而不備列其考據。興祖是編，列逸註於前，而一一疏通證明補註於後，於逸註多所闡發。又皆以『補曰』二字別之，使與原文不亂，亦異乎明代諸人妄改古書，恣情損益，於《楚辭》諸註之中，特爲善本。故陳振孫稱其用力之勤，而朱子作《集註》亦多取其說云。」是興祖此書，固以是見重於後世。

離騷釋文一卷

《離騷釋文》一卷，古本，無名氏。洪氏得之吳郡林虙德祖。其篇次不與今本同。廣棪案：《文獻通考》無「次」字。今本首〈騷經〉，次〈九歌〉、〈天問〉、〈九章〉、〈遠遊〉、〈卜居〉、〈漁父〉、〈九辨〉、廣棪案：《文獻通考》、元抄本、盧校本「辨」作「辯」，下同。〈招魂〉、〈大招〉、〈惜誓〉、〈招隱〉、〈七諫〉、〈哀時命〉、〈九懷〉、〈九歎〉、〈九思〉。《釋文》亦首〈騷經〉，次〈九辨〉，而後〈九歌〉、〈天問〉、〈九章〉、〈遠遊〉、〈卜居〉、〈漁父〉、〈招隱士〉、〈招魂〉、〈九懷〉、〈七諫〉、〈九歎〉、〈哀時命〉、〈惜誓〉、〈大招〉、〈九思〉。洪氏按：「王逸〈九章〉注云：『皆解於〈九辨〉中。』則《釋文》篇第蓋舊本也，後人始以作者先後次序之耳。」朱侍講按：「天聖十年陳說之〈序〉以為舊本篇第混并，乃考其人之先後，重定其篇第，然則今本說之所定也。」

廣棪案：《郡齋讀書志》卷第十七、〈楚辭類〉著錄：「《楚辭釋文》一卷，右未詳撰人。其篇次不與世行本同。蓋以〈離騷經〉、〈九辯〉、〈九歌〉、〈天問〉、〈九章〉、〈遠遊〉、〈卜居〉、〈漁父〉、〈招隱士〉、〈招魂〉、〈九懷〉、〈七諫〉、〈九歎〉、〈哀時命〉、〈惜誓〉、〈大招〉、〈九思〉爲次。按今本〈九章〉第四，〈九辯〉第八，而王逸〈九章〉注云：『皆解於〈九辯〉中。』知《釋文》篇第蓋舊本也，後人始以作者先後次第之耳。或曰天聖中陳說之所爲也。」是此書應名《楚辭釋文》。《解題》所述乃據《郡齋讀書志》，然較晁氏詳贍。考《四庫全書總目》卷一百四十八、〈集部〉一、〈楚辭類〉著錄：「《楚辭章句》十七卷，兵部侍郎紀昀家藏本。漢王逸撰。……陳振孫《書錄解題》載有古文《楚辭釋文》一卷，廣棪案：『古文』應作『古本』。其篇第首〈離騷〉，次〈九辨〉、〈九歌〉、〈天問〉、〈九章〉、〈遠遊〉、〈卜居〉、〈漁父〉、〈招隱士〉、〈招魂〉、〈九懷〉、〈七諫〉、〈九歎〉、〈哀時命〉、〈惜誓〉、〈大招〉、〈九思〉，迴與今本不同。興祖據逸〈九章〉注中，稱：『皆解於〈九辨〉中。』知古本〈九辨〉在前，〈九章〉在後。振孫又引朱子之言，據天聖十年陳說之〈序〉，謂舊本篇第混併，乃考其人之先後，重定其篇第。知今本爲說之所改，則自宋已來，已非逸之舊本。」是《四庫全書總目》據朱子說，以今本《楚辭》篇第乃陳說之所重定。惟余嘉錫則以爲撰此書者乃南唐王勉。《四庫提要辨證》卷二十、〈集部〉一、〈楚辭類〉「《楚辭章句》十七卷」條云：「案：《楚辭釋文》、《崇文總目》、《通志・藝文略》皆不著錄，《郡齋讀書志》卷十七始有之，《書錄解題》卷十五。作《離騷釋文》，《通考・經籍考》著錄於賦詩類，卷二百三十。本自晁、陳兼引，而於晁氏語刪落至多。只存兩句，計刪去九十餘字。《提要》嫌其不詳，而不肯考之《讀書志》，故獨用陳氏語也。但《書錄解題》及《通考》並無『古文』二字，第言古本無名氏而已。《提要》點竄其語，而誤古本為古文，閣本《提要》同。改〈騷經〉為〈離騷〉，不知《楚辭》自劉向纂集以來，何嘗有今文、古文之別耶！《讀書志》已言《釋文》未詳撰人，《書錄解題》謂洪氏興祖得之吳郡林虙德祖。考《宋史・藝文志・總集類》有王勉《楚辭章句》二卷，《楚辭釋文》一卷，《離騷約》二卷，在宋遵度《羣書麗藻》之後，徐鍇《賦苑》之前，則作者姓名，具有可考。宋遵度，當作崔遵度。《書錄解題》有《羣書麗藻》六十五卷，南唐司門員外郎崔遵度撰。王勉雖不知何時人，然既廁於遵度與鍇之間，疑亦南唐人也。《宋志》自有〈楚辭類〉，獨勉所著三書入之〈總集〉為不可解。余嘗推求其故，其〈楚辭〉自為一類者，用《宋中興藝文志》之舊，《通考》卷二百三十云：「《宋中興志》，〈楚辭〉九家，十二部，二百四卷。」而《宋志・楚辭類》自屈原至錢杲之凡九家，十二部，一百四卷。家數部數，與《中興志》皆相合，惟卷數不同，蓋《通考》誤一百四為二百四耳。此三書入〈總集〉者，必因北宋《國史藝文志》之舊也。北宋國史，有三朝、兩朝、四朝，凡三部，其《藝文志》皆無〈楚辭類〉，此當出於《三朝志》。然則勉之《楚辭釋文》自南渡以前，已收入中秘，林虙及晁公武所得之本，殆即自秘閣鈔出而失其姓名，由是言《楚辭》者遂不知有王勉矣。陳振孫所引朱子之言，見《楚辭辨證》卷上。陳說之〈序〉，黃伯思曾收入所作《翼騷》中，見《書錄解題》。今已不傳。」是余氏之說殆據《宋志》也。至林虙，《宋史翼》、卷二十六〈列傳〉第二十六、〈文苑〉一有傳，載：「林虙字德祖，長州人。虙少穎悟絕人，能傳父祖業。……為人強敏有志操，自《六經》、諸子而下，錯綜貫穿，無不記誦。為文章，捉筆數百言，閎易敷暢，初若不經意，然論辨研覈，皆有抵宿。」蓋虙乃博學能文君子也。

余按：「《楚辭》，劉向所集，王逸所注；而〈九歎〉、〈九思〉亦列其中，蓋後人所益也歟？」

案：《解題》卷十五、〈楚辭類〉「《楚辭》十七卷」條，直齋著錄已謂：「漢護都水使者、光祿大夫劉向集，後漢校書郎南郡王逸叔師注。」與此同。考《四庫全書總目》卷一百四十八、〈集部〉一、〈楚辭類〉「《楚辭章句》十七卷」條有云：「劉向裒集屈原〈離騷〉、〈九歌〉、〈天問〉、〈九章〉、〈遠遊〉、〈卜居〉、〈漁父〉，宋玉〈九辨〉、〈招魂〉，景差〈大招〉，而以賈誼〈惜誓〉，淮南小山〈招隱士〉，東方朔〈七諫〉，嚴忌〈哀時命〉，王褒〈九懷〉，及向所作〈九歎〉，共爲《楚辭》十六篇。是爲總集之祖。逸又益以己作〈九思〉，與班固二〈敘〉爲十七卷，而各爲之注。」是《四庫全書總目》不以〈九歎〉、〈九思〉爲「後人所益」，其見地與直齋不同。

楚辭考異一卷

《楚辭考異》一卷，洪興祖撰。

廣棪案：《郡齋讀書志》卷第十七、〈楚辭類〉著錄：「《補注楚辭》十七卷、《考異》一卷，右未詳撰人。凡王逸《章句》有未盡者補之。〈自序〉云：『以歐陽永叔、蘇子瞻、晁文元、宋景文家本參校之，遂爲定本。又得姚廷輝本，作《考異》。』且言〈辨騷〉非《楚辭》本書，不當錄。」所記較《解題》爲略。公武謂「未詳撰人」，則失檢矣。

興祖少時從柳展如得東坡手校《楚辭》十卷，凡諸本異同，皆兩出之；後又得洪玉父而下本十四、五家參校，遂為定本。

案：柳展如，生平不可考。洪玉父即洪炎，《宋史翼》卷二十七、〈列傳〉第二十七、〈文苑〉二載：「洪炎字玉父，與兄朋、弟芻、羽俱以文詞名世，號四洪。舉進士，爲穀城令，坐以兄弟罹元祐黨，同貶竄。復知潁上譙縣，並有循政，累官著作郎，祕書少監。高宗初，召爲中書舍人。時方倥偬，除目塡委，炎操筆立成，訓詞典雅，同列歎服。有《西渡集》。嘗編《列仙臞儒事蹟》三卷，號《塵外記》；又手錄雜家小說，行於世。《南昌耆舊記》、《江西通志》。」可知其生平概況。

始補王逸《章句》之未備者；書成，廣棪案：《文獻通考》作「成書」。**又得姚廷輝本，作《考異》，附古本《釋文》之後。**

案：《郡齋讀書志》謂：「又得姚廷輝本，作《考異》。」與此同。姚廷輝即姚舜明，《宋史》無傳。《宋詩紀事》卷三十五「姚舜明」條載：「舜明字廷輝，嵊縣人。紹聖四年進士，除直祕閣，提點兩浙刑獄。高宗朝，充江、淮、荊、浙都督府隨軍轉運使，權戶部侍郎，進徽猷閣待制。」可知其生平及宦歷。至古本《釋文》，蓋指《楚辭釋文》也。

又得歐陽永叔、孫莘老、蘇子容本於關子東、廣棪案：盧校本「關」作「闕」**葉少協，**廣棪案：元抄本、盧校本「協」作「叶」。**校正以補《考異》之遺。洪於是書用力亦以勤矣。**館臣案：《文獻通考》作《補注楚辭》十七卷、《考異》一卷。晁公武曰：「凡王逸《章句》有未盡者補之。〈自序〉云：『以歐陽永叔、晁文元諸家參考之，為定本；又得姚廷輝本，作《考異》。』」此所云亦二書，蓋因《補注》已見前條，故不復載，然標題終為脫落也。

案：永叔即歐陽修，莘老爲孫覺，子容爲蘇頌，《宋史》均有傳。關子東，名注，《宋史翼》卷二十四、〈列傳〉第二十四、〈儒林〉二有傳，曰：「關注字子東，世爲錢塘人。紹興五年進士，調湖州教授，與胡瑗之孫滌裒瑗遺書，得《易解》、《中庸義》，藏之學宮。又輯《胡先生言行錄》，汪藻爲之〈序〉，稱注之意在於美風俗，新人才。潛說友《臨安志》。瑗奧學精義，見於著書，蒐索編次，罔有遺逸，則注力也。注嗜學若渴，行己誨人以先哲爲師。《苕溪集》、《吳興郡學記》。官至太學博士，卒。自號香嚴居士，有《關博士集》二十卷。《臨安志》。」葉少協，生平不可考。

重定楚辭十六卷、續楚辭二十卷、變離騷二十卷

《重定楚辭》十六卷、《續楚辭》二十卷、《變離騷》二十卷，禮部郎中濟北晁補之無咎撰。

廣棪案：補之，《宋史》卷四百四十四、〈列傳〉第二百三、〈文苑〉六有傳，載：「晁補之字無咎，濟州鉅野人，太子少傅迥五世孫，宗愨之曾孫也。……徽宗立，復以著作召。既至，拜吏部員外郎、禮部郎中，兼國史編修、實錄檢討官。……補之才氣飄逸，嗜學不知倦，文章溫潤典縟，其凌麗奇卓出於天成。尤精《楚詞》，論集屈、宋以來賦詠，爲《變離騷》等三書。」《解題》所著錄與史合。

去〈九思〉一篇入《續楚辭》，定著十六卷，篇次亦頗改易，又不與陳說之本同。

案：《郡齋讀書志》卷第十七、〈楚辭類〉著錄：「《重編楚辭》十六卷，

右族父吏部公重編。獨〈離騷經〉仍故，爲首篇。其後以〈遠遊〉、〈九章〉、〈九歌〉、〈天問〉、〈卜居〉、〈漁父〉、〈大招〉、〈九辯〉、〈招魂〉、〈惜誓〉、〈七諫〉、〈哀時命〉、〈招隱士〉、〈九懷〉、〈九歎〉爲次，而去〈九思〉一篇。其說曰：『按八卷。屈原遭憂所作。故首篇曰《離騷經》，後篇皆曰《離騷》，餘皆曰《楚辭》。今本所第篇或不次序，於是遷〈遠遊〉、〈九章〉次《離騷經》，在〈九歌〉上，以原自敘其意近於〈離騷經〉也。而〈九歌〉、〈天問〉乃原既放之後攄憤所作者，故遷於下。〈卜居〉、〈漁父〉，自敘之餘意也，故又次之。〈大招〉古奧，疑原作，非景差詞，沈淵不返，故以終焉。爲《楚辭》上八卷。〈九辯〉、〈招魂〉皆宋玉所作，或曰〈九辯〉原作，其聲浮矣。〈惜誓〉宏深，或以爲賈誼作，蓋近之。東方朔、嚴忌皆漢武帝廷臣，淮南小山之詞，不當先朔、忌。王褒，漢宣帝時人，後淮南小山。至劉向最後作，故其次序如此。皆西漢以前文也，爲《楚辭》下八卷。王逸，東漢人，〈九思〉，視向以前所作，相闊矣。又十七卷非舊錄，故去之。又頗刪逸〈離騷經〉訓釋淺陋者，而錄司馬遷原傳冠其首云。』」可供參證。

《續》、《變》二篇，廣棪案：元抄本、盧校本「篇」作「編」。**皆《楚辭》流派，其曰「變」者，又以其類〈離騷〉而少變也。**

案：《郡齋讀書志》同卷、同類著錄：「《續楚辭》二十卷，右族父吏部公編。擇後世文賦與《楚辭》類者編之。自宋玉以下至本朝王令，凡二十六人，計六十篇。各爲〈小序〉，以冠其首。而最喜沈括，以爲詞近原，蓋深探其用意，疾徐隨其步驟而與之偕，然亦暇而不迫也。」又著錄：「《變離騷》二十卷，右族父吏部公編。公既集《續楚辭》，又擇其餘文賦大意祖述〈離騷〉，或一言似之者爲一編。其意謂：『原之作曰《離騷》，餘皆曰《楚辭》。今《楚辭》又變，而迺始曰《變離騷》者，欲後世知其出於原也，猶服盡而係其姓於祖云。』所錄自楚荀卿至本朝王令，凡三十八人，通九十六首。」可供參證。

《新序》三篇述其意甚詳，然其去取之際，或有不可盡曉者。

案：補之《雞肋集》卷三十六有〈離騷新序〉上、中、下三篇，其上篇云：「先王之盛時，四詩各得其所。王道衰，而變〈風〉變〈雅〉作，猶曰達於事變，而懷其舊俗。舊俗之亡，惟其事變也。故詩人傷今而思古，情見乎辭，猶《詩》之〈風〉、〈雅〉而既變矣。孟子曰：『王者之迹熄而《詩》

亡。』然則變〈風〉、變〈雅〉之時，王迹未熄，《詩》雖變而未亡。《詩》亡而後〈離騷〉之辭作，非徒區區之楚事不足道，而去王迹逾遠矣！一人之作，奚取於此也？蓋《詩》之所嗟嘆，極傷於人倫之廢，哀刑政之苛。而人倫之廢，刑政之苛，孰甚於屈原時邪？國無人，原以忠放。欲返，幸君之一悟，俗之一改也。一篇之中，三致意焉。與夫三宿而後出晝，於心猶以爲速者何異哉！世衰，天下皆不知止乎禮義，故君視臣如犬馬，則臣視君如國人。而原一人焉，被讒且死，而不忍去。其辭止乎禮義可知。則是《詩》雖亡，至原而不亡矣。使後之爲人臣，不得於君而熱中者，猶不懈乎愛君如此，是原有力於《詩》亡之後也。此〈離騷〉所以取於君子也。『離騷』，遭憂也。『終窶且貧，莫知我艱。』〈北門〉之志也。『何辜於天，我罪伊何。』〈小弁〉之情也。以附益《六經》之教，於《詩》最近，故太史公曰：『〈國風〉好色而不淫，〈小雅〉怨誹而不亂，若〈離騷〉者，可謂兼之矣。』其義然也。又班固敘遷之言曰：『〈大雅〉言王公大人，德逮黎庶。〈小雅〉譏小己之得失，其流及上。所言雖殊，其合德一也。』司馬相如雖多虛辭濫說，然要其歸，引之於節儉，此亦《詩》之風諫何異？揚雄以謂猶騁鄭、衞之音，曲終而奏雅，不已戲乎！固善推本知之。賦與《詩》同出，與遷意類也。然則相如始爲漢賦，與雄皆祖原之步驟，而獨雄以其靡麗悔之，至其不失雅，亦不能廢也。自〈風〉、〈雅〉變而爲〈離騷〉，至〈離騷〉變而爲賦，譬〈江有沱〉乾肉爲脯，謂義不出於此，時異然也。傳曰：『賦者，古詩之流也。』故〈懷沙〉言賦，〈橘頌〉言頌，〈九歌〉言歌，〈天問〉言問，皆詩也，〈離騷〉備之矣。蓋《詩》之流，至楚而爲〈離騷〉，至漢而爲賦，復變而爲詩，又變而爲雜言、長謠、問對、銘、贊、操、引，苟類出於楚人之辭而小變者，雖百世可知。故參取之，曰《楚辭》十六卷，舊錄也。曰《續楚辭》二十卷，曰《變離騷》二十卷，新錄也。使夫緣其辭者存其義，乘其流者反其源。謂原有力於《詩》亡之後，豈虛也哉！若漢、唐以來所作憂悲楚人之緒則不錄。」其中篇云：「劉向《離騷楚辭》十六卷，王逸傳之。按八卷皆屈原遭憂所作，故首篇曰《離騷經》，後篇皆曰《離騷》，餘皆曰《楚辭》。天聖中，有陳說之者，第其篇，然或不次序。今遷〈遠遊〉、〈九章〉次《離騷經》，在〈九歌〉上，以原自敘其意，近《離騷經》也。而〈九歌〉、〈天問〉乃原既放，攬楚祠廟鬼神之事，以攄憤者，故遷於下。〈卜居〉、〈漁父〉其自敘之餘意也，故又次之。〈大招〉古奧，疑原作，非景差辭，沈淵不返，不可如何也，故以終焉。爲《楚辭上》八卷。〈九辯〉、〈招魂〉，皆宋玉作，或曰〈九辯〉原作，其聲浮矣。〈惜誓〉弘深，亦類原辭，或以爲賈誼作，蓋近之。東方朔、嚴忌，皆漢武帝廷臣。淮南小山之辭，不當先朔、忌。王褒，漢宣帝時人，皆後淮南小山。至劉向最後作，故其次序如此。此皆西漢以前文也，以爲《楚辭下》八卷，凡十六卷，因向之舊錄云。然《漢書》志《屈原賦》二十五篇，今起〈離騷〉、〈遠遊〉、〈天問〉、〈卜居〉、〈漁父〉、〈大招〉而六，〈九章〉、〈九歌〉又十八，則《原賦》存者二十四篇耳。并〈國殤〉、〈禮魂〉在〈九歌〉之外，爲十一，則溢而爲二十六篇。不知〈國殤〉、〈禮魂〉何以系〈九歌〉之後。又不可合十一以爲九。若溢而爲二十六，則又不知其一篇當損益者何等也？〈惜誓〉盡敘原意，末云：『鸞鳳之高翔兮，見盛德而後下。』與賈誼〈弔屈原文〉云：『鳳凰翔於千仞兮，覽德輝焉下之。』斷章趣同，將誼倣之也？抑固二十五篇之一，未可知也。然則司馬遷以誼〈傳〉附原，亦由其文義相近，後世必能辯之。王逸東漢人，最愛《楚辭》，然〈九思〉視向以前所作，相闊矣。又十七卷，非舊錄，特相傳久，不敢廢。故遷以附《續楚辭》上十卷之終。而其下十卷，自唐韓愈始焉。〈離騷〉人不讀久，文舛闕難知。王逸云：『武帝使淮南王安作《章句》。至章帝時，班固、賈逵復以所見，改易前疑，亦作《章句》。其十五卷，闕而不說。今臣作十六卷《章句》。』然則安與固、逵訓釋獨〈離騷經〉一篇。不知固、逵所改易者何事？今觀《離騷經》訓釋，大較與十五卷義同。或淺陋非原本意。故頗刪而存之，而錄司馬遷《史記・屈原傳》冠篇首，以當〈離騷序〉云。」其下篇云：「司馬遷作《史記》，堯舜三代〈本紀〉、〈孔子世家〉，所引《尚書》、《論語》事，頗變其文字訓詁。至《左氏》、《國語》，則遷所筆削惟意。遷欲自成一家言，故加隱括而不嫌也。雖然，遷追琢傳記之辭可也，而變《尚書》、《論語》文字不可也。補之事先朝爲著作郎，上即位，備太史氏。古文國書，得損益之，況傳記乎？〈離騷經〉始漢淮南王安爲傳。按《隋志》傳亡，舊有班固〈敘贊〉二篇，王逸〈序〉一篇，梁劉勰〈序〉一篇。而王逸云：『班固、賈逵改易前疑。』則固此〈序〉，或當時作者也。然頗詆原狂狷，摘其不合者。逸高原義，每難固說。勰附逸論，然亦復失之。固〈序〉曰：『君子之道，窮達有命，固潛龍不見是而無悶，〈關雎〉哀周道而不傷。』又曰：『如〈大雅〉既明且哲，以保其身，斯爲貴矣。』固說誠是也。雖然，潛龍勿用，聖人之事也，非所以期於原也。又自淮南、太史，皆以謂兼〈風〉、〈雅〉之義，而固獨疑焉。夫〈國風〉不能無好色，然不至於淫；〈小雅〉不能無怨誹，然不至於亂。太史公謂原之辭兼此二者而已，乃周道大雅，豈原所得庶幾哉！雖遷亦不以是與原也。世衰，君臣道喪，去爲寇敵，而原且死憂君，斯已忠矣！唐柳宗元曰：『《春秋》枉許止，以懲不子之福；進荀息，以甚苟免之禍。夫荀息阿獻公之邪心以死，其爲忠也汙矣。惟其死不緣利，故君子猶進之。而原乃以正諫不獲而捐軀，方息之汙，則原與日月爭光可也。』非過言也。固又以謂：『原露才揚己，競於危國羣小之中。』是乃上官大夫、靳尚之徒，所以誣原『伐其功，謂非我莫能爲』者也，固奈何亦信之！原惟不競，故及此。司馬遷悲之曰：『忠而被謗，能無怨乎？屈平之作〈離騷〉，蓋自怨生也。』而固方且非其怨刺懷、襄、椒、蘭。原誠不忘以義劘上，而固儒者，奈何亦如高叟之爲詩哉？又王逸稱《詩》曰：『匪面命之，言提其耳。』謂原風諫者，不如此之斥，逸論近之。劉勰亦援逸此論，稱固抑揚過實。君子之與人爲善，義當如此也。至言澆、羿、姚、娀，與經傳錯繆，則原之辭，甚者稱開天門，駕飛龍，驅雲役神，周流乎天而來下，其誕如此。正爾託譎詭以諭志，使世俗不得以其淺議已。如莊周寓言者，可以經責之哉！且固知相如虛辭濫說，如《詩》風諫，而於原誇大獨可疑乎？固大較喜訾前人，如薄相如、子雲爲賦，而固亦爲賦也。劉勰文學，卑陋不足言，而亦以原迂怪爲病。彼原嫉世，既欲蟬蛻塵埃之外，惟恐不異，乃固與勰所論，必《詩》之正，如無〈離騷〉可也。嗚呼！不譏於同浴，而譏裸裎哉！又勰云：『士女雜坐，娛酒不廢，荒淫之意也。』是勰〈招魂〉以爲原作，誤矣！然〈大招〉亦說：『粉白黛黑，清馨凍飲。』勰以此爲荒淫，則失原之意逾遠。原固曰：『世皆濁我獨清。』豈誠樂此濁哉！哀已之魂魄離散，而不可復也。故稱楚國之美矯，以其沈酣汙泥之樂，若可樂者而招之，然卒不可復也，於是焉不失正，以死而已矣！嗚呼，勰安知〈離騷〉哉！抑固《漢書》稱『大儒孫卿，亦離讒作賦，與原皆有古詩惻隱之意』；而此〈序〉乃專攻原不類，疑此或賈逵語，故王逸言班、賈以爲露才揚己，不專指班，然亦不可不辨也。」可供參考。

楚辭贅說四卷

《楚辭贅說》四卷，右司郎宣城周紫芝少隱撰。嘗為〈哀湘纍賦〉，廣棪案：《文獻通考》脫「纍」字。以反賈誼、揚雄之說；又為此書，頗有發明。

廣棪案:《宋史》卷二百八、〈志〉第一百六十一、〈藝文〉七、〈集類・楚辭類〉著錄:「周紫芝《竹坡楚辭贅說》一卷。」所著錄之書名、卷數不與《解題》同。姜亮夫《楚辭書目五種・楚辭書目提要》第一、〈輯注類〉著錄:「《竹坡楚辭贅說》一卷,佚。宋周紫芝撰。紫芝,字少隱,號竹坡居士。宣城人。紹興中登第。歷樞密院編修,出知興國軍。按此書《宋志》著錄,《直齋書錄》作四卷,《遂初堂目》無卷數。今佚。其詳不可知。」考紫芝,《宋史翼》卷二十七、〈列傳〉第二十七、〈文苑〉二有傳。其〈傳〉曰:「周紫芝,字少隱,號竹坡,宣城人。……建炎初貢京師,應詔上書。……紹興十二年,始以廷對第三釋褐。十五年五月,設六部架閣官,紫芝以迪功郎掌禮、兵兩部。十七年十二月,以承奉郎爲樞密院編修官;旋進右宣教郎,兼實錄院編修官。……二十一年閏四月,知軍國軍。」是紫芝未任右司郎職。疑「右司郎」乃「右宣教郎」之訛也。

楚辭集註八卷、辨證二卷

《楚辭集註》八卷、廣棪案:《文獻通考》、元抄本、盧校本「註」作「說」,誤。《辨證》二卷,侍講建安朱熹元晦撰。以王氏、洪氏注或迂滯而遠於事情,或迫切而害於義理,遂別為之注。其訓詁文義之外,有當考訂者,則見於《辨證》,廣棪案:《文獻通考》作「辯證」。所以祛前注之蔽陋,而明屈子微意於千載之下,廣棪案:《文獻通考》、元抄本、盧校本「明」上有「發」字。忠魂義魄,頓有生氣。其於〈九歌〉、〈九章〉,尤為明白痛快。至謂《山海經》、《淮南子》殆因〈天問〉而著書,說者反取二書以證〈天問〉,可謂高世絕識、毫髮無遺恨者矣。公為此《注》在慶元退歸之時,〈序〉文所謂「放臣棄子、怨妻去婦」,蓋有感而託者也。其生平於《六經》皆有訓傳,而其殫見洽聞、發露不盡者,萃見於此書。嗚呼偉矣!其篇第視舊本益賈誼二賦,而去〈諫〉、〈歎〉、〈懷〉、〈思〉。屈子所著二十五篇為《離騷》,而宋玉以下則曰《續離騷》。其言「〈七諫〉以下辭意平緩、意不深切,如無所疾痛而強為呻吟者」,尤名言也。廣棪案:《文獻通考》「尤」作「為」。

廣棪案:《玉海》卷第五十四、〈藝文・總集文章・楚辭〉載:「朱熹《集注》八卷、《辨證》二卷。」與此同。趙希弁《讀書附志》卷下、〈楚辭類〉著錄：「《楚辭集註》八卷、《後語》六卷、《辨證》一卷。」《宋史》卷二百八、〈志〉第一百六十一、〈藝文〉七、〈集類．楚辭類〉著錄：「朱熹《楚辭集註》八卷、《辨證》一卷。」是《讀書附志》與《宋志》著錄《辨證》均作一卷，是宋時分卷已有不同也。此書《集註》有朱子〈自序〉曰：「自屈原賦〈離騷〉，而南國宗之，名章繼作，通號《楚辭》。大抵皆祖原意，而〈離騷〉深遠矣。竊嘗論之：原之爲人，其志行雖或過於中庸，而不可以爲法；然皆出於忠君愛國之誠心。原之爲書，其辭旨雖或流於跌宕怪神，怨懟激發，而不可以爲訓；然皆生於繾綣惻怛，不能自已之至意。雖其不知學於北方，以求周公、仲尼之道，而獨馳騁於〈變風〉、〈變雅〉之末流，以故醕儒、莊士或羞稱之。然使世之放臣屏子，怨妻去婦，抆淚謳吟於下，而所天者幸而聽之，則於彼此之間，天性民彝之善，豈不足以交有所發，而增夫三綱五常之重，此予之所以每有味於其言，而不敢直以辭人之賦視之也。然自原著此辭，至漢未久，而說者已失其趣。如太史公蓋未能免，而劉安、班固、賈逵之書，世復不傳；及隋唐間爲訓解者尙五、六家，又有僧道騫者能爲楚聲之讀，今亦漫不復存，無以考其說之得失。而獨東京王逸《章句》，與近世洪興祖《補注》並行於世。其於訓詁名物之間則已詳矣，顧王書之所取舍，與其題號，離合之間多可議者；而洪皆不能有所是正；至其大義則又皆未嘗沈潛反覆，嗟歎詠歌，以尋其文詞指意之所出，而遽欲取喻立說，旁引曲證，以強附於其事之已然。是以或以迂滯而遠於事情，或以迫切而害於義理，使原之所爲，壹鬱而不得申於當年者，又晦昧而不得白於後世，予於是益有感焉。疾病呻吟之暇，聊據舊編，粗加檃括，定爲《集注》八卷，庶幾讀者得以見古人於千載之上，而死者可作，又足以知千載之下有知我者，而不恨於來者之不聞也。嗚呼悕矣！是豈易與俗人言哉！」趙希弁《讀書附志》卷下、〈楚辭類〉著錄：「《楚辭集註》八卷、《後語》六卷、《辨證》一卷，右朱文公所定也。《離騷》凡七題，二十五篇，皆屈原作，定爲五卷。《續離騷》八題，十六篇，定爲三卷。校晁氏本，增〈弔屈原〉、〈鵩賦〉二篇，而去〈七諫〉、〈九懷〉、〈九歎〉、〈九思〉四篇。公謂四篇雖爲〈騷〉體，然詞氣平緩，意不深切，如無所疾痛而強爲呻吟者，就其中諫嘆猶粗可觀，兩王則卑已甚矣，故雖幸附書尾，而人莫之讀，今不復以累篇袠也。賈傅之詞，於西京爲最高，且〈惜誓〉已著于篇，而二賦尤精，乃不見取，亦不可曉，故併錄以附焉。」《四庫全書總目》卷一百四十八、〈集部〉一、〈楚辭類〉著錄：「《楚辭集註》八卷、《辨證》二卷、《後語》六卷，內府藏本。宋朱子撰。以後漢王逸《章句》及洪興祖《補註》二書詳於訓詁，未得意旨，乃櫽括舊編，定爲此本。以屈原所著二十五篇爲《離騷》，宋玉以下十六篇爲《續離騷》。隨文詮釋，每章各繫以興、比、賦字，如《毛詩傳》例。其訂正舊註之謬誤者，別爲《辨證》二卷附焉。自爲之〈序〉。……《楚辭》舊本有東方朔〈七諫〉、王褒〈九懷〉、劉向〈九歎〉、王逸〈九思〉。晁本刪〈九思〉一篇。是編并削〈七諫〉、〈九懷〉、〈九歎〉三篇，益以賈誼二賦。陳振孫《書錄解題》謂『以〈七諫〉以下詞意平緩，意不深切，如無病而呻吟者也』。……周密《齊東野語》記紹熙內禪事曰：『趙汝愚永州安置，至衡州而卒，朱熹爲之註〈離騷〉以寄意焉。』然則是書大旨在以靈均放逐，寓宗臣之貶，以宋玉〈招魂〉，抒故舊之悲耳。固不必於箋釋音叶之閒，規規爭其得失矣。」《楚辭書目五種・楚辭書目提要》第一、〈輯注類〉「《楚辭集註》八卷，附《辨證》二卷、《後語》六卷」條曰：「按，熹一生註儒家經典幾遍，更不爲他說所亂，獨註《楚辭》，似與平生專壹之業相遠，因以啓學者之疑。遂有以靈均放逐，寓趙汝愚貶死之說，汝愚死在慶元元年，去熹之卒，才四年。《集註》晚出，故有是說也。楊萬里《誠齋集・退休集》中，有〈戲跋朱元晦楚辭解〉二詩，云：『注《易》箋《詩》解《魯論》，一帆徑度浴沂天。無端又被湘纍喚，去看西川競渡船。』又：『霜後藜枯無可羹，飢吟長作候蟲聲。藏神上訴天應泣，支賜江蘺與杜衡。』自第一首無端二句，及第二首觀之，則周氏寓宗臣之貶之說，在當時固已言者多有其人，而熹之註〈騷〉，亦爲有據矣。」均足資參證。是後人亦有認爲朱子之注〈騷〉，「蓋有感而記者」矣。

楚辭後語六卷

《楚辭後語》六卷，朱熹撰。凡五十二篇。以晁氏《續》、《變》二書刊定，而去取則嚴而有意矣。

廣棪案：晁氏《續》、《變》二書，即指晁補之《續楚辭》與《變離騷》也。朱子〈自序〉曰：「《楚辭後語．目錄》，以鼂氏所集錄《續》、《變》二書刊補，定著凡五十二篇。鼂氏之爲此書，固主爲辭而亦不得不兼取於義，今因其舊，則其考於辭也宜益精，而擇於義也當益嚴矣。此余之所以兢兢，而不得不致其謹也。蓋屈子者，窮而呼天，疾痛而呼父母之辭也。故今所欲取而使繼之者，必其出於幽憂窮蹙，怨慕淒涼之意，乃爲得其餘韻，而宏衍鉅麗之觀，懽愉快適之語，宜不得而與焉。至論其等，則又必以無心而冥會者爲貴，其或有是，則雖遠且賤，猶將汲而進之，一有意於求似，則雖迫眞如楊、柳，亦不得已而取之耳。若其義則首篇所著荀卿子之言，指意深切，詞調鏗鏘，君人者誠能使人朝夕諷誦不離於其側，如衞武公之〈抑戒〉，則所以入耳而著心者，豈但廣廈細旃、明師勸誦之益而已哉！此固余之所爲眷眷而不能忘者。若〈高唐〉、〈神女〉、〈李姬〉、〈洛神〉之屬，其辭若不可廢，而皆棄不錄，則以義裁之，而斷其爲禮法之罪人也。〈高唐〉卒章，雖有思萬方，憂國害，開聖賢，輔不逮之云，亦屠兒之禮佛，倡家之讀禮耳，幾何其不爲獻笑之資，而何諷之有哉！其息夫躬，柳宗元之不棄，則鼂氏已言之矣。至於揚雄則未有議其罪者，而余獨以爲是其失節，亦蔡琰之儔耳！然琰猶知愧而自訟，若雄則反乩前哲以自安，宜又不得與琰比矣！今皆取之，豈不以夫琰之母子無絕道，而雄則欲因〈反騷〉而著，蘇氏、洪氏之貶辭，以明天下之大戒也。陶翁之辭，鼂氏以爲中和之發，於此不類，特以其爲古賦之流而取之，是也。抑以其自謂晉臣恥事二姓而言，則其意亦不爲不悲矣！序列於此又何疑焉。至於終篇特著張夫子、呂與叔之言，蓋又以告夫游藝之及此者，使知學之有本，而反求之，則文章有不足爲者矣。其爲微文碎義，又各附見於本篇，此不暇著悉云。」趙希弁《讀書附志》卷下、〈楚辭類〉「《楚辭集註》八卷、《後語》六卷、《辨證》一卷」條載：「《後語》定著五十二篇。公謂屈子者，窮而呼天、疾痛而呼父母之詞也。故今所欲取而使繼之者，必其出於幽憂窮蹙、怨慕淒涼之意，乃爲得其餘韻。而宏衍鉅麗之觀、懽愉快適之語，宜不得而與焉，至論其等，則又必以無心而冥會者爲貴，其或有是，則雖遠且賤，猶將汲而進之；一有意於求似，則雖迫近如楊、柳，亦不得已而取之耳。〈騷〉自楚興，公之加意此書，則作牧于楚之後也。或曰有感於趙忠定之變而然。」足供參證。

龍岡楚辭說五卷

《龍岡楚辭說》五卷，永嘉林應辰渭起撰。以〈離騷〉章分段釋為二十段，〈九歌〉、〈九章〉諸篇亦隨長短分之。其推屈子不死於汨羅，比諸浮海居夷之意，其說甚新而有理。以為〈離騷〉一篇，辭雖哀痛而意則宏放，與夫直情徑行、勇於蹈河者，不可同日語；且其興寄高遠，登昆侖、歷閬風、指西海、陟陞皇，皆寓言也，世儒不以為實，顧獨信其從彭咸葬魚腹以為實者，何哉？廣棪案：以上三句，《文獻通考》作「世儒乃以為實者，何哉？」然沈湘之事，傳自司馬遷，賈誼、揚雄，皆未嘗有異說，漢去戰國未遠，決非虛語也。廣棪案：《文獻通考》「決」作「恐」。

廣棪案：《楚辭書目五種・楚辭書目提要》第一、〈輯注類〉著錄：「《龍岡楚辭說》五卷，佚。宋林應辰撰。應辰，字渭起。宋永嘉人。按《宋志》不錄。……《浙江通志・經籍志》著錄。今佚。」考《宋元學案補遺・別附》卷二、〈宋儒博考〉下、〈林先生拱辰、林先生應辰合傳〉載：「林拱辰，字巖起，平陽人。淳熙武舉換文登第，歷太府丞、工部尚書，累知揚州、婺州、廣東經畧安撫。立朝剛介，不附史、韓，有《詩傳》刊于平江，《春秋傳》刊于婺州。弟應辰，字渭起，同榜進士，監尚書六部門，著有《易說》、《騷解》。《溫州舊志》。」是應辰有兄名拱辰。應辰所撰《騷解》，疑與《龍岡楚辭說》同書而異名。

校定楚辭十卷、翼騷一卷、洛陽九詠一卷

《校定楚辭》十卷、廣棪案：元抄本、盧校本「校定」作「新校」。《翼騷》一卷、《洛陽九詠》一卷，祕書郎昭武黃伯思長睿撰。廣棪案：《文獻通考》、元抄本、盧校本無「秘書郎」三字。其〈序〉言：屈宋諸騷，皆書楚語、作楚聲、紀楚地、名楚物，故可謂之「楚辭」。若「些」、「只」、「羌」、「誶」、「蹇」、「紛」、「侘傺」者，楚語也；悲壯頓挫、或韻或否者，楚聲也；沅、湘、江、澧、修門、夏首者，楚地也；蘭、茝、荃、葯、蕙、若、芷、蘅者，廣棪案：「芷」，《文獻通考》作「煩」，元抄本、盧校本作「蘋」。楚物也。既以諸家本校定，又以太史公〈屈原傳〉至陳說之〈序〉附以今〈序〉，別為一卷，目以《翼騷》。

廣棪案：伯思此書有〈序〉，曰：「《漢書・朱買臣傳》云：『嚴助薦買臣，

召見，說《春秋》，言《楚辭》，帝甚說之。』〈王褒傳〉云：『宣帝修武帝故事，徵能爲《楚辭》者九江被公等。』《楚辭》雖肇於楚，而其目蓋始於漢世。然屈、宋之文與後世依放者，通有此目，而陳說之以爲唯屈原所著則謂之《離騷》，後人效而繼之，則曰《楚辭》，非也。自漢以還，文師詞宗，慕其軌躅，摛華競秀，而識其體要者亦寡。蓋屈、宋諸〈騷〉，皆書楚語，作楚聲，紀楚地，名楚物，故可謂之《楚辭》。若些、只、羌、誶、蹇、紛、侘傺者，楚語也；頓挫悲壯，或韻或否者，楚聲也；沅、湘、江、澧、脩門、夏首者，楚地也；蘭、茝、荃、藥、蕙、若、蘋、蘅者，楚物也；率若此，故以楚名之。自漢以還，去古未遠，猶有先賢風槩，而近世文士但賦其體，韻其語，言雜燕、粵，事兼夷、夏，而亦謂之《楚辭》，失其指矣。此書既古，簡冊迭傳，亥豕帝虎，舛午甚多。近世秘書晁監美叔，獨好此書，乃以春明宋氏、趙郡蘇氏本參校失得；其子伯以、叔予，又以廣平宋氏及唐本，與《太史公記》諸書是正；而伯思亦以先唐舊本，及西都留監博士楊建勳及洛下諸人所藏，及武林吳郡槧本讎校，始得完善。文有殊同者，皆兩出之。案此書舊十有六篇，并王逸〈九思〉爲十七，而伯思所見舊本，乃有揚雄〈反騷〉一篇，在〈九歎〉之後，此文亦見雄本傳。與〈九思〉共十有八篇，而王逸諸〈序〉並載於書末，猶《古文尚書》、漢本《法言》及《史記・自序》、《漢書・敘傳》之體，駢列於卷尾，不冠於篇首也，今放此錄之。又太史公〈屈原列傳〉、班固〈離騷傳序〉，論次靈均之事爲詳，故編于王〈序〉右方。陳說之本，以劉勰〈辯騷〉在王〈序〉之前，論世不倫，故緒而正之。而〈天問〉之章，辭嚴義密，最爲難誦，柳柳州於千祀後，獨能作〈天對〉以應之，深宏傑異，析理精博，而近世文家亦難遽曉，故分章辨事，以其所對，別附於問；庶幾覽者瑩然，知子厚之文不苟爲艱深也。自〈屈原傳〉而下，至陳說之〈序〉，又附以今〈序〉，別爲一卷，附十通之末，而目以《翼騷》云。至於屈原行之忠狷，文之正變，事之當否，固昔賢之所詳，僕可得而略之也。」《解題》所述，據此櫽括。伯思，《宋史》卷四百四十三、〈列傳〉第二百二、〈文苑〉五有傳。《宋人傳記資料索引》載：「黃伯思（1079～1118），字長睿，別字霄賓，自號雲林子，邵武人，履孫。元符三年進士，爲秘書郎，縱觀冊府藏書，至忘寢食。性好古文奇字、彝器款識，悉能辨正。自《六經》及子史、百家，無不精詣。善畫，工詩文，篆隸正行草飛白，皆妙絕。頗好道。重和元年卒，年四十。有《翼騷》一卷、《東觀餘論》三卷、《文集》五十卷。」惟未載《校定楚辭》十卷。

《洛陽九詠》者，伯思所作也。

案：此書疑佚。直齋有其書而無考。

總集類

廣棪案：盧校本作卷四十八〈總集類〉。校注曰：「當依元本編〈詩集〉之後，此尚誤。」

文選六十卷

《文選》六十卷，梁昭明太子蕭統德施撰。唐崇賢館學士江都李善注。北海太守邕之父也。

廣棪案：《崇文總目》卷五、〈總集類〉上著錄：「《文選》六十卷。原釋：唐李善因五臣而自爲注。見《東觀餘論》。鑒按：黃長睿《校正崇文總目》云：『按李善注在五臣前，此云因五臣而自爲注，非是。』」錢東垣輯釋本。錢鑒引長睿所按不誤。《郡齋讀書志》卷第二十、〈總集類〉著錄：「《李善注文選》六十卷，右梁昭明太子蕭統纂。前有〈序〉，述其所以作之意。蓋選漢迄梁諸家所著賦、詩、騷、七、詔、冊、令、教、策秀才文、表、上書、啓、彈事、牋、記、書、移檄、難、對問、議論、序、頌、贊、符命、史論、連珠、銘、箴、誄、哀辭、碑、誌、行狀、弔、祭文，類之爲三十卷。竇常謂統著《文選》，以何遜在世，不錄其文，蓋其人既往，而後其文克定，然則所錄皆前人作也。唐李善集注析爲六十卷。善，高宗時爲弘文學士，博學，經史百家，無不備覽而無文，時人謂之『書簏』。初爲輯注，博引經史，釋事而忘其義。書成上進，問其子邕，邕無言。善曰：『非邪？爾當正之。』於是邕更加以義釋，解精於五臣。今釋事、加義者兩存焉。蘇子瞻嘗讀善注而嘉之，故近世復行。」足資參證。然有關李邕改定其父《文選注》之說，《四庫全書總目》嘗辨之，以爲不足采信。該書卷一百八十六、〈集部〉三十九、〈總集類〉一著錄：「《文選註》六十卷，內府藏本。案《文選》舊本三十卷，梁昭明太子蕭統撰。唐文林郎守太子右內率府錄事參軍事崇賢館直學士江都李善爲之註，始每卷各分爲二。《新唐書・李邕傳》『稱其父善始註《文選》，釋事而忘義。書成以問邕。邕意欲有所更，善因令補益之，邕乃附事見義。故兩書竝行。今本事義兼釋，似爲邕所改定』。然〈傳〉稱，善註《文選》在顯慶中，與今本所載〈進表〉題顯慶三年者合。而《舊唐書・邕傳》稱：『天寶五載坐柳勣事杖殺，年七十餘。』上距顯慶三年凡八十九年，是時邕尚未生，安得有助善註書之事。且自天寶五載上推七十餘年，當在高宗總章、咸亨閒。而《舊書》稱善《文選》之學受之曹憲，計在隋末，年已弱冠。至生邕之時，當七十餘歲，亦決無伏生之壽，待其長而著書。考李匡乂《資暇錄》曰：『李氏《文選》有初註成者，有覆註，有三註、四註者，當時旋被傳寫。其絕筆之本皆釋音訓義，註解甚多。』是善之定本本事義兼釋，不由於邕，匡乂唐人，時代相近，其言當必有徵。知《新唐書》喜采小說，未詳考也。」其考可據。蕭統，《梁書》卷八、〈列傳〉第二、《南史》卷五十三、〈列傳〉第四十三、〈梁武帝諸子〉有傳。李善，《舊唐書》卷一百八十九上、〈列傳〉第一百三十九上、〈儒林〉上附〈曹憲傳〉、《新唐書》卷二百二、〈列傳〉第一百二十七、〈文藝〉中附〈李邕傳〉。邕，《舊唐書》卷一百九十中、〈列傳〉第一百四十中、〈文苑〉中亦有傳。

六臣文選六十卷

《六臣文選》六十卷，唐工部侍郎呂延祚開元六年表上，號「五臣集注」。五臣者：常山尉呂延濟、都水使者劉承祖男良、處士張銑、呂向、李周翰也。以李善注惟引事，不說意義，故復為此注，後人併與李善原注合為一書，名「六臣注」。廣棪案：盧校本無「名六臣注」四字。**東坡謂五臣乃俚儒之荒陋者，反不及善，如謝瞻詩「苛慝暴三殤」，引「苛政猛於虎」，以父與夫為殤，非是。然此說乃實本於善也。**

李善注此句，但云「苛猶虐也」，初不及三殤。不審直齋之說何所本。隨齋批注。

廣棪案：《四庫全書總目》卷一百八十六、〈集部〉三十九、〈總集類〉一著錄：「《六臣註文選》六十卷，內府藏本。案唐顯慶中，李善受曹憲《文選》之學，爲之作註。至開元六年，工部侍郎呂延祚復集衢州常山縣尉呂延濟、都水使者劉承祖之子良、處士張詵、呂向、李周翰五人，共爲之註，表進於朝。其詆善之短則曰：『忽發章句，是徵載籍，述作之由，何嘗措翰。使復精核註引，則陷於末學，質訪旨趣，則巋然舊文，祇謂攪心，胡爲析理。』其述五臣之長，則曰：『相與三復乃詞，周知祕旨，一貫於理，杳測澄懷，目無全文，心無留意，作者爲志，森然可觀。』觀其所言，頗欲排突前人，高自位置。書首〈進表〉之末，載高力士所宣口敕，亦有『此書甚好』之語。然唐李匡乂作《資暇集》，備摘其竊據善註，巧爲顚倒、條分縷析，言之甚詳。又姚寬《西溪叢語》，詆其註揚雄〈解嘲〉，不知伯夷、太公爲二老，反駁善註之誤。王楙《野客叢書》詆其誤敘王暕世系，以覽後爲祥後，以曇首之曾孫爲曇首之子。明田汝成重刊《文選》，其子藝衡又摘所註〈西都賦〉之『龍興虎視，東都之乾符坤珍』，〈東京賦〉之『巨猾閒釁』，〈蕪城賦〉之『袤廣三墳』諸條。今觀所註，迂陋鄙倍之處尙不止此。而以空疏臆見輕詆通儒，殆亦韓愈所謂蚍蜉撼樹者歟！其書本與善註別行，故《唐志》各著錄。黃伯思《東觀餘論》尙譏《崇文總目》誤以五臣註本置李善註本之前。至陳振孫《書錄解題》，始有《六臣文選》之目。蓋南宋以來，偶與善註合刻，取便參證。元明至今，遂輾轉相沿，併爲一集，附驥以傳，蓋亦幸矣。然其疏通文意，亦閒有可採，唐人著述，傳世已稀，固不必竟廢之也。」足供參證。至李善注謝瞻〈張子房詩〉「苛慝暴三殤」句，則曰：「《禮記》曰：『孔子過泰山側，婦人哭於墓者而哀，夫子式而聽之，使子貢問之。曰：「子之哭也，一似重有憂者。」而曰：「然。昔者吾舅死於虎，吾夫又死焉，今吾子又死焉。」夫子曰：「何不去也？」曰：「無苛政。」夫子曰：「小子識之，苛政猛於虎也。」』苛，猶虐也。」是善注引《禮記》「苛政猛於虎」以釋謝瞻詩，乃僅釋其「苛」字，而未及三殤也。隨齋批注不誤。

玉臺新詠十卷

《玉臺新詠》十卷，陳徐陵孝穆集。

廣棪案：《郡齋讀書志》卷第二、〈樂類〉著錄：「《玉臺新詠》十卷，右陳徐陵纂。唐李康成云：『昔陵在梁世，父子俱事東朝，特見優遇。時承華好文，雅尙宮體，故采西漢以來詞人所著樂府艷詩，以備諷覽。』」陵字孝穆，東海郯人。《陳書》卷二十六、〈列傳〉第二十，《南史》卷六十二、〈列傳〉第五十二均有傳。

且為作〈序〉。

案：陵所撰〈序〉曰：「夫淩雲概日，由余之所未窺；千門萬戶，張衡之所曾賦。周王璧臺之上，漢帝金屋之中，玉樹以珊瑚作枝，珠簾以玳瑁爲押，其中有麗人焉。其人也，五陵豪族，充選掖庭；四姓良家，馳名永巷。亦有穎川、新市，河間、觀津，本號嬌娥，曾名巧笑。楚王宮裏，無不推其細腰；衛國佳人，俱言訝其纖手。閱詩敦禮，豈東鄰之自媒；婉約風流，異西施之被教。弟兄協律，生小學歌；少長河陽，由來能舞。琵琶新曲，無待石崇；箜篌雜引，非關曹植。傳鼓瑟於楊家，得吹簫於秦女。至若寵聞長樂，陳后知而不平；畫出天仙，閼氏覽而遙妬。至如東鄰巧笑，來侍寢于更衣；西子微顰，得橫陳於甲帳。陪遊馺娑，騁纖腰於結風；長樂鴛鴦，奏新聲於度曲。妝鳴蟬之薄鬢，照墮馬之垂鬟。反插金鈿，橫抽寶樹。南都石黛，最發雙蛾；北地燕脂，偏開兩靨。亦有嶺上仙童，分丸魏帝；腰中寶鳳，授曆軒轅。金星將婺女爭華，麝月與嫦娥競爽。驚鸞冶袖，時飄韓掾之香；飛燕長裾，宜結陳王之珮。雖非圖畫，入甘泉而不分；言異神仙，戲陽臺而無別。眞可謂傾國傾城，無對無雙者也。加以天時開朗，逸思雕華，妙解文章，尤工詩賦。瑠璃硯匣，終日隨身；翡翠筆牀，無時離手。清文滿篋，非惟芍藥之花；新製連篇，寧止蒲萄之樹。九日登高，時有緣情之作；萬年公主，非無累德之辭。其佳麗也如彼，其才情也如此。既而椒宮宛轉，柘館陰岑，絳鶴晨嚴，銅蠡晝靜。三星未夕，不事懷衾；五日猶賒，誰能理曲。優游少託，寂寞多閑。厭長樂之疏鐘，勞中宮之緩箭。纖腰無力，怯南陽之搗衣；生長深宮，笑扶風之織錦。雖復投壺玉女，爲觀盡於百驍；爭博齊姬，心賞窮於六箸。無怡神於暇景，惟屬意於新詩。庶得代彼皋蘇，微蠲愁疾。但往世名篇，當今巧製，分諸麟閣，散在鴻都。不藉篇章，無由披覽。於是燃脂暝寫，弄筆晨書，撰錄豔歌，凡爲十卷。曾無忝於雅頌，亦靡濫於風人，涇渭之間，若斯而已。於是麗以金箱，裝之寶軸。三臺妙迹，龍伸蠖屈之書；五色花箋，河北膠東之紙。高樓紅粉，仍定魚魯之文；辟惡生香，聊防羽陵之蠹。靈飛太甲，高擅玉函；鴻烈仙方，長推丹枕。至如青牛帳裏，餘曲既終；朱鳥窗前，新妝已竟，方當開茲縹帙，散此緗繩，永對翫于書帷，長循環於纖手。豈如鄧學《春秋》，儒者之功難習；竇專黃老，金丹之術不成。因勝西蜀豪家，託情窮於魯殿；東儲甲觀，流詠止于洞簫。孌彼諸姬，聊同棄日，猗歟彤管，無或譏焉。」可供參考。

古文苑九卷

《古文苑》九卷，不知何人集。皆漢以來遺文，史傳及《文選》所無者。世傳孫洙巨源於佛寺經龕中得之，唐人所藏也。廣棪案：《文獻通考》無「也」字。**韓無咎類次為九卷，刻之婺州。**

廣棪案：《通志》卷七十、〈藝文略〉第八、〈總集〉著錄：「《古文苑》十卷。」卷數疑誤。《讀書附志》卷下、〈總集類〉著錄：「《古文苑》九卷。右《古文苑》，世傳孫巨源於佛寺經龕中得唐人所藏文章一編，莫知誰氏錄也，皆史傳所不載，《文選》所未取，而間見於諸集及樂府，好事者因以《古文苑》目之。自石鼓文而下，曰賦，曰詩，曰歌，曰曲，曰敕，曰書，曰對，曰頌，曰箴，曰銘，曰贊，曰記，曰碑，曰雜文，皆周、秦、漢人之作也。《容齋隨筆》嘗引之。然訛舛謬缺，不敢是正。淳熙中韓元吉之記已言之。」《四庫全書總目》卷一百八十六、〈集部〉三十九、〈總集類〉一著錄：「《古文苑》二十一卷，兩淮馬裕家藏本。不著編輯者名氏。《書錄解題》稱：『世傳孫洙巨源於佛寺經龕中得之，唐人所藏。』所錄詩、賦、雜文，自東周迄於南齊，凡二百六十餘首，皆史傳、《文選》所不載。然所錄漢、魏詩文，多從《藝文類聚》、《初學記》刪節之本，石鼓文亦與近本相同，其眞僞蓋莫得而明也。南宋淳熙閒，韓元吉次爲九卷。至紹定閒，章樵爲之註釋。」足資參證。惟此書原作九卷，《四庫》本作二十一卷，蓋以章樵爲之註釋，故篇幅加增也。

《中興書目》有孔逭《文苑》，非此書。孔逭，晉人，本書百卷，惟存十九卷爾。廣棪案：盧校本此條解題至「惟存十九卷爾」止。校注曰：「館本此下共多三十六字，決非直齋語。若陳有《秦漢遺文》，此書內無緣不著。《通考》亦無此一段。」

案：《玉海》卷第五十四、《藝文・總集文章》「《文苑》」條載：「孔逭《文苑》一百卷。《隋志》同。……《中興書目》：『孔逭集漢以後諸儒文章，今存十九卷。賦、頌、騷、銘、誄、弔、典、書、表、論，凡十屬。目錄有書寫校正官吏姓名，題龍朔二年，或大中十年，蓋唐秘書所藏本也。』《南史》：『逭，會稽人，有才藻，製〈東都賦〉、《三吳決錄》。』」足資參證。

又梁孝王忘憂館諸士之賦，據題尚欠〈文鹿〉、〈酒〉、〈几〉三賦，家有《秦漢遺文》，七賦皆在，常州有板本。館臣案：忘憂館七賦，公孫詭為〈文鹿賦〉，鄒陽作〈酒賦〉。〈文鹿〉、〈酒〉止兩賦耳。〈古文苑〉少〈文鹿〉、〈酒〉、〈几〉三賦，原本作「尚欠〈文鹿〉、〈酒〉三賦」，脱去「几」字，今改正。　廣棪案：《文獻通考》無此段，盧文弨謂「決非直齋語」，恐未必然。

案：《古文苑》第三卷、「〈漢臣賦〉十二首」載枚乘〈忘憂館柳賦〉，前有〈序〉曰：「梁孝王遊於忘憂之館，集諸遊士各使爲賦。枚乘〈柳賦〉，路喬如〈鶴賦〉，公孫詭〈文鹿賦〉，鄒陽〈酒賦〉，公孫乘〈月賦〉，羊勝〈屏風賦〉。韓安國作〈几賦〉不成，鄒陽代作。鄒陽、安國罰酒三升，賜枚乘、路喬如絹，人五疋。」今《古文苑》第三卷正闕〈文鹿〉、〈酒〉、〈几〉三賦。

古文章十六卷

《古文章》十六卷，會稽石公輔編。與前書相出入而稍多，亦有史傳中鈔出者。首卷為〈武王丹書〉，其末蔡琰〈胡笳十八拍〉也。

廣棪案：此書已佚，多不可考。石公輔即石公弼，《宋史》卷三百四十八、〈列傳〉第一百七有傳。其〈傳〉曰：「石公弼字國佐，越州新昌人。……公弼初名公輔，徽宗以與楊公輔同名，改爲公弼云。」是其證。〈武王丹書〉已佚。蔡琰〈胡笳十八拍〉，宋郭茂倩《樂府詩集》卷第五十九、〈琴曲歌辭〉三有收。

《館閣書目》又有《漢魏文章》二卷，集宋玉以下文八十八首，未見。

案：《玉海》卷第五十四、〈藝文・總集文章〉「《漢魏文章》」條載：「《書目》：『《漢魏文章》二卷，宋玉及漢、魏人文、賦，凡八十八首。……集者不知名。』」足資參證。

西漢文類四十卷

《西漢文類》四十卷，唐柳宗元之弟嘗輯此書，宗元為〈序〉，亦四十卷，《唐・藝文志》有之，其書不傳。

廣棪案：《新唐書》卷六十、〈志〉第五十、〈藝文〉四、〈總集類〉著錄：

「柳宗直《西漢文類》四十卷。」即此書。《柳宗元集》卷二十一、〈題序〉有〈柳宗直《西漢文類》序〉，曰：「左右史混久矣，言事駁亂，《尚書》、《春秋》之旨不立。自左丘明傳孔氏，太史公述歷古今，合而為《史》，迄于今交錯相糾，莫能離其說。獨《左氏》、《國語》紀言，不參於事。《戰國策》、《春秋後語》頗本右史《尚書》之制，然無古聖人蔚然之道，大抵促數耗矣，而後之文者寵之。文之近古而尤壯麗，莫若漢之〈西京〉。班固書傳之，吾嘗病其畔散不屬，無以考其變。欲采比義，會年長疾作，駑墮愈日甚，未能勝也。幸吾弟宗直愛古書，樂而成之。搜討磔裂，攟摭融結，離而同之，與類推移，不易時月，而咸得從其條貫。森然炳然，若開羣玉之府。指揮聯累，圭璋琮璜之狀，各有列位，不失其序，雖第其價可也。以文觀之，則賦、頌、詩、歌、書、奏、詔、策、辯、論之辭畢具。以語觀之，則右史紀言，《尚書》、《國語》、《戰國策》成敗興壞之說大備，無不苞也。噫！是可以為學者之端耶？始吾少時，有路子者，自贊為是書，吾嘉而敘其意，而其書終莫能具，卒俟宗直也。故刪取其敘，繫于左，以為《西漢文類》首紀。殷、周之前，其文簡而野，魏、晉以降，則盪而靡，得其中者漢氏。漢氏之東，則既衰矣。當文帝時，始得賈生明儒術，武帝尤好焉。而公孫弘、董仲舒、司馬遷、相如之徒作，風雅益盛，敷施天下，自天子至公卿大夫士庶人咸通焉。於是宣於詔策，達於奏議，諷於辭賦，傳於歌謠，由高帝訖于哀、平，王莽之誅，四方之文章蓋爛然矣。史臣班孟堅修其書，拔其尤者，充于簡冊，則二百三十年間，列辟之達道，名臣之大範，賢能之志業，黔黎之風美列焉。若乃合其英精，離其變通，論次其敘位，必俟學古者興行之。唐興，用文理，貞元間，文章特盛。本之三代，浹于漢氏，與之相準。於是有能者取孟堅書，類其文，次其先後，為四十卷。」可供參證。

今書陶叔獻元之所編次，未詳何人。

案：《郡齋讀書志》卷第二十、〈總集類〉著錄：「《西漢文類》二十卷。右唐柳宗直撰，其兄宗元嘗為之〈序〉。至本朝其書亡，陶氏者重編纂成。」章如愚《群書考索》卷第十九、〈類書類〉著錄：「《西漢文類》，皇朝陶叔獻所撰也。類次西漢書中詔，命、書、疏、奏、記、對、辨、說、檄、難、詩、箴、頌、賦、贊、序。先是，唐柳宗直為《西漢文類》，其兄宗元敘之甚詳。叔獻惜此書不見於世，因論次為四十卷。」《玉海》卷第五

十四、〈藝文・總集文章〉「唐《西漢文類》」條載：「〈志〉：『柳宗直《西漢文類》四十卷。』宗元序之。其書不傳。宋朝陶叔獻類次爲四十卷。梅堯臣序。」均足資參證。考《宋史》卷二百九、〈志〉第一百六十二、〈藝文〉八〈總集類〉著錄：「柳宗直《西漢文類》四十卷。」又著錄：「陶叔獻《西漢文類》四十卷。」是此書不論柳、陶所撰，均作四十卷，《郡齋讀書志》誤也。張金吾《愛日精廬藏書志》卷三十五、〈集部・總集類〉著錄：「《西漢文類》殘本五卷，宋紹興刊本。宋陶叔獻編。唐柳宗直有《西漢文類》二十卷，宋時其書失傳，叔獻重加編纂。見《郡齋讀書志》。原四十卷，今存三十六至末五卷。後有『紹興十年四月日臨安府彫印』一條，每頁紙面俱有『清遠堂』印記，字畫清朗，紙色瑩潔，蓋宋刊宋印本也。」是此書紹興刊本仍殘存末五卷。至陶叔獻，振孫謂「未詳何人」。考沈遘《西溪集》卷十有〈陶叔獻墓誌銘〉，載：「廬江陶叔獻字元之，其先自晉大司馬侃以來，世爲廬江大族。自其父方，左侍禁杭州巡檢，卒官，始家於杭。是時君始冠矣，家甚貧，奉母夫人孫氏，以孝稱。好學明經能文，吳越學者多從之。皇祐元年春三月，登進士第；四月乙酉，病卒於京師，年三十六。君俶儻有大節，仁於宗族，信於朋友，善議論，通古今。所至，公卿大夫皆爲之禮，且謂其必用於時，而不可量者也。豈謂其亟已者也，嗚呼！其命矣。初君之卒，諸朋友賓客既相與歛賻，殯君於國東門外。其妻唐氏則攜其二男、一女，歸江陵外家。孫夫人老無所歸，遂養於其外孫戴顯甫，以壽終。顯甫者，秀州人，舉進士，有名，今年被選爲亳州永城尉，遂載君之喪歸。以十二月壬午，與君之考妣序葬於月輪山之東原，嘉祐八年也。唐氏先已亡，三子者，不知其所矣。嗚呼！益可悲夫。君所爲文章皆散亡，獨所撰《西漢文類》行於世，予與君皆皇祐進士，昔哭其死，今見其葬，非予孰爲銘者。銘曰：嗚呼元之，世皆有死，奚甚可悲，獨子之身，生死百罹。沒而冥冥，一歸于己。使其昭昭，子恨多矣。吳山之陽，大江洪洪。高崗茂林，是惟新宮。親安於前，子從於後。得其歸哉！妻子何有。」是其人生平可知也，振孫或偶疏耳。

梅堯臣為之〈序〉。

案：梅〈序〉已佚，無可考。

三國文類四十卷

《三國文類》四十卷，不知何人所集。

廣棪案：《玉海》卷第五十四、〈藝文・總集文章〉「《漢魏文章》」條載：「《三國志文類》六十卷，集詔書、表奏、評論、序文等。集者不知名。」雖書名、卷數略異，應同屬一書。考《通志》卷七十、〈藝文略〉第八、〈總集〉著錄：「《三國志文類》六十卷。」疑《解題》著錄有誤，書名應作《三國志文類》，而卷亦應作六十，或直齋所藏僅四十卷耳。

三謝詩一卷

《三謝詩》一卷，集謝靈運、惠連、玄暉。廣棪案：《文獻通考》「暉」下有「詩」字，盧校本同。**不知何人集。**廣棪案：盧校本「集」上有「所」字。**《中興書目》云唐庚子西。**

廣棪案：楊紹和《楹書隅錄初編》卷四、〈集部〉下著錄：「《宋本三謝詩》一卷一冊，郭氏木葉齋鑒定宋本在卷首。〈書三謝詩後〉：『江左諸謝詩文見《文選》者六人，希逸無詩。宣遠、叔源有詩不工，今取靈運、惠連、元暉詩，合六十四篇爲《三謝詩》。是三人者，詩至元暉語益工，然蕭散自得之趣亦復少減，漸有唐風矣，於此可以觀世變也。唐子西書。』康熙壬辰九月蔣杲錄。」是則此書乃唐庚集。庚，《宋史》卷四百四十三、〈列傳〉第二百二、〈文苑〉五有傳，其〈傳〉曰：「唐庚字子西，眉州丹稜人也。善屬文，舉進士，稍爲宗子博士，張商英薦其才，除提舉京畿常平。商英罷相，庚亦坐貶，安置惠州。會赦，復官承議郎，提舉上清太平宮。歸蜀，道病卒，年五十一。庚爲文精密，通於世務，作〈名治〉、〈察言〉、〈閔俗〉、〈存舊〉、〈內前行〉諸篇，時人稱之。有《文集》二十卷。子文若自有傳。」可知其生平概況。

謝氏蘭玉集十卷

《謝氏蘭玉集》十卷，吳興汪聞集謝安而下子孫十六人詩三百餘篇。聞，熙寧六年進士。〈序〉稱「新天子即位丙寅之歲」，廣棪案：《文獻通考》闕「丙寅」二字。**蓋元祐元年也。**廣棪案：《文獻通考》無「蓋」字。

廣棪案：《玉海》卷第五十四、〈藝文・總集文章〉「《謝氏蘭玉集》」條載：「《書目》：『十卷。集謝安而下子孫，歷宋、齊、梁、陳，凡十有六人詩三百四十餘篇。〈序〉題吳興汪聞。』」可供參證。汪聞，生平無可考。《宋史》卷二百九、〈志〉第一百六十二、〈藝文〉八、〈總集類〉著錄：「《謝氏蘭玉集》十卷，集者並不知名。」則《宋志》不知此書乃汪聞集。

梁詞人麗句一卷

《梁詞人麗句》一卷，唐李商隱集梁明帝蕭蘬而下十五人詩，廣棪案：《文獻通考》闕「蕭蘬」二字。**并鬼詩、童謠。**

廣棪案：此書無可考。李商隱字義山，懷州河內人。《舊唐書》卷一百九十下、〈列傳〉第一百四十下、〈文苑〉下、《新唐書》卷二百三、〈列傳〉第一百二十八、〈文藝〉下均有傳。至梁明帝蕭蘬，史無其人，梁帝祚中亦無明帝，《解題》誤。

玉臺後集十卷

《玉臺後集》十卷，唐李康成集。

廣棪案：《新唐書》卷六十、〈志〉第五十、〈藝文〉四、〈總集類〉著錄：「李康《玉臺後集》十卷。」《通志》卷七十、〈藝文略〉第八、〈總集〉著錄同。應為同一書，其名偶脫字耳。《郡齋讀書志》卷第四下、〈總集類〉著錄：「《玉臺後集》十卷。右唐李康成采梁蕭子範，迄唐張赴二百九人所著樂府歌詩六百七十首，以續陵編。〈序〉謂『名登前集者，今並不錄，惟庾信、徐陵仕周、陳，既為異代，理不可遺』云。」《文獻通考》著錄此條下引後村劉氏曰：「鄭左司子敬家有《玉臺後集》，天寶間李康成所選。自陳後主、隋煬帝、江總、庾信、沈、宋、王、楊、盧、駱而下二百九人詩六百七十首，彙為十卷，與前集等，皆徐陵所遺落者。往往其時諸人之集尚存，天寶間大詩人如李、杜、高適、岑參輩迭出，康成同時，乃不為世所稱。若非子敬家偶存此編，則許多佳句失傳矣。中間自載其詩八首，如『自君之出矣，絃吹絕無聲。思君如百草，撩亂逐春生』。似六朝人語。如〈河陽店家女長編〉一首，押五十二韻，若欲與〈木蘭〉及〈孔雀東南飛〉之作方駕者。末云：『因緣苟會合，萬里猶同鄉。運命倘不諧，隔壁無津梁。』亦佳。」所記均較《解題》翔贍，足資參證。李康成，兩《唐書》無傳。《全唐文》卷三百五十八、「李康成」條載：「康成，天寶時人，嘗使江東。」與劉後村所言合。

篋中集一卷

《篋中集》一卷，唐元結次山錄沈千運、趙微明、孟雲卿、張彪、元季川、于逖、王李友廣棪案：《文獻通考》作「王季友」。**七人詩二十四首，盡篋中所有，次之。荆公《詩選》盡取不遺。唐中世詩高古如此，今人乃專尚季宋，亦異矣。《館閣書目》以為元結自作，入〈別集類〉，何其不審也！**

廣棪案：《崇文總目》卷五、〈總集類〉下：「《篋中集》一卷，元結編。」錢東垣輯釋本。《四庫全書總目》卷一百八十六、〈集部〉三十九、〈總集類〉一著錄：「《篋中集》一卷，江蘇巡撫採進本。唐元結編。結有《次山集》，已著錄。是《集》成於乾元三年。錄沈千運、王季友、于逖、孟雲卿、張彪、趙微明、元季川七人之詩，凡二十四首。前有〈自序〉，稱：『已長逝者遺文散失，方阻絕者不見近作，盡篋中所有，總編次之，命曰《篋中集》。』其詩皆淳古淡泊，絕去雕飾。非惟與當時作者門徑迥殊，即七人所作見於他《集》者，亦不及此《集》之精善。蓋汰取精華，百中存一。特不欲居刊薙之名，故記言篋中所有僅此云爾。其沈千運〈寄秘書十四兄〉一首，較《河岳英靈集》所載顛倒一聯，又少後四句，字句亦小有異同，而均以此本爲勝。疑結亦頗有所點定。《館閣書目》謂二十四首皆結作，則不然也。千運，吳興人，家於汝北。季友，河南人，家貧賣屨，博極羣書。豫章太守李勉引爲賓客，杜甫詩所謂『豐城客子王季友』也。逖，里籍無考。李白、獨孤及皆有詩贈之。雲卿，河南人，或曰武昌人。嘗第進士，官校書郎。今所傳詩一卷，僅十七首，而悲苦之詞凡十三首，則亦不得志之士。彪，潁洛閒人，杜甫詩所稱張山人彪者，即其人。微明，天水人，名見竇臮〈述書賦〉。季川即結弟元融，獨書其字，未詳其故。或融之子孫所錄，如《玉臺新詠》之稱徐孝穆歟？」足資參證。惟《四庫全書總目》所述，未盡允愜，余嘉錫《四庫提要辨證》卷二十四、〈集部〉五、〈總集類〉一「《篋中集》一卷」

條辨之，曰：「嘉錫案：楊守敬《日本訪書志》卷十二有此書舊鈔本跋云：『《提要》稱沈千運〈寄秘書十四兄〉一首，較《河岳英靈集》所載為勝，按此詩是王季友〈寄韋子春〉，毛本亦同，《河嶽集》題雖稱祕書十四兄，而亦為王季友詩，何不細檢，乃以屬沈千運也？』余考《河嶽集》卷上，實作王季友〈山中贈十四秘書山兄〉，非『寄秘書十四兄』也。《唐詩紀事》卷二十六作王季友〈寄韋子春〉，與《篋中集》同。」又曰：「案《集》中七人，均見《唐詩紀事》及《唐才子傳》，《提要》所述與之不盡同，蓋純本之《全唐詩》小傳也。如孟雲卿，《紀事》卷二十五但云：『河南人，元次山有〈送孟校書往南海〉詩。』《才子傳》卷二云：『關西人。天寶間不第，氣頗難平，志亦高尚，懷嘉遯之節。與薛據相友善，嘗流寓荆州。仕終校書郎。』是雲卿固始終未登第者。《全唐詩》卷百五十七不知何據，乃言：『一曰武昌人，第進士。』《提要》從之，深所未喻。《元次山文集》卷七〈送孟校書往南海序〉云：『平昌孟雲卿，與元次山同州里。』平昌為孟氏郡望。元結本河南人，家於魯縣商餘山，晚乃流寓武昌，見顏真卿所撰〈墓碑〉。必不肯以異鄉為州里，然則雲卿非武昌人也。次山詩文多為孟武昌作，考其人名彥深，字士源，登天寶二年第，為武昌令。《紀事》卷二十四。《全唐詩》蓋混雲卿與彥深為一人，而以武昌作其里貫，誤之甚矣。〈甘澤謠〉稱為前進士孟彥深、進士孟雲卿，則雲卿蓋嘗應進士舉而未及第者也。《紀事》卷三十二又曰：『元季川，大曆、貞元間詩人也。一曰季川名融，元次山之弟也。《全唐詩》卷二百五十九略同。次山作〈處規〉云：季川曰：兟復不言，兟有意乎？』原注：兟，兄之別稱也。然則結自呼其弟曰季川，人亦以季川稱之，不獨此《集》為然，未必其子孫之所錄也。」是《四庫全書總目》不能無誤，故余氏得而辨之也。元結，《新唐書》卷一百四十二、〈列傳〉第六十八有傳。

國秀集三卷

《國秀集》三卷，唐國子進士芮挺章撰。集李嶠至祖詠九十人詩二百二十首。天寶三載國子進士樓穎為之〈序〉。廣棪案：《文獻通考》無「之」字。

廣棪案：《四庫全書總目》卷一百八十六、〈集部〉三十九、〈總集類〉一著錄：「《國秀集》三卷，江蘇巡撫採進本。唐芮挺章編。挺章里貫未詳。諸書稱爲國子進士，蓋太學生也。前有舊〈序〉，謂是《集》編於天寶三載，凡九十人，詩二百二十首。宋元祐間曾彥和〈跋〉云：『名欠一士，詩增一篇。』洎毛晉校刊，復謂『虛列三人』。今案編內，實八十五人，詩二百十一首，晉未及詳檢也。唐以前編輯總集，以己作入選者，始見於王逸之錄《楚辭》，再見於徐陵之撰《玉臺新詠》。挺章亦錄己作二篇，蓋仿其例。然文章論定，自有公評，要當待之天下後世，何必露才揚己，先自表章，雖有例可援，終不可爲訓。至舊〈序〉一篇，無作者姓氏，陳振孫《書錄解題》謂爲樓穎所作。穎，天寶中進士，其詩亦選入《集》中。考梁昭明太子撰《文選》，以何遜猶在，不錄其詩。蓋欲杜絕世情，用彰公道。今挺章與穎，一則以見存之人採錄其詩，一則以選己之詩爲之作〈序〉，後來互相標榜之風，已萌於此。知明人詩社錮習，其來有漸，非一朝一夕之故矣。以唐人舊本所選，尚有可採，仍錄存之，而特著其陋，以爲文士戒焉。」足供參證。芮挺章，兩《唐書》無傳。《全唐文》卷三百五十六「芮挺章」條亦僅載：「挺章，國子進士。」樓穎，兩《唐書》亦無傳，《全唐詩》卷二百三「樓穎」條載：「樓頴，天寶中進士，作〈國秀集序〉，詩五首。」

搜玉小集一卷

《搜玉小集》一卷，自崔湜至崔融三十七人，詩六十一首。

廣棪案：《新唐書》卷六十、〈志〉第五十、〈藝文〉四、〈總集類〉著錄：「《搜玉集》十卷。」《崇文總目》卷五、〈總集類〉下著錄：「《搜玉集》十卷。《宋志》不知名。」錢東垣輯釋本。《通志》卷七十、〈藝文略〉第八、〈總集〉著錄：「《搜玉集》十卷。唐人集當時詩。」其作「十卷」者，疑爲「一卷」之譌，蓋詩僅六十一首，不宜分作十卷也。《宋史》卷二百九、〈志〉第一百六十二、〈藝文〉八、〈總集類〉著錄：「《搜玉集》一卷，唐崔湜至融，凡三十七人，集者不知名。」應同屬一書。《四庫全書總目》卷一百八十六、〈集部〉三十九、〈總集類〉一著錄：「《搜玉小集》一卷，江蘇巡撫採進本。不著編輯者名氏。鄭樵《通志》已載之，則其來舊矣。舊目題凡三十七人，詩六十三首。蓋毛晉重刊所釐定，所註考證頗詳。然胡鵠等三人，有錄無詩，晉并刪其姓氏，已非闕疑存舊之意。又人闕其三，而詩僅闕其二，不足分配三人，必有一人之詩溷於他人名下矣，則所訂亦未確也。其次第爲晉所亂，不可復考。既不以人敘，又不以體分，編次參差，重出疊見，莫能得其體例。徒以源出唐人，聊存舊本云爾。」是《四庫全書》所收之本，乃據明毛晉重刊本，非宋本之舊矣。惟《四庫全書總目》頗有未當，《四庫提要辨證》卷二十四、〈總集類〉一「《搜玉小集》一卷」條辨曰：「嘉錫案：《唐書・藝文志》及《崇文總目》均有《搜玉集》十卷，《通志・藝文略》同，并注曰：『唐人選當時詩。』因毛晉跋中僅引《通志》、《通考》，《提要》遂以爲自《通志》始載此書，不知先已著錄於《唐志》，豈非數典而忘其祖耶？」又曰：「案《直齋書錄解題》卷十五云：『《搜玉小集》一卷，自崔湜至崔融三十七人，詩六十一首。』《通考・經籍考》卷一百四十八引同。《宋史・藝文志》云：『《搜玉集》一卷，唐崔湜至融凡三十七人，集者不知名。』汲古閣刊本姓氏總目後有一行云：『凡三十七人，共六十三首。』夫《書錄解題》明言詩六十一首，不知此何以誤爲六十三，《提要》更何以誤爲六十二？又有毛氏注云：『今三十四人，共六十一首。』細勘其詩，數目適合，然則其詩乃并無闕佚也。有錄無詩之三人，其姓名爲胡鴞、王翰、李澄之各一首，並注云：『向缺，今亦無考。』其實詩未嘗缺，但並溷入他人名下耳。毛晉之考訂既未詳，《提要》又只見其〈跋〉中有名存詩逸、胡鴞三人之語，遂不暇更閱其總目，乃歸罪於毛晉刪其姓氏。充《提要》之意，豈必於〈跋〉中枚數三人之姓名，始得謂之能闕疑存舊耶？草率粗疏，一至於此，不可解也。觀《宋志》之注，與《書錄解題》略同，而其書祇名《搜玉集》，不名《小集》，知今之《小集》，與《唐志》及《崇文目》所著錄者實即一書，但詩只六十一首，何能分爲十卷？知其原書所錄之詩，必不只此數。南宋至今所存之一卷，蓋經後人之刪削，只存其精華，故名之曰《小集》也。三十七人之中，最早者爲魏徵，最晚者爲劉幽求，餘人自崔湜以下，大抵皆則天時人，今所存唐人選唐詩者，時代莫先於此，雖非完書，要自可貴矣。」又曰：「案毛晉〈跋〉中，雖有間閱《唐詩紀事》諸書洎宋、元舊冊，因考其世次及章句之語，蓋但欲考而知之，未嘗自言變易其次第也。如果以世次爲先後，則何以不列魏徵爲壓卷，反次其詩二首於第三十七八耶？《提要》謂次第爲晉所亂，不知何所據而云然。其編次雖不以人敘，亦不以體分。余嘗即其詩以考之，開卷〈奉和御製〉三首爲應制，其次自〈西征軍行遇風〉至〈燕歌行〉凡六首爲從軍，次〈塞外〉、〈紫騮〉、〈胡無人行〉凡三首爲出塞，次〈王昭君〉三首爲弔古，次〈晚度天山有懷京邑〉及〈送公主和戎〉二首爲遠別，其他皆以類相從，先後次序，莫不有意，此必唐人原本如此，非晉所能辦也。充《提要》之言，凡編次總集者，必以人敘或以體分而後可，然則如《玉臺新詠》，一人之名前後數見者，亦將不免於譏矣。」均足資參證。

竇氏聯珠集五卷

《竇氏聯珠集》五卷，唐褚藏言所序竇氏兄弟五人詩，各有小序。曰國子祭酒常中行、國子司業牟貽周、容管經略群丹列、廣棪案：《文獻通考》「丹列」作「州列」。**婺州刺史庠冑卿、武昌節度使鞏友封。皆拾遺叔向之子也。五人者，**廣棪案：《文獻通考》無「者」字。**惟群以處士薦入諫省，庠以辟舉進，**廣棪案：《文獻通考》無「進」字。**餘皆進士科。**

廣棪案：《新唐書》卷六十、〈志〉第五十、〈藝文〉四、〈總集類〉著錄：「《竇氏聯珠集》五卷，竇群、常、牟、庠、鞏。」《玉海》卷第五十四、〈藝文・總集文章〉「《聯珠集》」條載：「〈志〉：『《竇氏聯珠集》五卷，竇群、常、牟、庠、鞏。』皆工辭章。義取兄弟若五星然，合一百首。《書目》：『一卷。』」《文獻通考》卷二百四十八、〈經籍考〉七十五、〈集・總集〉著錄此條，下引容齋洪氏《隨筆》曰：「〈竇氏聯珠序〉云：『五竇之父叔向，當代宗朝，善五言詩，名冠流輩。時屬正懿皇后山陵，上注意哀挽，即時進三章，內考首出，傳諸人口。有「命婦羞蘋葉，都人插柰花。禁兵環素帟，宮女哭寒雲」之句，可謂佳唱。而略無一首存於今，荊公《百家詩選》亦無之，是可惜也。』余嘗得故吳良嗣家所鈔唐詩，僅有叔向六篇，皆奇作。念其不傳於世，今悉錄之。詩見《四筆》第六卷。叔向字遺直，仕至左拾遺，出爲溧水令。《唐書》亦稱其以詩自名云。」均足資參證。褚藏言，兩《唐書》無傳。《全唐文》卷七百六十一、「褚藏言」條載：「藏言，江西人。」並收有藏言所撰〈竇常傳〉、〈竇牟傳〉、〈竇群傳〉、〈竇庠傳〉與〈竇鞏傳〉。其〈竇群傳〉載：「府君諱群，字丹列。」則《文獻通考》作「州列」，誤。

唐御覽詩一卷

《唐御覽詩》一卷，唐翰林學士令狐楚纂劉方平而下，迄於梁鍠，凡三十人詩、二百八十九首。一名《唐新詩》，又名《選進集》，廣棪案：《文獻通考》「名」下有「曰」字。**又名《元和御覽》。**

廣棪案：《四庫全書總目》卷一百八十六、〈集部〉三十九、〈總集類〉一著錄：「《唐御覽詩》一卷，江蘇巡撫採進本。一名《唐歌詩》，一名《選進集》，一名《元和御覽》，唐令狐楚編。楚字殼士，宜州華原人。貞元七年登進士第。桂管觀察使王拱辟入幕。後歷辟太原節度判官，召授右拾遺，官至吏部尙書、檢校尙書左僕射。出爲山南西道節度使，卒於官。事蹟具《唐書》本傳。是書乃憲宗時奉敕編進。其結銜題翰林學士朝議郎守中書舍人。考楚本傳，稱『皇甫鎛與楚厚善，薦爲翰林學士，進中書舍人。元和十二年，裴度以宰相領彰義節度使，楚草制，其詞有所不合，停楚學士，但爲中書舍人。』則此書之進在元和十二年（817）以前也。陸游《渭南文集》有是書〈跋〉曰：『右《唐御覽詩》一卷，凡三十人，二百八十九首，元和學士令狐楚所集也。案〈盧綸墓碑〉云：「元和中，章武皇帝命侍臣採詩，第名家得三百十一篇，公之章句奏御者居十之一。」今《御覽》所載綸詩三十二篇，正所謂居十之一者也。據此，則《御覽》爲唐舊本不疑。然碑云三百十一篇，而此纔二百八十九首，蓋散佚多矣』云云。此本人數、詩數均與游所跋相合，蓋猶古本。所錄惟韋應物爲天寶舊人，其餘李端、司空曙等皆大歷以下人，張籍、楊巨源竝及於同時之人，去取凡例，不甚可解。其詩惟取近體，無一古體。即〈巫山高〉等之用樂府題者，亦皆律詩。蓋中唐以後，世務以聲病諧婉相尙。其奮起而追古調者，不過韓愈等數人。楚亦限於風氣，不能自異也。〈本傳〉稱『楚於牋、奏、制、令尤善，每一篇成，人皆傳諷。』《舊唐書．李商隱傳》亦稱『楚能章奏，以其道授商隱』，均不稱其詩。《劉禹錫集》和楚詩，雖有『風情不似四登壇』句，而今所傳詩一卷，惟〈宮中樂〉五首，〈從軍詞〉五首、〈年少行〉四首，差爲可觀。氣格色澤，皆與此《集》相同。蓋取其性之所近。其他如〈郡齋詠懷詩〉之『何時猴闔閭』，〈九日言懷詩〉之『二九即重陽』，〈立秋日悲懷詩〉之『泉終閉不開』，〈秋懷寄錢侍郎詩〉之『燕鴻一聲叫』，〈和嚴司空落帽臺宴詩〉之『馬奔流電妓奔車』，〈郡齋栽竹詩〉之『退公閒坐對嬋娟』，〈青雲干呂〉詩之『瑞容驚不散』，〈譏劉白賞春不及〉之『下馬貪趨廣運門』，皆時作鄙句。而〈贈毛仙翁〉一首，尤爲拙鈍。蓋不甚避俚俗者。故此《集》所錄如盧綸〈送道士詩〉、〈駙馬花燭詩〉，鄭鏦〈邯鄲俠少年詩〉，楊凌〈閣前雙槿詩〉，皆頗涉俗格，亦其素習然也。然大致雍容諧雅，不失風格，上比《篋中集》則不足，下方《才調集》則有餘，亦不以一二疵累棄其全書矣。」可供參考。

河嶽英靈集二卷

《河嶽英靈集》二卷，唐進士殷璠集常建等詩二百三十四首。

廣棪案：《新唐書》卷六十、〈志〉第五十、〈藝文〉四、〈總集類〉著錄：「殷璠《丹楊集》一卷，又《河嶽英靈集》二卷。」《崇文總目》卷五、〈總集類〉下著錄：「《河嶽英靈集》一卷，殷璠編。鑒按：《宋志》二卷，今本三卷。」錢東垣輯釋本。《讀書附志》卷下〈拾遺〉著錄：「《河海英靈集》二卷。右唐丹陽進士殷璠集常建、李白、王維、劉眘虛、張謂、王季友、陶翰、李頎、高適、岑參、崔顥、薛據、綦毋潛、孟浩然、崔國輔、儲光羲、王昌齡、賀蘭進明、崔署、王灣、祖詠、盧象、李嶷、閻防二十四人之詩。璠謂諸人皆河海英靈也，故以名《集》。凡二百四十三首云。」其書名「海」字恐乃「嶽」之誤。《玉海》卷第五十九、〈藝文・詩歌〉「唐《河嶽英靈集》」條載：「〈志・總集類〉：『殷璠，二卷。』《書目》:『集常建至閻防二十四人詩，總二百三十首。』各序其詩格於首。〈序〉曰：『貞觀標格漸高，開元風骨始備。』」均足資參證。《四庫全書總目》卷一百八十六、〈集部〉三十九、〈總集類〉一著錄：「《河嶽英靈集》三卷，江蘇巡撫採進本。唐殷璠編。璠，丹陽人。〈序〉首題曰『進士』，《書錄解題》亦但稱『唐進士』，其始末則未詳也。是《集》錄常建至閻防二十四人，詩二百三十四首。姓名之下各著品題，仿鍾嶸《詩品》之體。雖不顯分次第，然篇數無多，而釐爲上、中、下卷，其人又不甚敘時代。毋亦隱寓鍾嶸三品之意乎？《文獻通考》作二卷，蓋字誤也。其〈序〉謂『爰因退迹，得遂宿心。』蓋不得志而著書者。故所錄皆淹蹇之士，所論多感慨之言。而〈序〉稱名不副實，才不合道，雖權壓梁、竇，終無取焉。其宗旨可知也。凡所品題，類多精愜。『張謂』條下，稱其〈代北州老翁答湖上對酒行〉，而《集》中但有『湖上對酒行』，無『代北州老翁答』，疑傳寫有所脫佚。其中字句多與《國秀集》小異。又毛晉刊本『綦毋潛』條下註曰：『小序與時刻不同。』蓋校刊者互有點竄，已非盡舊本矣。」是此書分卷有一卷、二卷、三卷之不同，而今本均作上、中、下三卷，蓋據俗本矣，余嘉錫先生已辨之。《四庫提要辨證》卷二十四、〈集部〉五、〈總集類〉一「《河嶽英靈集》三卷」條曰：「嘉錫案：璠之始末，誠不可考，然其時代及生平則有可推者。《國秀集》後有北宋人曾彥和〈跋〉云：『《河嶽英靈集》，作於天寶十一載。』余嘗以本《集》證之，其卷中稱賀蘭進明云：『員外好古博達，經籍滿腹。』考《唐郎官石柱題名》，主客員外郎內有賀蘭進明。兩《唐書・玄宗紀》於天寶十五載均稱進明爲北海太守。《文苑英華》卷八百李華〈衢州刺史廳壁記〉云：『開元、天寶中始以尙書郎超作名郡，賀蘭大夫爲之，逆胡悖天地之慈，賀蘭起北海之師。』以上所引見勞格《石柱考》卷二十六。據此進明實由員外郎出爲北海太守。」《集》中猶稱爲員外，則彥和謂其作於天寶十一載，信而有徵矣。《唐書・藝文志》云：『包融，潤州延陵人，與儲光羲等十八人皆與融同郡，皆有詩名，殷璠彙次其詩爲《丹陽集》。』是璠平生激揚風雅，主持騷壇，不只《英靈》一集，其風采可想也。」又曰：「案璠〈自序〉云：『詩二百三十四首，分爲上、下卷。』故《唐書・藝文志》、《直齋書錄解題》卷十五、《讀書附志》拾遺、《宋史・藝文志》皆作二卷，無作三卷者，惟《崇文總目》及《通志・藝文略・詩評類》作一卷耳。試問以二卷之書，何從隱寓三品乎？黃丕烈《蕘圃藏書題識》卷十云：『《河嶽英靈集》二卷，毛斧季手校本《集》，所據云是舊鈔本，即其分卷之妙，已爲可珍。按《書錄解題》有《河嶽英靈集》二卷，則此分卷與《解題》合。近人撰集，書目僅據俗本分卷之三而爲之說曰：「推測其意，似以三卷分上、中、下三品。」奚啻癡人說夢。』其言即爲《提要》而發。黃氏本不知考證，徒以嘗見舊本，遂能譏《提要》矣。璠〈序〉云：『粵若王維、昌齡、儲光羲等二十四人，皆河嶽英靈也。』然則璠意中本無高下之分，即令有之，於其所舉三人，亦是相提並論，而今本王維在卷上，昌齡、光羲乃在卷中，若以此爲三品，豈璠之意乎？凡《通考・經籍考》所著錄，大抵採自目錄與文集，不必親見其書。此條所引之陳氏，即《書錄解題》，縱令二卷果屬字誤，亦不當逕指爲《通考》，況本不誤耶？」余氏既辨《四庫全書總目》之訛誤，又補其所未及。

極玄集一卷

《極玄集》一卷，唐姚合集王維至戴叔倫二十一人、詩一百首。曰：「此詩家射鵰手也。」

《姚氏殘語》云：「殷璠為《河嶽英靈集》，不載杜甫詩；高仲武為《中興間氣集》，不取李白詩；顧陶為《唐詩類選》，如元、白、劉、柳、杜牧、李賀、張祜、趙嘏皆不收；姚合作《極玄集》，亦不收杜甫、李白，彼必各有意也。隨齋批注。

廣棪案：《新唐書》卷六十、〈志〉第五十、〈藝文〉四、〈總集類〉著錄：「姚合《極玄集》一卷。」《崇文總目》、《通志》、《宋志》著錄同。《四庫全書總目》卷一百八十六、〈集部〉三十九、〈總集類〉一著錄：「《極元集》二卷，江蘇巡撫採進本。唐姚合編。合有《詩集》，已著錄。合爲詩，刻意苦吟，工於點綴小景，搜求新意。而刻畫太甚，流於纖仄者亦復不少。宋末江湖詩派，皆從是導源者也。然選錄是《集》，乃特有鑒裁。所取王維至戴叔倫二十一人之詩，凡一百首，今存者凡九十九。合自稱爲『詩家射雕手』，亦非虛語。計敏夫《唐詩紀事》，凡載《集》中所錄之詩，皆註曰右姚合取爲《極元集》。蓋宋人甚重其書矣。二十一人之中，惟僧靈一，法振、皎然、清江四人不著始末，祖詠不著其字，暢當字下作一方空，蓋原本有而傳寫佚闕。其餘則凡字及爵里與登科之年，一一詳載。觀劉長卿名下註曰：『宣城人』，與《唐書》稱河間人者不同。又皇甫曾註：『天寶十二載進士。』皇甫冉註：『天寶十五載進士』。以登科先後爲次，置曾於冉之前，與諸書稱兄弟同登進士者亦不同。知爲合之原註，非後人鈔撮諸書所增入。總集之兼具小傳，實自此始，亦足以資考證也。」足資參證。惟此書《四庫全書》本作二卷。姚合，姚崇曾孫，《舊唐書》卷九十六、〈列傳〉第四十六，《新唐書》卷一百二十四、〈列傳〉第四十九均附〈姚崇傳〉。《新唐書》載：「曾孫合、勗。合，元和中進士及第，調武功尉，善詩，世號姚武功者。遷監察御史，累轉給事中。奉先、馮翊二縣民訴牛羊使奪其田，詔美原主簿朱儔覆按，猥以田歸使，合劾發其私，以地還民。歷陝、虢觀察使，終祕書監。」可悉其生平仕履。滈，合弟也。

中興間氣集二卷

《中興間氣集》二卷，唐渤海高仲武序。集至德以後終於大曆錢起等二十六人詩一百三十二首。廣棪案：《文獻通考》此二句省作「所選詩一百三十一首」。**各有小傳，敘其大略，且拈提其警句，而議論、文辭皆凡鄙。**

廣棪案：《新唐書》卷六十、〈志〉第五十、〈藝文〉四、〈總集類〉著錄：「高仲武《中興間氣集》二卷。」《崇文總目》錢東垣輯釋本。著錄同。《郡齋讀書志》卷第二十、〈總集類〉著錄：「《中興間氣集》三卷。右唐高仲武輯至德迄大曆中錢起以下二十六人詩，自為〈序〉。以天寶叛渙，述作中廢，至德中興，風雅復振，故以名。仍品藻眾作，著之於前云。或又題孟彥深纂。」《郡齋讀書志》作三卷，乃二卷之誤。《玉海》卷第五十九、〈藝文・詩歌〉「唐《中興間氣集》」條載：「〈志〉：『高仲武，二卷。』《書目》：『集至德、大曆名人錢起、張眾甫等二十六人詩一百三十二首。〈序〉云：「五言詩一百四十，七言附之。」略品敘其詩格，且摘警句列於首。』以至德興復，風雅復振，故名。」《宋史》卷二百九、〈志〉第一百六十二、〈藝文〉八、〈總集類〉著錄：「高仲武《中興間氣集》二卷。錢起、張眾甫等詩。」《四庫全書總目》卷一百八十六、〈集部〉三十九、〈總集類〉一著錄：「《中興間氣集》二卷，江蘇巡撫採進本。唐高仲武編。仲武自稱渤海人。然唐人類多署郡望，未知確貫何地也。是《集》前有〈自序〉云：『起至德初，迄大歷末，凡二十六人詩一百四十首。』末有元祐戊辰曾子泓〈跋〉稱：『獨遺鄭當一人，逸詩八首。』蓋在宋時已殘闕。故陳振孫《書錄解題》云：『所選詩一百三十二首也。』姓氏下各有品題，拈其警句，如《河岳英靈集》例。而張眾甫、章八元、戴叔倫、孟雲卿、劉灣五人俱闕。考毛晉〈跋〉，謂『得舊鈔本，所闕張、章、戴諸評俱在，獨劉灣無考。』故編中於四家姓氏之下，俱註云：『評載卷首。』今檢卷首無之，當由久而復佚耳。又案錢曾《讀書敏求記》，謂『得宋鋟本，如朱灣〈詠玉〉一首，玉字作三，蓋每句皆藏三字義也。後人不解詩義，翻謂三爲譌字，妄改爲詠玉。自元至明，刻本皆然。』此本仍襲舊譌，知毛晉所云舊鈔本，猶未足據也。仲武持論頗矜慎。其謂劉長卿十首以後，語意略同，落句尤甚。鑒別特精。而王士禎《論詩絕句》獨非之。蓋士禎詩修詞之功多於鍊意，其模山範水，往往自歸窠臼，與長卿所短頗同。殆以中其所忌，故有此自護之論耶？《陸游集》有是書〈跋〉曰：『高適字仲武。』此乃名仲武，非適也。然適自字達夫，游實誤記而誤辨。至稱其評品多妄，又稱其議論凡鄙，則尤不然。今觀所論，如杜誦之『流水生涯盡，浮雲世事空』，語本習徑，而以爲得生人始終之理。張繼之『女停襄邑杼，農廢汶陽耕』，句太實相，而以爲事理雙切，頗不免逗漏末派。其餘則大抵精確，不識游何以詆之。至所稱錢起之『窮達戀明主，耕桑亦近郊』，劉長卿之『得罪風霜苦，全生天地仁』，此自詩人忠厚之遺，尤不得目以凡鄙。惟王世懋《藝圃擷餘》摘郎士元『暮蟬不可聽，落葉豈堪聞』句，謂聽聞合掌，而仲武稱其工於發端，則切中其失，不爲苛論矣。」均足資參證。至高仲武所撰〈序〉曰：「詩人之作本諸于心，心有所感而形於言，言合典謨則列於風雅；暨乎梁昭明，載述已往撰集者數家，推其風流，正聲最備。其餘著錄，或未至焉。何者？《英華》失于浮游，《玉臺》陷于淫靡，《珠英》但紀朝士，《丹陽》止錄吳人。此繇曲學專門，何暇兼包眾善，使夫大雅君子所以對卷而長嘆也。唐興一百七十載，屬方隅叛渙，戎事紛綸。業文之人，述作中廢。粵若肅宗先帝以殷憂啓聖，反正中原。伏惟皇帝以出震繼明，保安區宇。〈國風〉、〈雅〉、〈頌〉，蔚然復興。所謂文明御時，上以化下者也。仲武不揆菲陋，輒罄謏聞，博訪詞林，採察謠俗。起自至德元首，終於大歷暮年。述者數千，選者二十六人，詩總一百三十二。首分爲兩卷，七言附之。略敘品彙人倫，命曰《中興間氣集》。且夫微言雖絕，大制猶存。詳其否臧，當可擬議古之作者，因事造端，敷弘體要。立義以全其制，因文以寄其心。著王政之興衰，表〈國風〉之善否。豈其苟悅權右，支媚薄俗哉！今之所收，殆革前弊，但使體狀風雅，理致清新。觀者易心，聽者竦耳，則朝野通取，格律兼收，自〈鄶〉以下，非所敢隸焉。凡百君子，幸詳至公。」可知此書內容及其編撰之旨。

唐類表二十卷

《唐類表》二十卷，不知集者。廣棪案：《文獻通考》無此句。**《館閣書目》有李吉甫所集五十卷，**廣棪案：《文獻通考》「所集」下有「《唐類表》」三字。**未之見也。**

廣棪案：《新唐書》卷六十、〈志〉第五十、〈藝文〉四、〈總集類〉著錄：「《類表》五十卷，亦名《表啓集》。」《玉海》卷第五十四、〈藝文．總集文章〉「《類表》」條載：「〈志〉：『李吉甫《古今文集略》二十卷。又《類表》五十卷，亦名《表啓集》。』《書目》：『李吉甫集梁、陳迄唐開元歌詩三百二十首，爲《麗則集》五卷；又集唐人表章、牋啓、露布等爲《類表》五十卷。』」《宋史》卷二百九、〈志〉第一百六十二、〈藝文〉八、〈總集類〉著錄：「李吉甫《麗則集》五卷，又《類表》五十卷。」綜上所引，則此書書名或稱《類表》，或名《表啓集》，應爲五十卷，李吉甫所集。《解題》著錄作二十卷，又不知集者，恐非全書。

斷金集一卷

《斷金集》一卷，唐令狐楚，李逢吉自為進士以至宦達所與唱酬之詩。開成初，廣棪案：盧校本無「開成初」三字。**裴夷直為之〈序〉。**館臣案：晁公武《讀書志》作令狐楚、韓琪、李逢吉所與酬唱詩什，而《唐志》亦止載楚與逢吉，不著韓琪姓氏。

廣棪案：《新唐書》卷六十、〈志〉第五十、〈藝文〉四、〈總集類〉著錄：「《斷金集》一卷。李逢吉、令狐楚唱和。」《通志》著錄同。《郡齋讀書志》卷第十八、〈別集類〉中著錄：「《斷金集》一卷。右李逢吉、令狐楚自未第至貴顯所唱和詩也。後逢吉卒，楚編次之，得六十餘篇。裴夷直名曰《斷金集》，爲之〈序〉。」同書卷第二十、〈總集類〉著錄：「《斷金集》一卷。右唐令狐楚輯其與李逢吉酬唱詩什。開成初，裴夷直序之。」《郡齋讀書志》著錄此書蓋複出也。《宋史》卷二百九、〈志〉第一百六十二、〈藝文〉八〈總集類〉著錄：「令狐楚《斷金集》一卷。」則此書固楚所輯也。令狐楚、李逢吉，兩《唐書》有傳。裴夷直，《新唐書》卷一百四十八、〈列傳〉第七十三附〈張孝忠〉，載：「夷直字禮卿，亦婞亮，第進士，歷右拾遺，累進中書舍人。武宗立，夷直視冊牒，不肯署，乃出爲杭州刺史，斥驩州司戶參軍。宣宗初內徙，復拜江、華等州刺史。終散騎常侍。」可知其生平概況。《全唐文》卷七百五十九載有夷直〈張克勤恩蔭請迴與外甥判〉一文，而無此〈序〉。

唐詩類選二十卷

《唐詩類選》二十卷，唐太子校書郎顧陶集。凡一千二百三十二首。自為〈序〉，大中丙子歲也。

廣棪案：《新唐書》卷六十、〈志〉第五十、〈藝文〉四、〈總集類〉著錄：「顧陶《唐詩類選》二十卷，大中校書郎。」《崇文總目》卷五、〈總集類〉下著錄：「《唐詩類選》二十卷，顧陶編。鑒按：《宋志》作顏陶。」錢東垣輯釋本。《宋史》卷二百九、〈志〉第一百六十二、〈藝文〉八、〈總集類〉著錄：「顏陶《唐詩類選》二十卷。」《宋志》姓名作顏陶，形近而誤。

陶，會昌四年進士。

案：陶，兩《唐書》無傳。《全唐文》卷七百五十六、「顧陶」條載：「陶，會昌四年進士，大中時官校書郎。」又收此書〈序〉曰：「在昔樂官采詩而陳於國者，以察風俗之邪正，以審王化之興廢，得芻蕘而上達，萌治亂而先覺。詩之義也，大矣，遠矣。肇自宗周，降及漢魏，莫不由政治以諷諭，繫國家之盛衰。作之者有犯而無諱，聞之者傷懼而鑒誡。寧同嘲戲風月，取懽流俗而已哉！晉、宋詩人，不失雅正，直言無避，頗遵漢、魏之風。逮齊、梁、陳、隋，德祚淺薄，無能激切於事，皆以浮艷相誇，風雅大變。不隨流俗者無幾，所謂亡國之音哀以思。王澤竭而詩不作，吳公子聽五音，知國之興廢，匪虛謬也。國朝以來，人多反古，德澤廣被，詩之作者繼出，則有杜、李挺生於時，羣才莫得而並。並亞則昌齡、伯玉、雲卿、千運、應物、益、適、建、況、鵠、當、光羲、郊、愈、籍，合十數子，挺然頹波間，得蘇、李、劉、謝之風骨，多爲清德之所諷覽。乃能抑退浮僞流艷之辭，宜矣。爰有律體，祖尚清巧，以切語對爲工，以絕聲病爲能，則有沈、宋、燕公、九齡、嚴、劉、錢、孟、司空曙、李端、二皇甫之流，實繁其數。皆妙於新韻，播名當時，亦可謂守章句之範，不失其正者矣。然物無全工，而欲篇詠盈千，盡爲絕唱，其可得乎！雖前賢纂錄不少，殊途同歸，《英靈》、《間氣》，《正聲》、《南薰》之類，朗照之下，罕有孑遺。而取捨之時，能無少誤，未有遊諸門而英菁畢萃，成篇卷而玷纇全無。詩家之流，語多及此。豈識者寡，擇者多，實以體詞不一，憎愛有殊，苟非通而鑒之，焉可盡其善者。由是諸集悉閱，且無情勢相託，以雅直尤異成章而已。或聲流樂府，或句在人口，雖靡所紀錄，而關切時病者，此乃究其姓家，無所失之。或風韻標特，譏興深遠，雖已在他集，而汨沒於未至者，亦復掇而取焉。或詞多鄭衛，或音涉巴歈，苟不虧六義之要，安能間之也。既歷稔盈篋，搜奇略罄，終恨見之不徧，無慮選之不公。始自有唐，迄於近歿，凡一千二百三十二首，分爲二十卷，命曰《唐詩類選》。篇題屬興，類之爲伍而條貫，不以名位卑崇、年代遠近爲意，騷雅綺麗，區別有可觀。寧辭披揀之勞，貴及文明之代。時大中景子之歲也。」《解題》謂「自爲〈序〉，大中丙子歲也」，即指撰此〈序〉。《全唐文》又載其〈後序〉曰：「余爲《類選》三十年，神思耗竭，不覺老之將至。今大綱已定，勒成一家，庶及生存，免負平昔。若元相國稹、白尚書居易，擅名一時，天下稱爲元白，學者翕然號元和詩。其家集浩大，不可雕摘，今共無所取，蓋微志存焉。所不足於此者，以刪定之初，如相國令狐楚、李涼公逢吉、李淮海紳、劉賓客禹錫、楊茂卿、盧仝、沈亞之、劉猛、李涉、李璆、陸暢、章孝標、陳罕等十數公，詩猶在世。及稍淪謝，即文集未行。縱有一篇一詠得於人者，亦未稱所錄。僻遠孤儒，有志難就，粗隨所見，不可殫論。終愧力不及心，庶非耳目之過也。近則杜舍人牧、許鄂州渾，洎張祐、趙嘏、顧非熊數公，並有詩句，播在人口。身沒纔二三年，亦正集未得絕筆之文。若有所得，別爲卷軸，附於二十卷之外，冀無見恨。若須待見全本，則撰集必無成功，若但泛取傳聞，則篇章不得其美。已上並無採摭，蓋前〈序〉所謂終恨見之不徧者矣。唯歙州敬方才力周備，興比之間，獨與前輩相近，亡歿雖近，家集已成三百首，中間錄律韻八篇而已。雖前後夐接，或畏多言，而典型具存，非敢遐棄，又前所謂無慮選之不公者矣！嗟乎！行年七十有四，一名已成，一官已棄，不懼勢逼，不爲利遷，知我以《類選》起。序者天也，取捨之法二十通在，故題之於後云爾。」可供參考。

漢上題襟集三卷

《漢上題襟集》三卷，唐段成式、溫庭筠、逢皓、館臣案：《文獻通攷》作崔皎，無逢皓。**余知古、韋蟾、**廣棪案：盧本作「韋瞻」。**徐商等倡和詩什、**廣棪案：《文獻通考》「倡」作「唱」。**往來簡牘。蓋在襄陽時也。**

廣棪案：《新唐書》卷六十、〈志〉第五十、〈藝文〉四、〈總集類〉著錄：「《漢上題襟集》十卷，段成式、溫庭筠、余知古。」《通志》卷七十、〈藝文〉八、〈詩總集〉著錄：「《漢上題襟集》十卷，段成式、溫庭筠、余知古酬答詩牋。」《郡齋讀書志》卷第二十、〈總集類〉著錄：「《漢上題襟集》十卷。右唐段成式輯其與溫庭筠、余知古酬和詩筆牋題。」《宋史》卷二百九、〈志〉第一百六十二、〈藝文〉八、〈總集類〉著錄：「段成式《漢上題襟》十卷。」足資參證。是此書應作十卷，《解題》作三卷，疑誤。

松陵集十卷

《松陵集》十卷，唐皮日休、陸龜蒙吳淞倡和詩也。廣棪案：盧校注：元本無「詩」字。

廣棪案：《新唐書》卷六十、〈志〉第五十、〈藝文〉四、〈總集類〉著錄：「《松陵集》十卷，皮日休、陸龜蒙唱和。」《崇文總目》卷五、〈總集類〉下著錄：「《松陵集》十卷，皮日休、陸龜蒙撰。」錢東垣輯釋本。《通志》卷七十、〈藝文〉八、〈詩總集〉著錄：「《松陵集》十卷，皮日休與陸龜蒙酬唱。松陵乃吳江地名。」《郡齋讀書志》卷第二十、〈總集類〉著錄：「《松陵集》十卷。右唐皮日休與陸龜蒙酬唱詩，凡六百五十八首。龜蒙編次之，日休爲〈序〉。松陵者，平江地名也。」《宋史》卷二百九、〈志〉第一百六十二、〈藝文〉二、〈總集類〉著錄：「皮日休《松陵集》十卷。」《四庫全書總目》卷一百八十六、〈集部〉三十九、〈總集類〉一著錄：「《松陵集》十卷，編修汪如藻家藏本。唐皮日休、陸龜蒙等倡和之詩。考卷端日休之〈序〉，則編而成集者龜蒙，題集名者日休也。龜蒙有《耒耜經》，日休有《文藪》，皆已著錄。依韻倡和，始於北魏王肅夫婦。至唐代，盛於元、白，而極於皮、陸。蓋其時崔璞以諫議大夫爲蘇州刺史，辟日休爲從事，而龜蒙適以所業謁璞，因得與日休相贈答。同時進士顏萱、前廣文博士張賁、進士鄭壁、司馬都、浙東觀察推官李縠、前進士崔璐及處士魏朴、羊昭業等，亦相隨有作。裒爲此〈集序〉，稱其詩六百八十五首。今考《集》中日休、龜蒙各得往體詩九十三首，今體詩一百九十三首、雜體詩三十八首，又聯句及問答十有八首。外顏萱得詩三首，張賁得詩十四首，鄭璧得詩四首，司馬都得詩二首，李縠得詩三首，崔璐、魏朴、羊昭業各得詩一首，崔璞亦得詩三首。其他如清遠道士、顏眞卿、李德裕、幽獨君等五首，皆以追錄舊作，不在數內，尙得詩六百九十八首。與〈序〉中所列之數不符，豈〈序〉以傳寫誤歟？……唐人倡和裒爲集者凡三。《斷金集》久佚。王士禎記湖廣莫進士有《漢上題襟集》，求之不獲，今亦未見傳本。其存者惟此一《集》，錄而存之，尙可想見一時文雅之盛也。」足供參證。

本事詩一卷

《本事詩》一卷，館臣案：《唐書・藝文志》作一卷。原本作十卷，誤。今改正。**唐司勳郎中孟啟集。**

廣棪案：《新唐書》卷六十、〈志〉第五十、〈藝文〉八、〈總集類〉著錄：「孟啓《本事詩》一卷。」《崇文總目》、錢東垣輯釋本。《通志》、《宋志》著錄同，惟姓名作孟棨。《郡齋讀書志》卷第二十、〈總集類〉著錄：「《本事詩》一卷。右唐孟棨纂歷代詞人緣情感事之詩，敘其本事，凡七類。」《四庫全書總目》卷一百九十五、〈集部〉四十八、〈詩文評類〉一著錄：「《本事詩》一卷，兩江總督採進本。唐孟棨撰。棨字初中，爵里未詳。王定保《唐摭言》稱『棨出入場籍垂三十餘年，年稍長於小魏公。其放榜日，出行曲謝』云云。則嘗於崔沆下登第。書中『韓翃』條內稱：『開成中，余罷梧州。』亦不知爲梧州何官。《新唐書・藝文志》載此書，題曰孟啓。毛晉《津逮祕書》因之。然諸家稱引竝作棨字。疑《唐志》誤也。是書前有光啓二年〈自序〉云：『大駕在褒中。』蓋作於僖宗幸興元時。皆採歷代詞人緣情之作，敘其本事。分情感、事感、高逸、怨憤、徵異、徵咎、嘲戲七類。所記惟『樂昌公主』、『宋武帝』二條爲六朝事，餘皆唐人。其中〈士人代妻答詩〉一首，韋縠《才調集》作〈葛鴉兒〉。二人相去不遠，蓋傳聞異詞。〈薔薇花落〉一詩，乃賈島刺裴度作，棨所記不載緣起，疑傳寫脫誤。其李白『飯顆山頭』一詩，論者頗以爲失實。然唐代詩人軼事頗賴以存，亦談藝者所不廢也。晁公武《郡齋讀書志》載五代有處常子者，嘗續棨書爲二卷，仍依棨例，分爲七章，皆唐人之詩，今佚不傳，惟棨書僅存云。」均足資參證。孟棨，兩《唐書》無傳。《全唐文》卷八百十七「孟啓」條載：「啓，僖宗朝，官司勳郎中。」又載〈本事詩序〉曰：「詩者，情動於中而形於言。故怨思悲愁，常多感慨，抒懷佳作，諷刺雅言，著於羣書，雖盈厨溢閣，其間觸事興詠，尤所鍾情，不有發揮，孰明厥義？因采爲《本事詩》，凡七題，猶四始也。情感、事感、高逸、怨憤、徵異、徵咎、嘲戲，各以其類聚之，亦有獨掇其要不全篇者，咸爲小序以引之，貽諸好事。其有出諸異傳怪錄，疑非是實者則略之，拙俗鄙俚亦所不取。聞見非博，事多闕漏，訪於通識，期復續之。時光啓二年十一月，大駕在裦中。前尙書司勳郎中、賜紫金魚袋，孟啓序。」可供參考。

群書麗藻六十五卷

《羣書麗藻》六十五卷，按：《三朝藝文志》一千卷，崔遵度編。《中興館閣書目》但有《目錄》五十卷，云南唐司門員外郎崔遵度撰。以六例總括古今之文，廣棪案：《文獻通考》「總括」作「總話」，形近而誤。**一曰「六籍瓊華」，二曰「信使瑤英」，三曰「玉海九流」，四曰「集苑金鑾」，五曰「絳闕蘂珠」，六曰「鳳首龍編」。為二百六十七門，總一萬三千八百首。今無目錄，合三本，共存此卷數。斷續訛缺，不復成書，當其傳寫時固已如此矣。其目止有四種，無「金鑾」、「蘂珠」二類，姑存之，以備闕文。按《江南餘載》：遵度，青州人，居金陵，高尚不仕。《中興書目》云「司門郎」，未知何據也。**

廣棪案：《通志》卷六十六、〈藝文略〉第四、〈目錄．文章目〉著錄：「《群書麗藻目錄》五十卷。僞唐朱遵度撰。」章如愚《群書考索》卷十九、〈書目門〉載：「《群書麗藻目錄》，五代南唐朱遵度撰也。凡古今之文章，著爲六例以總括之。一曰『六籍瓊華』，二曰『信使瑤英』，三曰『玉海九流』，四曰『集苑金鑾』，五曰『絳闕蘂珠』，六曰『鳳首龍編』，合二百六十七門，總雜文一萬三千八百首，共勒成一千卷。《中興書目》。」《玉海》卷第五十二、〈藝文．書目〉「朱遵度《群書麗藻目錄》」條載：「《中興書目》：『南唐朱遵度撰。古今文章，著爲六例：一曰『六籍瓊華』，二百五十卷；二曰『信史瑤英』，一百八十卷；三曰『玉海九流』，三百五十卷；四曰『集苑金鑾』，五十卷；五曰『絳闕蘂珠』，四十卷；六曰『鳳首龍編』，一百三十卷。合爲二百六十七門，總雜文一萬三千八百首，勒成一千卷。又別撰爲《目錄》五十卷。」《宋史》卷二百九、〈志〉第一百六十二、〈藝文〉八、〈總集類〉著錄：「宋遵度《群書麗藻》一千卷、《目》五十卷。」足資參證。惟此書撰者，或作崔遵度，或作朱遵度，或作宋遵度。衡以《通志》及《群書考索》、《玉海》引《中興館閣書目》所載，似應作朱遵度爲合。朱遵度，《南唐書》無傳。《全唐文》卷八百九十三、「朱遵度」條載：「遵度，青州人。初依楚文昭王馬希範，後徙居金陵，高尚不仕。」可知其生平概況。

才調集十卷

《才調集》十卷，後蜀韋穀集唐人詩。廣棪案：《文獻通考》「穀」作「轂」，誤。

廣棪案：《崇文總目》卷五、〈總集類〉下著錄：「《才調集》十卷，韋穀編。」錢東垣輯釋本。《四庫全書總目》卷一百八十六、〈集部〉三十九、〈總集類〉一著錄：「《才調集》十卷，江蘇巡撫採進本。蜀韋穀編。穀仕王建爲監察御史，其里貫事蹟皆未詳。是《集》每卷錄詩一百首，共一千首。〈自序〉稱『觀李、杜集，元、白詩』，而《集》中無杜詩。馮舒評此《集》，謂：『崇重老杜，不欲芟擇。』然實以杜詩高古，與其書體例不同，故不採錄，舒所說非也。其中頗有舛誤。如李白錄〈愁陽春賦〉，是賦非詩。王建錄〈宮中調笑詞〉，是詞非詩，皆乖體例。賀知章錄〈柳枝詞〉，乃劉采春女所歌，非知章作。其曲起於中唐，知章時亦未有。劉禹錫錄〈別蕩子怨〉，乃隋薛道衡〈昔昔鹽〉。王之渙錄〈惆悵詞〉，所咏乃崔鶯鶯、霍小玉事，之渙不及見，實王渙作，皆姓名譌異。然頗有諸家遺篇，如白居易〈江南贈蕭十九詩〉，賈島〈贈杜駙馬詩〉，皆本《集》所無。又沈佺期〈古意〉，高棅竄改成律詩。王維〈渭城曲〉『客舍青青楊柳春』句，俗本改爲『柳色新』。賈島〈贈劍客詩〉『誰爲不平事』句，俗本改爲『誰有』。如斯之類，此書皆獨存其舊，亦足資考證也。穀生於五代文敝之際，故所選取法晚唐，以穠麗宏敞爲宗，救纖疎淺弱之習，未爲無見。至馮舒、馮班意欲排斥宋詩，遂引其書於崑體，推爲正宗。不知李商隱等，《唐書》但有三十六體之目，所謂西崑體者，實始於宋之楊億等，唐人無此名也。」足供參考。韋縠，《十國春秋》卷第五十六、〈後蜀〉九〈列傳〉有傳，曰：「韋縠，少有文藻，夢中得軟羅纈巾，由是才思益進。仕高祖父子，累遷監察御史；已又陞〔戶〕部尚書。縠常輯唐人詩千首，爲《才調集》十卷。其書盛行於世。」《全唐文》卷八百九十一「韋縠」條載：「縠仕後蜀，累遷監察御史、戶部尚書。」又收有〈才調集序〉，曰：「余少博羣言，常取得志，雖秋螢之照不遠，而雕蟲之見自佳。古人云：『自聽之謂聰，內視之謂明也。』又安可受誚於愚鹵，取譏於書廚者哉！暇日因閱李杜集、元白詩，其間大海混茫，風流挺特。遂採摭奧妙，拜諸賢達章句，不可備錄，各有編次。或閒窗展卷，或月榭行吟。韻高而桂魄爭光，詞麗而春色鬬美。但貴自樂所好，豈敢垂諸後昆。今纂諸家歌詩，共一千首，每一百首成卷，分之爲十。目曰《才調集》，庶幾來者不誚多言；他代有人，無嗤薄鑒云爾。」可知其編此書之宗旨。

洞天集五卷

《洞天集》五卷，漢王貞範集道家神仙、隱逸詩篇。漢乾祐中也。

廣棪案：《祕書省續編到四庫闕書目》卷二、〈子類・道書〉著錄：「王眞範撰《洞天集》五卷。輝按：《宋志》二卷，云王貞範撰。」葉德輝考證本。考《宋史》卷二百五、〈志〉第一百五十八、〈藝文〉四、〈道家附釋氏神仙類〉著錄：「王貞範《洞仙集》二卷。」惟同書卷二百九、〈志〉第一百六十二、〈藝文〉八、〈總集類〉著錄，「王正範《續正聲集》五卷，又《洞天集》五卷。」王正範即王貞範，是《宋志》著錄此書，一作二卷，一作五卷，蓋複出也。貞範，《十國春秋》卷第一百三、〈荆南〉四、〈列傳〉有傳，曰：「王貞範，平江節度使保義子也。事文獻王爲推官，累官少監。素精於《春秋》，有駁正杜預《左傳註》數百條，人多訝之。獨與同官孫光憲說《春秋》義合，兩人心相得也。女弟故所稱荆南仙女者，恆時夢異人授琵琶樂曲二百餘調，命曰：『此曲譜屬元昆製〈序〉，當刊石於甲寅之方。』於是貞範如女弟指，爲製〈序〉，刊所傳曲，有道調：玉宸宮、夷則宮、神林宮、蕤賓宮、無射宮、元宗宮、黃鍾宮、散水宮、仲呂宮；商調：獨指泛清商、紅銷商、風商、林鍾商、醉吟商、玉仙商、高雙調商；角調：醉吟角、大呂角、南宮角、中宮角、蕤賓角；羽調：鳳吟羽、風香羽、應聖羽、玉宸羽；香調、大呂調、而曲名間有同人世者，如涼州、渭州、甘州、綠腰、莫靼、傾盆樂、安公子、水牯子、阿泛濫之屬，摹本流傳一時，咸詫以爲異。」可知貞範亦精《春秋》之學。

煙花集五卷

《煙花集》五卷，蜀後主王衍集豔詩二百篇，且為之〈序〉。

廣棪案：此書不可考。衍，《舊五代史》卷一百三十六、〈僭僞列傳〉第三，《新五代史》卷六十三、〈前蜀世家〉第三均有傳。《全唐文》卷一百二十九「前蜀後主王衍」條載：「衍字化源，先主第十一子。初封鄭王，爲左奉鑾軍使。先主殂，襲位，改元乾德。六年，後唐莊宗伐蜀。明年，唐師入成都，帝出降。唐遣使殺之於秦川，年二十八。天成三年，追封順正公。」可知其生平。惟《煙花集》不可考。

文苑英華一千卷

《文苑英華》一千卷，太平興國七年，命學士李昉、扈蒙、徐鉉、宋白等閱前代文學，廣棪案：盧校本「閱」作「集」。**撮其精要，以類分之。續又命蘇易簡、王祜等。**廣棪案：《文獻通考》「王祜」作「王祐」。**至雍熙三年，書成。**

廣棪案：《崇文總目》卷五、〈總集類〉上著錄：「《文苑英華》一千卷。原釋：宋白等奉詔撰，采前世諸儒雜著之文。見《文苑英華事始》。」錢東垣輯釋本。《通志》卷七十、〈藝文略〉第八、〈總集〉著錄：「《文苑英華》一千卷。宋朝宋白集。」《讀書附志》卷下、〈總集類〉著錄：「《文苑英華》一千卷。右翰林學士中書舍人宋白等奉敕集。始，太宗皇帝既得諸國圖籍，聚名士于朝，詔修三大書，其一曰《文苑英華》。蓋以諸家文集，其數實繁，雖各擅所長，亦榛蕪相間，乃命白等精加銓擇，以類編次爲一千卷，時太平興國七年九月也。雍熙三年十二月壬寅上之。〈賦〉五十卷，〈詩〉

一百八十卷，〈歌行〉二十卷，〈雜文〉二十九卷，〈中書制誥〉四十卷，〈翰林制誥〉五十三卷，〈策問〉四卷，〈策〉二十六卷，〈判〉五十卷，〈表〉七十四卷，〈牋〉一卷，〈狀〉十七卷，〈檄〉二卷，〈露布〉二卷，〈彈文〉一卷，〈移文〉一卷，〈啓〉十六卷，〈書〉二十七卷，〈疏〉五卷，〈序〉四十卷，〈論〉二十二卷，〈議〉十卷，〈連珠喻對〉一卷，〈頌〉八卷，〈讚〉五卷，〈銘〉六卷，〈箴〉一卷，〈傳〉五卷，〈記〉三十八卷，〈謚哀冊〉五卷，〈謚議〉二卷，〈誄〉二卷，〈碑〉九十一卷，〈誌〉三十五卷，〈墓表〉一卷，〈行狀〉十卷，〈祭文〉二十三卷，通一千卷。嘉泰改元，周益公刻而記于前。」《宋史》卷二百九、〈志〉第一百六十二、〈藝文〉八、〈總集類〉著錄：「宋白《文苑英華》一千卷、《目》五十卷。」又著錄：「李昉、扈蒙《文苑英華》一千卷。」蓋複出也。《四庫全書總目》卷一百八十六、〈集部〉三十九、〈總集類〉一著錄：「《文苑英華》一千卷，御史劉錫嘏家藏本。宋太平興國七年李昉、扈蒙、徐鉉、宋白等奉敕編。續又命蘇易簡、王祐等參修。至雍熙四年書成。宋四大書之一也。梁昭明太子撰《文選》三十卷，迄於梁初。此書所錄，則起於梁末，蓋即以上續《文選》。其分類編輯，體例亦略相同，而門目更爲繁碎。則後來文體日增，非舊目所能括也。周必大《平園集》有是書〈跋〉；稱『《太平御覽》、《冊府元龜》，今閩、蜀已刊。惟《文苑英華》，士大夫間絕無而僅有。蓋所集止唐文章，如南北朝間存一二，是時印本絕少，雖韓、柳、元、白之文尚未甚傳。其他如陳子昂、張說、張九齡、李翺諸名士文籍，世尤罕見。故修書官於柳宗元、白居易、權德輿、李商隱、顧雲、羅隱，或全卷收入。當眞宗朝，姚鉉銓擇十一，號《唐文粹》。由簡故精，所以盛行。近歲唐文摹印漫多，不假《英華》而傳，其不行於世則宜。』云云。蓋六朝及唐代文集，南宋初存者尚多，故必大之言如是。迄今四五百年，唐代詩集，已漸減於舊。文集則《宋志》所著錄者殆十不存一。即如李商隱《樊南甲乙集》，久已散佚。今所存本，乃全自是書錄出。又如《張說集》，雖有傳本，而以此書所載互校，尚遺漏雜文六十一篇。則考唐文者惟賴此書之存，實爲著作之淵海，與南宋之初，其事迥異矣。書在當時，已多譌脫。故方崧卿作《韓集舉正》，朱子作《韓文考異》，均無一字之引證。彭叔夏嘗作《辨證》十卷，以糾其舛漏重複。然如劉孝威《紹古詞》，一收於二百三卷，一收於二百五卷，而字句大同小異者，叔夏尚未及盡究也。此本爲明萬歷中所刊，校正頗詳，在活字版《太平御覽》之上。而卷帙浩繁，仍多疎漏。今參核諸書，各爲釐正。其無別本可證者，則姑仍其舊焉。」均可供參證。

唐文粹一百卷

《唐文粹》一百卷，廣棪案：《文獻通考》「唐文粹」作「《文粹》」。**兩浙轉運使合肥姚鉉寶臣撰。鉉，太平興國八年進士第三人**，廣棪案：以上二句，《文獻通考》作「鉉為兩浙轉運使」。**在杭州與知州薛映不協，映摭其罪狀數條，密以聞**，廣棪案：《文獻通考》「密」作「畜」。**當奪一官，特除名，貶連州文學。其自為〈序〉稱吳興姚鉉者，蓋本郡望也**。廣棪案：《文獻通考》末句作「蓋本郡望，鉉實合肥人」。

廣棪案：《崇文總目》卷五、〈總集類〉上著錄：「《文粹》五十卷，姚鉉編。鑒按：《麈史》及《通考》、《宋志》並一百卷，《郡齋讀書志》及《書錄解題》並作《唐文粹》，卷亦同。晁昭德云：『鉉采唐世文章，分門編類，初爲五十卷，後復增廣之。』今本亦作《唐文粹》一百卷。此作五十卷，蓋初定之本。」《群書考索》卷十八、〈類書類〉載：「《唐文粹》，皇朝姚鉉集唐人古賦、樂章、歌詩、贊頌、碑銘、文論、箴表、傳錄、書序，以類相從，各分篇第門目。」《郡齋讀書志》卷第二十、〈總集類〉著錄：「《文粹》一百卷。右皇朝姚鉉字寶臣編。鉉，廬州人。太平興國中進士。文辭敏麗，善書札，藏書至多，頗有異本。累遷兩浙漕使，課吏寫書，采唐世文章，分門編類，初爲五十卷，後復增廣之。爲薛映掎其事，奪官，斥連州，卒。後其子以其書上獻，詔藏內府，命以一官。」《文獻通考》卷二百四十八、〈經籍考〉七十五、〈集總集〉「《文粹》一百卷」條下引王得臣《麈史》曰：「姚鉉集唐人所爲古賦、樂章、歌詩、贊頌、碑銘、文論、箴表、傳錄、書序，凡百卷，名《文粹》。予在開封時，得唐潭州刺史《張登文集》一策三卷，權文公爲〈序〉，其略曰：『如求居〈寄別懷人〉三賦，與《證相》一經。意有所激，鏘然玉振。倘有繼昭明之爲者，斯不可遺也。然觀《文粹》並不編載，由是知姚亦有未見者。鉉謫居連州，嘗寫所著《文粹》一百卷，好事者於縣建樓貯之，官屬多遣吏寫錄，吏以爲苦，以鹽水噀之，冀其速壞，後以火焚其樓。」《四庫全書總目》卷一百八十六、〈集部〉三十九、〈總集類〉一著錄：「《唐文粹》一百卷，內府藏本。宋姚鉉編。陳善《捫蝨新話》以爲徐鉉者，誤也。鉉字寶臣，廬州人。自署郡望，故曰吳興。太平興國中第進士。官至兩浙轉運使。事蹟具《宋史》本傳。是編文賦惟取古體，而四六之文不錄。詩歌亦惟取古體，而五七言近體不錄。考阮閱《詩話總龜》，載鉉於淳化中侍宴，賦〈賞花〉、〈釣魚〉七言律詩，賜金百兩，時以比奪袍賜花故事。又江少虞《事實類苑》，載鉉詩有『踈鐘天竺曉，一雁海門秋』句，亦頗清遠。則鉉非不究心於聲律者。蓋詩文儷偶，皆莫盛於唐。盛極而衰，流爲俗體，亦莫雜於唐。鉉欲力挽其末流，故其體例如是。於歐、梅未出以前，毅然矯五代之弊，與穆修、柳開相應者，實自鉉始。其中如杜審言『臥病人事絕』一首，較《集》本少後四句。則鉉亦有所刪削。又如岑文本〈請勤政改過疏〉之類，皆《文苑英華》所不載。其蒐羅亦云廣博。王得臣《麈史》乃譏其未見《張登集》，殊失之苛。惟文中芟韓愈〈平淮西碑〉，而仍錄段文昌作，未免有心立異。詩中如陸龜蒙〈江湖散人歌〉、皎然〈古意詩〉之類，一概收之，亦未免過求朴野，稍失別裁。然論唐文者終以是書爲總匯，不以一二小疵掩其全美也。」均足資參證。姚鉉，《宋史》卷四百四十一、〈列傳〉第二百、〈文苑〉三有傳。其〈傳〉曰：「姚鉉字寶之，廬州合肥人。太平興國八年進士甲科，……咸平三年，……加起居舍人，京東轉運使，徙兩浙路。鉉雋爽，頗尚氣。薛映知杭州，與之不協，事多矛盾。映摭鉉罪狀數條，密以聞，詔使劾之，當奪一官，特除名，貶連州文學。……鉉文辭敏麗，善筆札，藏書至多，頗有異本，兩浙課吏寫書，亦薛映所掎之一事。雖被竄斥，猶傭夫荷擔以自隨。有《集》二十卷。又采唐人文章纂爲百卷，目曰《文粹》。」《解題》所記，與《宋史》本傳合。

集選目錄二卷

《集選目錄》二卷，館臣案：《文獻通攷》「集選」作「文選」。**丞相元獻公晏殊集。《中興館閣書目》以為不知名者，誤也。大略欲續《文選》，故亦及於庾信、何遜、陰鏗諸人。而云唐人文者，亦非也。**

廣棪案：直齋此書作二卷，乃《集選》目錄之部，原書一百卷，《宋史》

卷二百九、〈志〉第一百六十二、〈藝文〉八、〈總集類〉著錄：「《集選》一百卷，集者並不知名。」惟此書乃晏殊集，《宋志》據《中興館閣書目》而誤也。

莆田李氏有此書，凡一百卷，力不暇傳，姑存其目。

案：《解題》卷八、〈目錄類〉「《藏六堂書目》一卷」條著錄：「莆田李氏云唐江王之後，有家藏誥命。其藏書自承平時，今浸以散逸矣。」是莆田李氏乃唐室江王之後。唐代有二江王，一爲李元祥，一爲李欽，是莆田李氏如非元祥之後，即爲欽之後。余前有考，可參拙著《陳振孫之生平及其著述研究》第四章〈陳振孫之戚友與交游〉、第三節〈陳振孫學術上之友朋〉。

唐百家詩選二十卷

《唐百家詩選》二十卷，王安石以宋次道家所有唐人詩集選為此編。世言李、杜、韓詩不與，為有深意，其實不然。按此集非特不及此三家，而唐名人如王右丞、韋蘇州、元、白、劉、柳、孟東野、張文昌之倫，皆不在選。廣棪案：盧校本無「在」字。**意荊公所選，特世所罕見，其顯然共知者，**廣棪案：《文獻通考》「共知」作「在人」。**固不待選耶？抑宋次道家獨有此一百五集，**廣棪案：《文獻通考》「宋次道」作「宋氏」。**據而擇之，他不復及耶？未可以臆斷也。**館臣案：晁公武《郡齋讀書志》：「宋敏求為三司判官，嘗取其家所藏唐人一百八家詩，選擇其佳者凡一千二百四十六首為一編。王介甫觀之，因再有所去取，且題曰：『欲觀唐詩者，觀此足矣。』世遂以為介甫所纂也。」

廣棪案：《郡齋讀書志》卷第二十、〈總集類〉著錄：「《唐百家詩選》二十卷。右皇朝宋敏求次道編。次道爲三司判官，嘗取其家所藏唐人一百八家詩，選擇其佳者，凡一千二百四十六首爲一編。王介甫觀之，因再有所去取，且題云：『欲觀唐詩者，觀此足矣。』世遂以爲介甫所纂。」是《郡齋讀書志》以此書爲宋敏求所編。《宋史》卷二百九、〈志〉第一百六十二、〈藝文〉八著錄：「《唐百家詩選》二十卷，集者並不知名。」又著錄：「王安石《建康酬唱詩》一卷，又《唐百家詩選》二十卷。」是

《宋志》著錄複出也，惟一稱「集者並不知名」，一作「王安石」，殊有所失慎也。《四庫全書總目》卷一百八十六、〈集部〉三十九、〈總集類〉一著錄：「《唐百家詩選》二十卷，內府藏本。舊本題宋王安石編。安石有《周禮新義》，已著錄。是書去取，絕不可解。自宋以來，疑之者不一，曲爲解者亦不一。然大抵指爲安石。惟晁公武《郡齋讀書志》云：『《唐百家詩選》二十卷，皇朝宋敏求次道編。次道爲三司判官，嘗取其家所藏唐人一百八家詩，選擇其佳者凡一千二百四十六首，爲一編。王介甫觀之，因再有所去取。且題曰：「欲觀唐詩者，觀此足矣。」世遂以爲介甫所纂。』其說與諸家特異。案《郡齋讀書志》作於南宋之初，去安石未遠。又晁氏自元祐以來，舊家文獻，緒論相承，其言當必有自。邵博《聞見後錄》引晁說之之言，謂『王荆公與宋次道同爲羣牧司判官。次道家多唐人詩集，荆公盡即其本，擇善者籤帖其上，令吏鈔之。吏厭書字多，輒移所取長詩籤置所不取小詩上。荆公性忽略，不復更視。今世所謂《唐百家詩選》曰荆公定，乃羣牧司吏人定也。』其說與公武又異。然說之果有是說，不應公武反不知。考周煇《清波雜志》亦有是說，與博所記相合。煇之曾祖與安石爲中表，故煇持論多左袒安石。當由安石之黨以此書不愜於公論，造爲是說以解之，託其言於說之，博不考而載之耳。此本爲宋乾道中倪仲傳所刊。前有仲傳〈序〉。其書世久不傳。國朝康熙中，商邱宋犖始購得殘本八卷刻之。既又得其全本，續刻以行，而二十卷之數復完。當時有疑其僞者。閻若璩歷引高棅《唐詩品彙》所稱以元宗〈早渡蒲關詩〉爲開卷第一，陳振孫《書錄解題》所稱非惟不及李、杜、韓三家，即王維、韋應物、元、白、劉、柳、孟郊、張籍皆不及，以證其眞。又殘本佚去安石原〈序〉，若璩以《臨川集》所載補之，其文俱載若璩《潛邱劄記》中。惟今本所錄其一千二百六十二首，較晁氏所記多十六首。若璩未及置論，或傳寫《郡齋讀書志》者誤以六十二爲四十六歟？至王昌齡〈出塞詩〉，諸本皆作『若使龍城飛將在』，惟此本作『盧城飛將在』，若璩引唐平州治盧龍縣以證之。然唐三百年，更無一人稱盧龍爲盧城者，何獨昌齡杜撰地名。此則其過尊宋本之失矣。」足供參考。

四家詩選十卷

《四家詩選》十卷，王安石所選杜、韓、歐、李詩。其置李於末，而歐反在其上，或亦謂有所抑揚云。廣棪案：《文獻通考》無「所」字。

廣棪案：《宋史》卷二百九、〈志〉第一百六十二、〈藝文〉八、〈總集類〉著錄：「王安石《四家詩選》十卷。」此書應作李、杜、韓、歐，置李於末，而謂安石有所抑揚，殊不可解。

唐僧詩三卷

《唐僧詩》三卷，吳僧法欽集唐僧三十四人詩二百餘篇。館臣案：《文獻通攷》作「詩四百餘篇」。**楊傑次公為之〈序〉。**

廣棪案：《文獻通考》卷二百四十八、〈經籍考〉七十五、〈集總集〉著錄此條下引後村劉氏曰：「唐僧見於韓氏者七人，唯大顚頴師免嘲侮。高閑草書，頗見貶抑，如惠、如靈、如文暢、如澄觀，直以爲戲笑之具而已。靈尤跌蕩，至於醉花月而羅嬋娟，豈佳僧乎？韓公方欲冠其顚，始聞澄觀能詩，欲加冠巾，及觀來謁見，其已老，則又潸然惜其無及，所謂善戲謔不爲虐者邪！」足供參考。法欽，生平無可考。楊傑，《宋史》卷四百四十三、〈列傳〉第二百二、〈文苑〉五有傳。其所撰〈序〉，則未之見。《宋史》謂：「楊傑字次公，無爲人。少有名于時，舉進士。元豐中，官太常者數任，一時禮樂之事，皆預討論。」又謂：「哲宗即位，議樂，又用范鎮說。傑復破鎮樂章曲名、宮架加磬、十六鍾磬之作。」是傑，神、哲間人，固精於樂者。

名臣贄种隱君書啟一卷

《名臣贄种隱君書啟》一卷，祥符諸賢所與种放明逸書啟也。《文獻通考》「啓」作「牘」，盧校本同。**首篇張司空齊賢書，自敘平生出處甚詳，可以見國初名臣氣象。**

廣棪案：此書不可考。种放字明逸，河南洛陽人。《宋史》卷四百五十七、〈列傳〉第二百一十六、〈隱逸〉上有傳。其〈傳〉載：「(淳化)四年，兵部尙書張齊賢言放隱居三十年，不遊城市十五載，孝行純至，可勵風俗，簡朴退靜，無謝古人。復詔本府遣官詣山，以禮發遣赴闕，賫裝錢五萬，放辭不起。明年，齊賢出守京兆，復條陳放操行，請加旌賁。即賜詔曰：『汝隱居丘園，博通今古，孝悌之行，鄉里所推，慕古人之遺榮，挹君子之常道。屢覽守藩之奏，彌彰遁世之風，載渴來儀，副予延佇。今遣供奉官周旺齎詔，召汝赴闕，賜帛百匹、錢十萬。』九月，放至，對崇政殿，以幅巾見，命坐與語，詢以民政邊事。放曰：『明王之治，愛民而已，惟徐而化之。』餘皆謙讓不對。」可知种、張二人交誼。齊賢，《宋史》卷二百六十五、〈列傳〉第二十四有傳。

西崑酬唱集二卷

《西崑酬唱集》二卷，景德中館職楊億大年、錢惟演希聖、劉筠子儀唱和。凡二百四十七章。亦有賡屬者，共十五人。所謂「崑體」者，於此可見。億自為〈序〉。

廣棪案：《郡齋讀書志》卷第二十、〈總集類〉著錄：「《西崑酬唱集》二卷。右皇朝楊億、劉筠、李宗諤、晁某、錢惟演及當時同館十五人唱和詩，凡二百四十七章。前有楊億〈序〉。」《文獻通考》卷二百四十八、〈經籍考〉七十五、〈集總集〉著錄此條下引《歐公詩話》曰：「楊大年與錢、劉諸公唱和，自《西崑集》出，時人爭效之，詩體一變。而先生老輩患其多用故事，至於語僻難曉，殊不知自是學者之敝。如子儀一作大年〈新蟬〉云：『風來玉宇烏先轉，露下金莖鵲未知。』雖用故事，何害爲佳句也。又如大年詩：『峭帆橫渡官橋柳，疊鼓驚飛海岸鷗。』其不用故事，又豈不佳乎？蓋其雄文博學，筆力有餘，故無施而不可，非如前世號詩人者，區區於風雲、草木之類爲許洞所困也。」《四庫全書總目》卷一百八十六、〈集部〉三十九、〈總集類〉一著錄：「《西崑酬唱集》二卷，編修汪如藻家藏本。不著編輯者名氏。前有楊億〈序〉，稱卷帙爲億所分，書名亦億所題，而不言裒而成集出於誰手。考田況《儒林公議》云：『楊億兩禁變文章之體，劉筠、錢惟演輩從而效之，以新詩更相屬和。億後編敘之，題曰《西崑酬唱集》。』然則即億編也。凡億及劉筠、錢惟演、李宗諤、陳越、李維、劉騭、刁衎、任隨、張詠、錢惟濟、丁謂、舒雅、晁迥、崔遵度、薛暎、劉秉十七人之詩，而億〈序〉乃稱屬而和者十有五人。豈以錢、劉爲主，而億與李宗諤以下爲十五人歟？詩皆近體，上卷凡一百二十三首，下卷凡一百二十五首。而億〈序〉稱二百有五十首。不知何時佚二首也。其詩宗法唐李商隱，詞取妍華而不乏興象。效之者漸失本眞，惟工組織，於是有優令撏撦之戲。石介至作〈怪說〉以刺之，而祥符中遂下詔禁文體浮豔。然介之說，蘇軾嘗辨之。眞宗之詔，緣於宣曲一詩有『取酒臨邛』之句。陸游《渭南集》有〈西崑詩跋〉:『言其始末甚詳，初不緣文體發也。其後歐、梅繼作，坡、谷迭起，而楊、劉之派遂不絕如綫。要其取材博贍，練詞精整，非學有根柢，亦不能鎔鑄變化，自名一家。固亦未可輕詆。』《後村詩話》云:『《西崑酬唱集》對偶字面雖工，而佳句可錄者殊少，宜爲歐公之所厭。』又一條云:『君僅以詩寄歐公，公答云:「先朝劉、楊風采，聳動天下，至今使人傾想。」豈公特惡其碑版奏疏，其詩之精工穩切者，自不可廢歟？』二說自相矛盾，平心而論，要以後說爲公矣。」均足資參證。

九僧詩一卷

《九僧詩》一卷，九僧者：希晝、保暹、文兆、行肇、簡長、惟鳳、惠崇、宇昭、懷古。凡一百七首。景德元年，直昭文館陳克序，館臣案:《文獻通攷》「陳克」作「陳充」。廣棪案：盧校本亦作「陳充」。**目之曰「琢玉工」，以對姚合「射鵰手」。九人惟惠崇有別集。歐公《詩話》乃云其集已亡，惟記惠崇一人。今不復知有九僧者，未知何也。**

九僧者，劍南希晝、金華保暹、南越文兆、天台行肇、沃州簡長、青城惟鳳、淮南惠崇、江東宇昭、峨嵋懷古。隨齋批注。

廣棪案:《郡齋讀書志》卷第二十、〈總集類〉著錄:「《九僧詩集》一卷。右皇朝僧希晝、保暹、文兆、行肇、簡長、惟鳳、惠崇、宇昭、懷古也。陳充爲〈序〉。凡一百十篇。歐公曰:『進士許洞因會九僧分題，出一紙，約曰：不得犯一字。其字乃山水、風雲、竹石、花草、雪霜、星日、禽鳥之類。於是諸僧皆閣筆。』此本出李夷中家，其詩可稱者甚多，惜乎歐公不盡見之。許洞之約，雖足以困諸僧，然論詩者政不當爾。蓋詩多識鳥獸草木之名，而《楚辭》亦寓意於飄風雲霓，如『池塘生春草』,『窗間列遠岫』,『天際識歸舟，雲中辨江樹』,『蟬噪林逾靜，鳥鳴山更幽』,『庭草無人隨意綠』,『宮漏出花遲』,『楓落吳江冷』,『空梁落燕泥』,『微雲淡河漢，疎雨滴梧桐』，『殘星幾點鴈橫塞，長笛一聲人倚樓』，『雞聲茅店月，人跡板橋霜』之類，莫不犯之。若使諸公與許洞分題，亦須閣筆，矧其下者哉？」《秘書省續編到四庫闕書目》卷二、〈集類・總集〉：「《九僧詩》一卷，輝按：《宋志》、陳《錄》同，云陳充撰。晁《志》作《九僧詩集》，《遂初目》作《九釋詩》。」葉德輝考證本。足供參證。

寶刻叢章三十卷

《寶刻叢章》三十卷，宋敏求次道以四方碑刻詩文，集為此編。多有別集中所逸者。

廣棪案：《郡齋讀書志》卷第二十、〈總集類〉著錄：「《寶刻叢章》三十卷。右皇朝宋敏求次道編。次道聚天下古今詩歌石刻凡一千一百三十篇，以其相附近者相從，又次以歲月先後。王益柔爲之〈序〉，云：『文章難能者莫如詩，凡刻之金石，則必其所自信爲佳句，或爲人所愛重者，故多有清新瓌麗之語，覽者其深究焉。』」《秘書省續編到四庫闕書目》卷二、〈集類・總集〉著錄：「《寶刻叢章》三十卷，輝按：晁《志》、陳《錄》同。《宋志》入〈經部・小學類〉，又〈集部〉重出，並云宋敏求撰。《遂初目》作《寶刻藂章》，無卷數。」足供參證。敏求字次道，賜進士及第，爲館閣校勘，《宋史》卷二百九十一、〈列傳〉第五十附其父〈宋綬傳〉。

樂府集十卷、題解一卷

《樂府集》十卷、《題解》一卷，題劉次莊。《中興書目》直云次莊撰。取前代樂府，分類為十九門，而各釋其命題之意。

廣棪案：劉次莊，《宋史》無傳。《宋詩紀事》卷二十六「劉次莊」條載：「次莊字中叟，長沙人，以開梅山入洞曉諭得官。熙寧六年，賜同進士出身，仕至侍御史，江西漕使。」《郡齋讀書志》卷第二十、〈總集類〉著錄：「《樂府集》十卷、《樂府序解》一卷、《樂府雜錄》一卷、《羯鼓錄》一卷。右劉次莊所序也。〈古樂府之所起〉二十二，〈橫吹曲〉二十四，〈日月雲霞〉十九，〈時序〉十一，〈山水〉二十三，〈佛道〉十二，〈古人〉十七，〈童謠〉三，〈古婦人〉二十三，〈美女〉十六，〈酒〉六，

〈音樂〉十一，〈遊樂〉十三，〈離怨〉二十八，〈雜歌行〉五十七，〈都邑〉四十六，〈宮殿樓臺〉十六，〈征戍弋獵〉十七，〈夷狄〉六，〈蟲魚鳥獸〉三十三，〈草木花果〉二十五。次莊，元祐間人也。」《玉海》卷第一百六、〈音樂·樂章〉「《樂府集》」條：「《書目》：『劉次莊《樂府集》十卷，以類爲十九門。』」足資參證。惟據《郡齋讀書志》，則其分類不止十九門。

按《唐志·樂類》有《樂府歌詩》十卷者二，有吳兢《樂府古題要解》一卷。今此《集》所載，止於陳、隋人，則當是唐集之舊。而〈序〉文及其中頗及杜甫、韓愈、元、白諸人，意者次莊因舊而增廣之歟？

案：《新唐書》卷五十七、〈志〉第四十七、〈藝文〉一、〈樂類〉著錄：「《樂府歌詩》十卷。」又著錄：「翟子《樂府歌詩》十卷。」又：「吳兢《樂府古題要解》一卷。」與《解題》所述同。

然《館閣書目》又有吳兢《題解》及別出《古樂府》十卷，《解題》一卷，未可考也。

案：《玉海》卷第一百六、〈音樂·樂章〉「唐《樂府古今題解》」條載：「〈藝文志〉：『吳兢《樂府古題要解》一卷。』《書目》：『二卷。』」是《中興館閣書目》著錄吳兢《題解》作二卷。至所云《古樂府》十卷、《解題》一卷，則似非不可考。《郡齋讀書志》卷第二、〈樂類〉著錄：「《古樂府》十卷，并《樂府古題要解》二卷。右唐吳兢纂。雜采漢、魏以來古樂府辭，凡十卷。又於傳記洎諸家文集中采樂府所起本義，以釋解古題云。」《郡齋讀書志》謂「又於傳記洎諸家文集中采樂府所起本義，以釋解古題云」云，即指《題解》一卷也。

樂府詩集一百卷

《樂府詩集》一百卷，太原郭茂倩集。凡古今號稱樂府者皆在焉。其為門十有二。首尾皆無序文，《中興書目》亦不言其人。廣棪案：盧校本「其人」下有「本末」二字。

廣棪案：《郡齋讀書志》卷第二、〈樂類〉著錄：「《樂府詩集》一百卷。右皇朝郭茂倩編次。取古今樂府，分十二門：〈郊廟歌辭〉十二，〈燕射歌辭〉三，〈鼓吹曲辭〉五，〈橫吹曲辭〉五，〈相和歌辭〉十八，〈清商曲辭〉八，〈舞曲歌辭〉五，〈琴曲歌辭〉四，〈雜曲歌辭〉十八，〈近代歌辭〉四，〈雜謠歌辭〉七，〈新樂府辭〉十一，通爲百卷，包括傳記、辭曲，略無遺軼。」足資參證。《玉海》卷第一百六、〈音樂·樂章〉「《樂府集》」條載：「《書目》：『郭茂倩《樂府詩集》一百卷，編次自漢迄唐君臣所著樂府，共十二門。』」是《中興館閣書目》確未言及茂倩其人本末也。

今按：茂倩，侍讀學士勸仲褒之孫，廣棪案：《文獻通考》「勸」字作「郭」。**昭陵名臣也，本鄆州須城人，有子曰源中、源明。**館臣案：《文獻通攷》郭勸有子曰源中、源明，原本脫「明」字，今補正。**茂倩，源中之子也。但未詳其官位所至。**

案：茂倩，《宋史》無傳。陸心源《宋詩紀事補遺》卷之二十四載：「郭茂倩，字德粲，東平人。元豐七年，河南府法曹參軍。通音律，善漢隸。父源明，初名元賡，官至職方員外，知單州軍州事。蘇頌誌其墓。茂倩著有《樂府詩集》。」《宋詩紀事補遺》謂茂倩「父源明」，疑誤。惟其載茂倩官河南府法曹參軍，則可補《解題》所未及。《四庫全書總目》卷一百八十七、〈集部〉四十、〈總集類〉二著錄此書，曰：「《樂府詩集》一百卷，江蘇巡撫採進本。宋郭茂倩撰。《建炎以來繫年要錄》載茂倩爲侍讀學士郭裒之孫，源中之子。其仕履未詳。本渾州須城人。此本題曰太原。蓋署郡望也。是《集》總括歷代樂府，上起陶唐，下迄五代。凡〈郊廟歌詞〉十二卷，〈燕射歌詞〉三卷、〈鼓吹曲詞〉五卷，〈橫吹曲詞〉五卷，〈相和歌詞〉十八卷、〈清商曲詞〉八卷、〈舞曲歌詞〉五卷、〈琴曲歌詞〉四卷、〈雜曲歌詞〉十八卷、〈近代曲詞〉四卷、〈雜謠歌詞〉七卷、〈新樂府詞〉十一卷。其解題徵引浩博，援據精審，宋以來考樂府者無能出其範圍。每題以古詞居前，擬作居後。使同一曲調，而諸格畢備，不相沿襲。可以藥剽竊形似之失。其古詞多前列本詞，後列入樂所改，得以考知孰爲側，孰爲趨，孰爲豔，孰爲增字、減字。其聲詞合寫，不可訓詁者，亦皆題下註明。尤可以藥摹擬聱牙之弊，誠樂府中第一善本。」可供參證。

和陶集十卷

《和陶集》十卷，蘇氏兄弟追和。傅共注。

廣棪案：蘇氏兄弟，指蘇軾、蘇轍也。此《集》已佚。考蘇軾元祐七年（1092）於揚州始作〈和陶飲酒二十首〉，其後於惠州、儋州乃盡和之，凡一百多首。蘇轍則有次韻子瞻和陶之作，《欒城後集》卷之一有〈次韻子瞻和淵明飲酒二十首〉，卷之二有〈次韻子瞻和陶公止酒〉、〈次韻子瞻和淵明擬古九首〉、卷之五有〈和子瞻次韻陶淵明停雲詩并引〉、〈和子瞻次韻陶淵明勸農詩并引〉；《欒城集拾遺》有〈和子瞻和陶雜詩時有赦書北還〉，猶可見此《集》之一斑。惟蘇籀〈欒城先生遺言〉載：「公所著〈和陶詩擬古九首〉，亦坡代公作。」是則《欒城後集》中〈次韻子瞻和淵明擬古九首〉，乃坡公代作。傅共，《宋史》無傳。蘇頌《蘇魏公集》卷三十四、〈外制〉有〈國子博士傅共可虞部員外郎制〉，曰：「勑具官某：周之六廉，唐之四善，皆天官比吏之法。今之考課，參用其制。視功賦祿，厥惟舊哉？以爾早聯閨臺，稔服吏政。一官恪次，四歲於茲。治以最聞，行無過事。稽於有司之令，應彼增秩之條。勉思忠規，以對休命。可。」則傅共曾官國子博士及虞部員外郎。

仕塗必用集十卷

《仕塗必用集》十卷，館臣案：《文獻通攷》作二十一卷。吳郡祝熙載〈序〉云陳君材夫所編。皆未詳何人。錄景德以來人表、牋、雜文，亦有熙載所撰者，廣棪案：《文獻通考》「撰」作「作」。題為祝著作，當是未改官制前人也。

廣棪案：《郡齋讀書志》卷第二十、〈總集類〉著錄：「《仕塗必用集》二十一卷。右皇朝祝熙載編本朝楊、劉以後諸公表、啓爲一編。」可供參證。惟此書，《宋史》卷二百九、〈志〉第一百六十二、〈藝文〉八、〈總集類〉著錄：「陳材夫《仕塗必用集》十卷。」則與《解題》同。祝熙載，《宋史》無傳。楊傑《無爲集》卷九、〈序〉有〈祝先生詩集序〉，曰：「先生諱熙載，字舜咨，自三衢游國庠，登進士第，任朝奉郎，守秘書丞，老於吳之華林。先生悟風騷，蓋其出於天性。幼時見鄰家童誦〈劒池詩〉

云：『林風搖脫影，山月瀉秋光。』時六歲，遽諭之曰：『豈非林風搖晚影耶？傳者誤爾。』鄉先生許洞聞而奇之。及冠，場屋有聲名，和文李公以禮幣延致門館，與其二子遊，厥後皆稱賢公子。先生屢校文郡國，得人爲多。丞相王祁公初應書時，人未知名，先生首薦之，而巍中鼎科。及典誥命，文章溫贍，天下莫不服先生之鑒。然未嘗以毫髮有干於相府，天下益高先生之節。平生與人交必盡誠，不隱默以取悅。其爲政端方，耻阿諂以事上，故與時寡合，志不得伸。而其造道深篤，於名教中自有樂地，出處趣尙，一見於詩。夫莫邪干將，有切玉之利，而其用緩於割雞；黃鍾大呂，有格神之和，而其音艱於眾聽；靈草指佞，而姦邪憚之；寶鑑燭隱；而魑魅惡之。某嘗出先生之門，知先生爲最深，故述詩序云。」惟陳材夫則不可考。

汝陰唱和集一卷

《汝陰唱和集》一卷，元祐中蘇軾子瞻守潁，與簽判趙令時德麟、教授陳師道無己唱和。廣棪案：《文獻通考》「無己」作「無已」。**晁說之以道為之〈序〉，李廌方叔〈後序〉。**館臣案：李方叔名廌，原本作「薦」，誤。今改正。**二〈序〉皆為德麟作也。**廣棪案：盧校本無「為」字。

廣棪案：此書無可考。蘇軾，《宋史》卷三百三十八、〈列傳〉第九十七有傳，其〈傳〉曰：「（元祐）六年，召爲吏部尚書，未至。以弟轍除右丞，改翰林承旨。轍辭右丞，欲與兄同備從官，不聽。軾在翰林數月，復以讒請外，乃以龍圖閣學士出知潁州。先是，開封諸縣多水患，吏不究本末，決其陂澤，注之惠民河，河不能勝，致陳亦多水。又將鑿鄧艾溝與潁河並，且鑿黃堆欲注之於淮。軾始至潁，遣吏以水平準之，淮之漲水高於新溝幾一丈，若鑿黃堆，淮水顧流潁地爲患。軾言於朝，從之。」是守潁在元祐六年（1091），此書必此時作。趙令時，《宋史》卷二百四十四、〈列傳〉第三、〈宗室〉一附〈燕王德昭〉，曰：「令疇字德麟，燕懿王玄孫也，蚤以才敏聞。元祐六年，簽書潁州公事。時蘇軾爲守，愛其才，因薦于朝。宣仁太后曰：『宗室聰明者豈少哉？顧德行何如耳！』竟不許。」是令時時爲簽判。陳師道，《宋史》卷四百四十四、〈列傳〉第二百三、〈文苑〉六有傳。曰：「陳師道字履常，一字無己，彭城人。……

元祐初，蘇軾、傅堯俞、孫覺薦其文行，起爲徐州教授，又用梁燾薦，爲太學博士。言者謂在官嘗越境出南京見軾，改教授穎州。又論其進非科第，罷歸。」是無己嘗教授穎州。皆與《解題》所記合。晁說之，《宋史》無傳，《宋元學案》卷二十二、〈景迂學案〉「詹事晁景迂先生說之」載：「晁說之，字以道，一字伯以父，澶州人也，參政宗愨曾孫。元豐五年進士。東坡稱其自得之學，發揮《五經》，理致超然，不踐陳迹，嘗以『文章典麗，可備著述』薦之。」李廌，《宋史》卷四百四十四、〈列傳〉第二百三、〈文苑〉六有傳。曰：「陳師道字履常，一字無己，彭城人。……元祐初，蘇軾、傅堯俞、孫覺薦其文行，起爲徐州教授，又用梁燾薦，爲太學博士。言者謂在官嘗越境出南京見軾，改教授穎州。又論其進非科第，罷歸。」是無己嘗教授穎州。皆與《解題》所記合。晁說之，《宋史》無傳，《宋元學案》卷二十二、〈景迂學案〉「詹事晁景迂先生說之」載：「晁說之，字以道，一字伯以父，澶州人也，參政宗愨曾孫。元豐五年進士。東坡稱其自得之學，發揮《五經》，理致超然，不踐陳迹，嘗以『文章典麗，可備著述』薦之。」李廌，《宋史》卷四百四十四、〈列傳〉第二百三、〈文苑〉六有傳。其〈傳〉曰：「李廌字方叔，其先自鄆徙華。廌六歲而孤，能自奮立，少長，以學問稱鄉里。謁蘇軾於黃州，贄文求知。軾謂其筆墨瀾翻，有飛沙走石之勢，拊其背曰：『子之才，萬人敵也，抗之以高節，莫之能禦矣。』廌再拜受教。……益閉門讀書。又數年，再見軾，軾閱其所著，歎曰：『張耒、秦觀之流也。』鄉舉試禮部，軾典貢舉，遺之，賦詩以自責。呂大防歎曰：『有司試藝，乃失此奇才邪！』軾與范祖禹謀曰：『廌雖在山林，其文有錦衣玉食氣，棄奇寶於路隅，昔人所歎，我曹得無意哉！』將同薦諸朝，未幾，相繼去國，不果。軾亡，廌哭之慟，曰：『吾愧不能死知己，至於事師之勤，渠敢以生死爲間！』即走許、汝間，相地卜兆授其子，作文祭之曰：『皇天后土，監一生忠義之心；名山大川，還萬古英靈之氣。』詞語奇壯，讀者爲悚。」是晁、李二人皆以後學才俊見賞於軾者，惜所撰〈序〉及〈後序〉均佚。

三家宮詞三卷

《三家宮詞》三卷，唐王建、蜀花蘂夫人、本朝丞相王珪三人所著。廣棪案：《文獻通考》「本」作「宋」。

廣棪案：《四庫全書總目》卷一百八十九、〈集部〉四十二、〈總集類〉四著錄：「《三家宮詞》三卷，浙江巡撫採進本。明毛晉編。晉有《毛詩草木鳥獸蟲魚疏廣要》，已著錄。三家者，一爲唐王建，一爲蜀花蘂夫人，一爲宋王珪，各七言絕句一百首。《建詩集》，別著錄。其《宮詞》百首，舊雜入王昌齡〈長信秋詞〉一首，劉禹錫〈魏宮〉詞二首，白居易〈後宮詞〉一首，張籍〈宮詞〉二首，杜牧〈秋夕作〉一首，〈出宮人〉一首。晉竝考舊本釐正。花蘂夫人，蜀孟昶妃費氏也。宋熙寧五年，王安國檢校官書，始得其手書於敝紙中，以語王安石。王安石以語王珪、馮京，始傳於世。珪所撰《華陽集》，明代已佚。今始以《永樂大典》所載裒輯著錄。惟此《宮詞》有別本孤行，而流俗傳寫，誤以其中四十一首竄入花蘂夫人詩中，而移花蘂夫人詩三十九首屬之於珪，又摭唐詩二首足之，顛舛殊甚，此本亦一一校改。建〈贈王守澄〉詩，有『不是當家親向說、九重爭得外人知』句，雖一時劫制之詞，而宮禁深嚴，流傳瑣事，亦未必不出於若輩。其語殆不盡誣。費氏身備掖庭，述所見聞。珪出入禁闥，歷仕四朝，不出國門而至宰相，耳濡目染，亦異乎草野傳聞。晉裒而編之，皆足以考當日之軼事，不但取其詞之工也。」可供參考。毛晉編輯此書，雖非《解題》著錄之舊，然必有所本也。

五家宮詞五卷

《五家宮詞》五卷，石晉宰相和凝、本朝學士宋白、中大夫張公庠、直祕閣周彥質及王仲修，共五人。各百首。仲修當是王珪之子。廣棪案：《文獻通考》無「王」字。

廣棪案：此書不可考。和凝，《舊五代史》卷一百二十七、〈周書〉十八、〈列傳〉第七，《新五代史》卷五十六、〈雜傳〉第四十四均有傳。《舊五代史》謂凝「平生爲文章，長於短歌艷曲」，即指撰作宮詞也。宋白，《宋史》卷四百三十九，〈列傳〉第一百九十八、〈文苑〉一有傳，其〈傳〉謂「白學問宏博，屬文敏贍，然辭意放蕩，少法度」，《宋詩紀事》卷二錄其宮詞八首。張公庠，《宋史》無傳。陸心源《宋詩紀事》十八、「張公庠」載：「公庠字元善，皇祐元年進士，有《泗州集》。」陸心源《宋詩紀事小傳補正》卷一載：「張公庠，熙寧中著作佐郎；元符三年五月，以朝議大夫、尚書都官員外郎知晉州，改蘇州。《姑蘇志》。」《宋詩紀事》即錄其宮詞四首。周彥質，《宋史》無傳。《宋詩紀事》卷三十七、「周彥質」載：「彥質，崇寧間直秘閣，權發遣江東南路轉運副使，有宮詞。」《宋詩紀事》錄其宮詞六首。王仲修，《宋史》亦無傳。《宋詩紀事》卷二十七、「王仲修」載：「仲修，丞相珪之子。元豐中登第，官崇文院校書。」《宋詩紀事》錄其宮詞六首。

本朝百家詩選一百卷

《本朝百家詩選》一百卷，廣棪案：《文獻通考》書名作「《皇宋詩選》」。館臣案：《文獻通考》作五十七卷。**太府卿曾慥端伯編**。廣棪案：《文獻通考》作「慥字端伯」。**官至太府卿**，廣棪案：盧校本無「官至太府卿」句。**編此所以續荊公之《詩選》，而識鑒不高**，廣棪案：《文獻通考》「識鑒」作「鑒識」。**去取無法，為小傳略無義類，議論亦凡鄙。陸放翁以比《中興間氣集》，謂相甲乙，非虛語也。其言歐、王、蘇、黃不入選，以擬荊公不及李、杜、韓之意。荊公前《選》實不然**，廣棪案：《文獻通考》無「實」字。**余固言之矣**。

廣棪案：《郡齋讀書志》卷第二十、〈總集類〉著錄：「《皇宋詩選》五十七卷。右皇朝曾慥編。慥，魯公裔孫，守贛川，帥荊渚日，選本市自寇萊公以次，至僧璉二百餘家。〈詩序〉云：『博采旁搜，拔尤取穎，悉表而出焉。』」《郡齋讀書志》著錄作五十七卷。惟《宋史》卷二百九、〈志〉第一百六十二、〈藝文〉八、〈總集類〉則著錄：「曾慥《宋百家詩選》五十卷，又《續選》二十卷。」其著錄卷數有所不同。慥，《宋史》無傳。《宋人傳記資料索引》載：「曾慥（？～1155）字端伯，號至游子，亦號至游居士，晉江人，孝寬孫。初爲尚書郎，歷秘閣修撰，知虔州，再知荊南府，終右文殿修撰，知廬州，旋罷官，紹興二十五年卒。有《類說》、《高齋漫錄》、《道樞》、《集仙傳》、《至游子》、《宋百家詩選》、《樂府雅詞》等。」可知其生平及著述。

皇朝文鑑一百五十卷

《皇朝文鑑》一百五十卷，呂祖謙編。初，淳熙丁酉，孝廟因觀《文海》，下臨安府校正刊行，翰苑周必大夜直，宣引偶及之，因奏：「此書江佃類編，館臣案：《宋史》作江鈿。　廣棪案：盧校本「江佃」作「江鈿」。殊無倫理，書坊板行可耳，恐難傳後，莫若委館閣別加詮次。」遂以命祖謙。既成，賜名《文鑑》，詔必大為之〈序〉。時祖謙已得末疾，遂除直中祕，且賚銀絹各三百。中書舍人陳騤駮之論，廣棪案：盧校本「駮之論」作「繳論」。皆不行。繼有近臣密啟云，廣棪案：盧校本「近臣密啓云」作「肪者言」。其所取之詩，多言田里疾苦，乃借舊作以刺今；又所載章疏，皆指祖宗過舉，尤非所宜。於是鋟板之議亦寢。周益公〈序〉既成，封以遺呂一讀，命藏之。蓋亦未當乎呂之意也。張南軒以為無補治道，何益後學？而朱晦庵晚歲嘗語學者曰：「此書編次，篇篇有意，廣棪案：盧校本「篇篇有意」下為「呂從子喬年之説云爾」。徐小蠻、顧美華校注曰：「館本據《通攷》補入一段，却無此末句。」每卷首必取一大文字作壓卷，如賦取〈五鳳樓〉之類；其所載奏議，亦繫一時政治大節，祖宗二百年規模與後來中變之意，盡在其中，非《選》、《粹》比也。」館臣案：「每卷首必取一大文字」以下，原本脫去，今據《文獻通攷》補入。

廣棪案：《文獻通考》卷二百四十八、〈經籍考〉七十五、〈集總集〉著錄此條，其下引陳氏曰：「呂祖謙編。周益公爲〈序〉既成，封以遺呂一讀，命藏之，蓋亦未當乎呂之意也。張南軒以爲無補治道，何益後學？而朱晦庵晚年嘗語學者曰：『此書編次，篇篇有意，每卷首必取一大文字作壓卷，如賦取〈五鳳樓〉之類；其所載奏議，亦係一時政治大節，祖宗二百年規模與後來中變之意，盡在其間，非《選》、《粹》比也。』」文字詳簡有別，足見馬氏所得讀之《解題》乃不同本也。《通考》又引《建炎以來朝野雜記》曰：「《文鑑》者，呂祖謙被旨所編也。先是臨安書坊有所謂《聖宋文海》者，近歲江鈿所編。孝宗得之，命本府校正刻板，時湻熙四年十一月也。周益公以學士輪當內直，因奏言：『此編去取差謬，殊無倫理，莫若委館閣官銓擇本朝文章，成一代之書。』上大以爲然，曰：『卿可理會。』益公奏乞委館職。後二日，伯恭以祕書郎轉對，上遂令伯恭校正，本府開雕。始趙丞相以西府奏事，上問：『伯恭文采及爲人如何？』趙力薦之，故有是命。伯恭言：『《文海》元係書坊一時刊行，名賢高文大册，尚多遺落，乞一就增損，仍斷自中興以前銓次，庶可行遠。』許之。又命知臨安府趙磻老并本府教官二員同伯恭校正。磻老言：『臣府事繁，委慮妨本職。兼策府書籍，亦難令教官攜出，乞專令祖謙校正。』從之。於是伯恭盡取祕府及士大夫所藏本朝諸家文集，旁采傳記、他書，悉行編類。凡六十一門，爲百五十卷。既而伯恭再遷著作郎，兼禮部郎官。五年十二月，得中風病。六年正月引疾求去，有旨予郡。後十三日乃以書進。二月，上諭輔臣曰：『祖謙編類《文海》，採摭精詳，可除直祕閣。』又宣諭賜銀帛三百疋兩。時方嚴非有功不除職之令，舍人陳叔進駮之，輔臣奏事，上曰：『謂祖謙平日好名則有之，今此編次《文海》，採取精詳，且如奏議之類，有益治道，故以寵之，可即命詞。』叔進不得已，草制曰：『館閣之職，文史爲先。爾編類《文海》，用意甚深，採取精詳，有益治道。寓直中祕，酬寵良多。爾當知恩之有，自省行之不誣，用竭報焉，人斯無議。』時益公爲禮部尚書兼學士，得旨撰〈文海序〉，奏乞名《皇朝文鑑》，從之。時〈序〉既成，將刻板，會有近臣密啓云：『所載臣僚奏議，有詆及祖宗政事者，不可示後世。』乃命直院崔大雅更定，增損去留，凡數十篇，然訖不果刻也。張南軒時在江陵，移書晦庵曰：『伯恭好弊精神於閑文字中，徒自損何益？如編《文海》，何補於治道？何補於後學？徒使精神困於繙閱，亦可憐耳。承當編此等文字，亦非所以承君德也，今《孝宗實錄》書此事頗詳，未知何人當筆。其詞云：「初，祖謙得旨校正，蓋上意令校讎差誤而已，祖謙乃奏以爲去取未當，欲乞一就增損，三省取旨許之。甫數日，上仍命磻老與臨安教官二員同校正，則上意猶如初也。時祖謙已誦言，皆當大去取。其實欲自爲一書，非復如上命，議者不以爲可。磻老及教官畏之，不敢共事，故辭不敢預。而祖謙方自謂得計，及書成，前輩名人之文，蒐獮殆盡，有通經而不能文辭者，亦以表奏厠其間，以自矜黨同伐異之功。薦紳公論皆疾之，及推恩除直祕閣，中書舍人陳騤繳還。比再下，騤雖奉命，然頗詆薄之。祖謙不敢辯也。其書上，不復降出云。」史臣所謂通經而不能文詞，蓋指伊川也。時侂冑方以道學爲禁，故詆伯恭如此，而牽聯及於伊川云。然余謂伯恭既爲詞臣醜詆，自當力辭職名，受之非矣。黃直卿亦以余言爲然。』」《通考》另引《朱子語錄》：「伯恭《文鑑》有止編其文理佳者；有其文且如此，而眾人以爲佳者；有其文雖不甚佳，而其人賢名微，恐其泯沒，亦編其一二篇者；有文雖不佳，而理可取者。

凡五例，已忘其一。熹與伯恭書云：『《文鑑》條例甚當，今想已有次第。但一種文勝而義理乖僻者，恐不可取。其只爲虛文而不說義理者，卻不妨耳。佛、老文字，恐須如歐陽公〈登真觀記〉、曾子固〈仙都觀菜園寺記〉之屬，乃可入。其他贊邪害正者，文詞雖工，恐皆不可取也。』熹讀《文鑑》曰：『伯恭去取之文，如某平時不熟者，也不敢斷。他有數般皆某熟看底，今揀得無把鼻如詩好底，都不在上面，却載那衰颯底，把作好句法，又無把作好意思，又無把作好勸戒，亦無康節詩，如「天向一中分造化，人從心上起經綸」，卻不編入。』」又曰：「《文鑑》後來爲人所譖，復令崔敦詩刪定，奏議多刪改之。如蜀人呂綯有一文〈論制師服〉，此意甚佳。呂止收此一篇，崔云：『綯多少好文，何獨收此。』遂去之，更無入他文。」又曰：「如編得沈存中〈律曆〉一篇，說渾天儀亦好。」均足資參證。《四庫全書總目》卷一百八十七、〈集部〉四十、〈總集類〉二著錄：「《宋文鑑》一百五十卷，內府藏本。宋呂祖謙編。祖謙有《古周易》，已著錄。案李心傳《建炎以來朝野雜記》稱：『臨安書坊有所謂《聖宋文海》者，近歲江鈿所編。孝宗得之，命本府校正刻版。周必大言其去取差謬，遂命祖謙校正。於是盡取祕府及士大夫所藏諸家文集，旁採傳記他書，悉行編類。凡六十一門。又稱有近臣密啓，所載臣僚奏議，有詆及祖宗政事者，不可示後世。乃命直院崔敦詩更定，增損去留凡數十篇。然迄不果刻也。』此本不著爲祖謙原本，爲敦詩改本。《朱子語錄》稱：『《文鑑》收蜀人呂陶〈論制師服〉一篇，爲敦詩所刪。』此本六十一卷中仍有此篇，則非敦詩改本確矣。商輅〈序〉稱：『當時臨安府及書肆皆有版，與心傳所記亦不合。』蓋官未刻而其後坊間私刻之，故仍從原本耳。祖謙之爲此書，當時頗鑠於眾口。張端義《貴耳集》稱：『東萊修《文鑑》成，獨進一本，滿朝皆未得見，惟大璫甘昺有之。公論頗不與。得旨除直祕閣，爲中書陳騤所駁，載於陳之〈行狀〉。』《朝野雜記》又引《孝宗實錄》，稱：『祖謙編《文鑑》，有通經而不能文詞者，亦表奏廁其間，以自矜黨同伐異之功。縉紳公論皆嫉之。』又載張栻時在江陵與朱子書曰：『伯恭好敝精神於閒文字中，何補於治道？何補於後學？承當編此等文字，亦非所以成君德也。』而《朱子語錄》記其選錄五例，亦微論其去取有未當。蓋一時皆紛紛訾議。案錄副本以獻中官，祖謙似不至是。所謂通經而不能文章者，蓋指伊川。然伊川亦非全不能文，至此書所載論政、論學之文，不一而足，安得盡謂之無補。栻殆聞有此舉，未見此書，意其議出周必大，必選詞科之文，故意度而爲此語也。陳振孫《書錄解題》記朱子晚年語學者曰：『此書編次，篇篇有意，其所載奏議，亦係當時政治大節。祖宗二百年規模與後來中變之意，盡在其閒，非《選》、《粹》比也。』然則朱子亦未始非之，殆日久而後論定歟？」亦可參考。

歷代確論一百一卷

《歷代確論》一百一卷，廣棪案：盧校本作一百卷。**不知何人集。自三皇、五帝以及五代，凡有論述者，隨世代編次。**

廣棪案：此書不可考。

江西詩派一百三十七卷、續派十三卷

《江西詩派》一百三十七卷、《續派》十三卷，館臣案：《宋史・藝文志》作呂本中《江西宗派詩集》一百十五卷，曾紘《江西續宗派詩集》二卷。**自黃山谷而下三十五家，**

廣棪案：《宋史》卷二百九、〈志〉第一百六十二、〈藝文〉八、〈總集類〉著錄：「呂本中《江西宗派詩集》一百十五卷，曾紘《江西續宗派詩集》二卷。」館臣案語殆據此，惟卷數與《解題》著錄不同。《文獻通考》卷二百四十九、〈經籍考〉七十六、〈集總集〉著錄此條下引《漁隱叢話》：「呂居仁近世以詩得名，自言傳衣江西，常作〈宗派圖〉，自豫章以降，列陳師道、潘大臨、謝無逸、洪芻、饒節、僧祖可、徐俯、洪朋、林敏修、洪炎、汪革、李錞、韓駒、李彭、鼂冲之、江端本、楊符、謝薖、夏隗、林敏功、潘大觀、何顒、王直方、僧善權、高荷，合二十五人以爲法嗣，謂其源流皆出豫章也。其〈宗派圖序〉數百言，大畧云：『唐自李、杜之出，焜耀一世。後之言詩者，皆莫能及。至韓、柳、孟郊、張籍諸人，激昂奮厲，終不能與前作者並。元和以後至國朝，歌詩之作，或傳者多依效舊聞，未盡所趣。惟豫章始大，出而力振之，抑揚反覆，盡兼眾體。而後學者同作並和，雖體制或異，要皆所傳者一。予故錄其名字，以遺來者。』余竊謂山谷自出機杼，別成一家，清新奇巧，是其所長。若言抑揚反覆，盡兼眾體，則非也。元和至今，騷翁墨客，代不乏人。觀其英辭傑句，眞能發明古人不到處，卓然成立者甚眾。若言多依效舊文，未盡所趣，又非也。所列二十五人，其間知名之士，有詩卷傳於世，爲時所稱者，止數人而已。其餘無聞焉，亦濫登其列。居仁此〈圖〉之作，選擇弗精，議論不公，余是以辯之。」是《苕溪漁隱叢話》自山谷而下錄其名字者爲二十五家，《解題》「三十五家」，「三」字乃「二」之誤。

又曾紘、曾思父子詩。詳見〈詩集類〉。

案：《解題》卷二十、〈詩集類〉下著錄：「《臨漢居士集》七卷，南豐曾紘伯容撰。其父阜子山，於子固爲從兄弟。」又著錄：「《懷峴居士集》六卷，曾思顯道撰。紘之子也。阜嘗將漕湖南，後家襄陽。紘父子皆有官，而皆高亢不仕。楊誠齋序其詩，以附《詩派》之後。」是《解題・詩集類》有著錄曾紘父子詩。

詩派之說本出於呂居仁，前輩多有異論，觀者當自得之。

案：《解題》卷二十、〈詩集類〉下著錄：「《后山集》六卷、《外集》五卷，陳師道無己撰。亦於《正集》中錄入《詩派》。江西宗派之說，出於呂本中居仁。前輩固有議其不然者。后山雖曰見豫章之詩，盡棄其學而學焉。然其造詣平澹，眞趣自然，實豫章之所缺也。」所論與此同。呂居仁江西詩派之說，苕溪漁隱已不當意。《文獻通考》著錄此條下引後村劉氏〈總序〉曰：「呂紫微作江西宗派，自山谷而下凡二十六人，內何人表顒、潘仲達大觀，有姓名而無詩。詩存者凡二十四家，王直方詩絕少，無可采；餘二十三家部帙稍多，今取其全篇佳者，或一聯一句可諷詠者，或對偶工者，各著於編，以便觀覽。派中如陳后山、彭城人；韓子蒼、陵陽人；潘邠老、黃州人；夏均父、二林、鄞人；晁叔用、江子之，開封人；李商老、南康人；祖可、京口人；高子勉、京西人；非皆江西人也。同時如曾文清，乃贛人；又與紫微公以詩往還而不入派，不知紫微去取之意云何，惜當日無人以此叩之。後來誠齋出，誠得所謂活法，所謂流轉圓美如彈丸者，恨紫微公不及見耳。派詩舊本以東萊居后山上，非是。今以繼宗派，庶不失紫微公初意。」是後村亦不以居仁之說爲允也。

輶軒集一卷

《輶軒集》一卷，鄱陽洪皓、歷陽張邵、新安朱弁使金得歸，廣棪案：《文獻通考》「金」作「虜」。**道間唱酬。邵為之〈序〉。**

廣棪案：此書已佚。惟考洪适《盤洲文集》卷第六十二、〈題跋十五首〉有〈題輶軒唱和集〉，所題者即此書。其文曰：「右《輶軒唱和集》三卷，紹興癸亥六月庚戌，先君及張公邵、朱公弁自燕還，途中相倡酬者。中興以來，自出疆者幾三十輩，或留或亡，得生渡盧州而南者，三人而已。初朔庭因赦宥，許使者歸其鄉。諸公懲其久縶，幸稍南，率占籍淮北。惟先君及二公以實告。既約和，于是淮以南者乃得歸。八月戊戌，先君至；辛丑，張公至；乙巳，朱公至。九月乙卯，先君以徽猷閣直學士入翰林。是月甲子，出爲鄉州。後四年南遷；八年，薨；又三年，賜諡忠宣。張公以修撰秘閣，主佑神觀；是年出居明州；後六年，待制敷文閣；六年爲池州；明年卒。朱公以直秘閣亦主佑神觀，明年卒。先君字光弼，饒州人；張公字才彥，和州人；朱公字少章，徽州人。」足資參證。所惜張邵所撰〈序〉亦不之見矣。适題此書作三卷，《解題》作一卷，疑《解題》誤。

古今絕句二卷

《古今絕句》二卷，廣棪案：《文獻通考》作「三卷」，盧校本同。**吳說傳朋所書杜子美、王介甫詩。**廣棪案：《文獻通考》「傳朋」作「傅朋」，盧校本同。**師禮之子，王令逢原之外孫也。**

廣棪案：《宋史》卷二百九、〈志〉第一百六十二、〈藝文〉八、〈總集類〉著錄：「吳說編《古今絕句》三卷。」是《宋志》亦作三卷，疑《解題》誤也。吳說，《宋史翼》卷二十八、〈列傳〉第二十八、〈文苑〉三有傳，曰：「吳說字傅朋，號練塘，錢塘人。累官知信州。北山〈九里松碑〉，說所書也。高宗詣天竺，親御宸翰，徹去說書。未幾，說陛辭。高宗因與說云：『〈九里松碑〉乃卿書，朕嘗三次作此，觀之，終不如卿。』朝退，令再揭元碑。席大光以母碑求說書，大光立于碑側，不數字必息憩。說病之，至夜分，秉燭潛起而書，大光聞之，起立，以文房玩好二物盡歸之。說書深入黃庭堅之室，時作鍾體，尤善遊絲書。《書史會要》，參《洞天清錄》、《貴耳錄》、《行都紀事》。」是說以善書稱。吳師禮字安仲，《宋史》

卷三百四十七、〈列傳〉第一百六有傳。王令字逢原，《宋史翼》卷二十六、〈列傳〉第二十六、〈文苑〉一有傳。是則師禮，令之壻也。

玄真子漁歌碑傳集錄一卷

《玄真子漁歌碑傳集錄》一卷，玄真子漁歌，世止傳誦其「西塞山前」一章而已。嘗得其一時倡和諸賢之辭各五章，及南卓、柳宗元所賦，通為若干章。廣棪案：盧校本「為」字下空三格，無「若干」二字。**因以顏魯公〈碑述〉、《唐書》本傳，以至近世用其詞入樂府者，集為一編，以備吳興故事。**

廣棪案：玄眞子，唐人張志和之號，所撰〈漁歌子〉曰：「西塞山前白鷺飛，桃花流水鱖魚肥。青箬笠，綠簑衣，斜風細雨不須歸。」清人劉熙載《藝概》卷四、〈詞概〉即以「風流千古」四字評之。此書乃振孫所自編，拙著《陳振孫之生平及其著述研究》第六章、〈陳振孫之其他著作〉、第十四節〈直齋之佚書與佚文〉曾考論之曰：「案：此書乃直齋所編撰，其內容大抵包括玄眞子〈漁歌〉『西塞山前』一章，倡和諸賢之辭各五章，南卓、柳宗元所賦共爲若干章，另顏眞卿〈碑述〉及《唐書》玄眞子本傳，以至宋代用〈漁歌〉之詞以入樂府者；所錄亦至富也。考玄眞子即張志和，《解題》卷九、〈道家類〉載：『《玄眞子外篇》三卷，唐隱士金華張志和撰。《唐志》：《玄眞子》十二卷。今纔三卷，非全書也。即曰〈外篇〉，則必有〈內篇〉矣。志和事跡，詳見余所集《碑傳》。』此條文末所言之《碑傳》，即指直齋所編此《玄眞子漁歌碑傳集錄》也。張志和，《新唐書》卷一百九十六、〈列傳〉第一百二十一、〈隱逸〉有傳，其〈傳〉曰：『張志和，字子同，婺州金華人。始名龜齡。父游朝，通莊、列二子書，爲〈象罔〉、〈白馬證〉諸篇佐其說。母夢楓生腹上而產志和。十六擢明經，以策干肅宗，特見賞重，命待詔翰林，授左金吾衛錄事參軍，因賜名。後坐事貶南浦尉，會赦還，以親既喪，不復仕，居江湖，自稱煙波釣徒。著《玄眞子》，亦以自號。有韋詣者，爲撰《內解》。志和又著《太易》十五篇，其卦三百六十五。……善圖山水，酒酣，或擊鼓吹笛，舐筆輒成。嘗撰〈漁歌〉，憲宗圖眞求其歌，不能致。李德裕稱志和「隱而有名，顯而無事，不窮不達，嚴光之比」云。』是志和又著《太易》十五篇，而其所著之《玄眞子》則爲十二卷。倘《玄眞子》眞如《解題》所料，全書分〈內〉、〈外〉篇，則〈內篇〉必爲九卷，〈外篇〉必爲三卷矣。至《玄眞子漁歌碑傳集錄》，喬衍琯《陳振孫學記》第三章〈著述〉、第四節〈亡佚各書〉云：『按：今書雖佚，志和〈漁歌〉及《柳宗元集》等尙存，可輯出若干篇，以入《陳振孫全集》。』案：如喬氏眞能輯出《玄眞子漁歌碑傳集錄》，以復原書之舊，則亦直齋之功臣也。」可供參考。

艇齋師友尺牘二卷

《艇齋師友尺牘》二卷，南豐曾季貍裘父之師友往復書簡。其子灘輯而刻之。自呂居仁、徐師川以降，下至淳熙、乾道諸賢咸在焉。廣棪案：《文獻通考》「咸」作「或」。**裘父蕭然布衣，**廣棪案：《文獻通考》「蕭然」作「肅然」，誤。**而名流敬愛之若此，**廣棪案：《文獻通考》「名流」作「名人」。**足以知其人之賢，而亦以見當時風俗之美也。**廣棪案：《文獻通考》「而亦以見」作「且見」。

廣棪案：此書已佚。《兩宋名賢小集》中有〈艇齋小集〉，則非此書。惟朱子《晦庵先生朱文公文集》卷第八十三、〈跋〉有〈跋曾裘父艇齋師友尺牘〉，曰：「此編皆諸前輩所與艇齋魯公往來書疏也，其子灘錄以成書，乃亦置予言於其間，非其倫矣。紹熙甲寅經由臨川，得而觀之，深以愧歎。嗚呼！艇齋既不幸即世，而卷中人亦往往逝去，獨陸務觀與予在耳，此又重可悲也。八月二十七日熹記。」可參證。季貍，《宋史》無傳。《宋史翼》卷三十六、〈列傳〉第三十六、〈隱逸〉載：「曾季貍字裘父，臨川人，鞏弟，宰之曾孫。師事呂居仁，又與朱子、張栻遊。栻被召，季貍戒其不當談兵，且勸以范文正忠宣父子爲法。郡守張孝祥、樞密劉珙薦於朝，皆不起。嘗一試禮部，不中，終身不赴。隱居蕭然，自號艇齋。有《艇齋雜著》、《艇齋詩話》。《江西人物志》參《陸放翁集》。」其子灘，生平不可考。呂居仁即呂本中，《宋史》卷三百七十六、〈列傳〉第一百三十五有傳。徐師川即徐俯，《宋史》卷三百七十二、〈列傳〉第一百三十一有傳。其〈傳〉曰：「俯才俊，與曾幾、呂本中游，有《詩集》六卷。」可見徐、呂交誼。

膾炙集一卷

《膾炙集一卷》，朝請郎嚴煥刻於江陰。韓吏部而下雜文二十餘篇。

廣棪案：《宋史》卷二百九、〈志〉第一百六十二、〈藝文〉八、〈總集類〉著錄：「《膾炙集》一卷，集者不知名。」與此應爲同一書。嚴煥，《宋史》

無傳，《宋人傳記資料索引》載：「嚴煥，字子父，常熟人。登紹興十二年第，調徽州臨安教官，通判建康府，知江陰軍，仕終朝奉大夫。長於書學，筆法尤精。」則此書乃煥刻於知江陰軍時。

唐人絕句詩集一百卷

《唐人絕句詩集》一百卷，洪邁景盧編。七言七十五卷，五言、六言二十五卷。各百首，廣棪案：《文獻通考》「各百首」作「卷各百首」，盧校本同。**凡萬。**廣棪案：《文獻通考》「萬」下有「首」字，盧校本同。盧校注曰：「元本無『首』字。」**上之重華宮，可謂博矣。而多有本朝人詩在其中，如李九齡、郭震、滕白、王喦、王初之屬。其尤不深考者，梁何仲言也。**

廣棪案：《文獻通考》卷二百四十九、〈經籍考〉七十六、〈集總集〉著錄此條下引後村劉氏曰：「野處洪公編唐人絕句僅萬首，有一家數百首並取不遺者；亦有複出者；疑其但取唐人文集、雜說，令人抄類而成書，非必有所去取也。」是此書所收，濫入宋人詩及蕭梁何遜詩。

唐絕句選五卷

《唐絕句選》五卷，莆田柯夢得東海編。所選僅一百六十六首，去取甚嚴。然人之好惡，亦各隨所見耳。

廣棪案：此書已佚。柯夢得，《宋史》無傳，《宋人傳記資料索引》載：「柯夢得字東海，莆田人。屢上春官不第，嘉定七年以特科入仕。著有《抱甕集》及《選唐絕句》。」所著正有此書。

唐絕句選四卷

《唐絕句選》四卷，倉部郎中福清林清之直父，以洪氏絕句鈔取其佳者。廣棪案：《文獻通考》「絕句」作「雜句」，誤。**七言一千二百八十，五言百五十六，六言十五首。**

廣棪案：此書已佚。林清之，《宋史》無傳。梁克家《淳熙三山志》卷三十一、〈人物類〉六、〈科名〉載：「慶元二年丙辰鄒應龍榜：林清之，字直甫，福清人。父椨，祖仲堪，弟煒。本族棣振炎明之，終中奉大夫，直華文閣，湖南漕。」

《宋人傳記資料索引》載：「林清之，字直甫，福清人，仲堪孫。慶元二年進士，終中奉大夫、直文華閣、湖南漕。」可與《解題》互補有無。

攷德集三卷

《攷德集》三卷，強至所集韓魏公琦薨後時賢祭文、挽詩。

廣棪案：此書不可考。惟《讀書附志・拾遺》著錄：「《韓忠獻王遺事》一卷，右羣牧判官、朝奉郎、尚書職方員外郎、上騎都尉強至編次韓魏王琦言行也。始韓忠彥編次《家傳》，王巖叟編次《別錄》，至又編次其遺事云。」則與此書至相關切，二書必同時所編撰。強至，《宋史》卷三百五十六、〈列傳〉第一百一十五附其子〈強淵明〉，僅載：「父至，以文學受知韓琦，終祠部郎中。」另《宋史翼》卷二十六、〈列傳〉第二十六、〈文苑〉一有傳，曰：「強至字幾聖，杭州吳山里人。少有志節，力學問。……慶曆六年登進士第。……最受知於韓琦，琦罷政事，鎮京兆，徙鎮相魏，常引至自助。琦爲詩，合賓客屬和，至獨思致逸發，不可追躡。琦上奏及他書記，皆至屬稿。琦乞不散青苗，神宗閱其奏曰：『此必強至之文也。』至有守，一日琦行一事，不關由簽聽，至翌日自言不稱職，力辭去。琦謂小事，故不相關。至曰：『小事尚爾，何況大事。』遜謝數日乃肯留。琦數薦充館閣，未及用而卒。官至祠部員外郎，累贈金紫光祿大夫，有《文集》二十卷。」可見韓、強二人交誼之篤切。

四家胡笳詞一卷

《四家胡笳詞》一卷，蔡琰、劉商、王安石、李元白也。

廣棪案：此書已佚。蔡琰，《後漢書》卷八十四、〈列女傳〉第七十四有傳，曰：「陳留董祀妻者，同郡蔡邕之女也，名琰，字文姬。博學有才辯，又妙於音律。適河東衞仲道。夫亡無子，歸寧于家。興平中，天下喪亂，文姬爲胡騎所獲，沒於南匈奴左賢王，在胡中十二年，生二子。曹操素與邕善，痛其無嗣，乃遣使者以金璧贖之，而重嫁於祀。」琰著有〈胡笳十八拍〉。劉商，《史記》卷五十九、〈五宗世家〉第二十九、《漢書》卷五十三、〈景十三王傳〉第二十三均有傳。《史記》載：「泗水思王商，以元鼎四年用常山憲王子爲泗水王。十一年卒，子哀王安世立。十一年卒，無子。於是上憐泗水王絕，乃立安世弟賀爲泗水王。」未聞有胡笳詞。王安石，《宋史》卷三百二十七、〈列傳〉第八十六有傳。所撰《王文公文集》卷八十、〈集句歌曲〉有〈胡笳十八拍〉。李元白，《宋史》無傳。《永樂大典》卷七千八百九十四載：「李元白名齊，以字行，寧化人。博覽強記，不能俛就舉子業，乃大肆力於詩，出入《少陵集》中，幾逼眞。纂杜詩爲押韵，又集其句爲一編，皆行於世。嘗集〈大觀昇平詞〉若干首以進，得初品官，即歸故廬，笑敖泉石而終老焉。集句始於王文公，而孔毅甫、葛亞卿，及元白相繼而作，俱有聞于時。」是元白亦必撰有〈胡笳十八拍〉也，惜已不可得而讀矣。

選詩七卷

《選詩》七卷，《文選》中錄出別行。以人之時代為次。

廣棪案：此書已佚，不可考。其書殆據《昭明文選》以選詩，並據人之時代爲次錄出別行。

宏辭總類四十一卷、後集三十五卷、第三集十卷、第四集九卷

《宏辭總類》四十一卷、《後集》三十五卷、《第三集》十卷、《第四集》九卷，起紹聖乙亥，迄嘉定戊辰。皆刻於建昌軍學。相傳紹興中太守陸時雍所刻《前集》也，餘皆後人續之。戊辰以後，時相不喜此科，主司務以艱僻之題困試者，縱有記憶不遺，文采可觀，輒復推求小疵，以故久無中選者。初，紹聖設科，但曰宏辭，不試制、誥，止於表、檄、露布、誡諭、廣棪案：《文獻通考》作「戒諭」。**箴、銘、頌、記、序九種，亦不用古題。及大觀，改曰詞學兼茂。**館臣案：《宋史》：「大觀改曰詞學兼茂。」原本脫「兼茂」二字，今補正。　廣棪案：《文獻通考》亦作「詞學兼茂」，「兼茂」二字未脫。**去誡諭及檄，**廣棪案：《文獻通考》「誡諭」作「戒諭」。**而益以制、誥，亦為九種四題，而二題以歷代故事。及紹興，始名博學宏辭，**廣棪案：《文獻通考》「始名」作「始名以」。**復益以誥、贊、檄，為十一種，三日試六題，各一今一古，遂為定制。**

廣棪案：《宋史》卷二百九、〈志〉第一百六十二、〈藝文〉八、〈總集類〉

著錄：「陸時雍《宏詞總類・前》、《後集》七十六卷。」惟闕三、四集。陸時雍，《宋史》無傳，曾協《雲莊集》卷五有〈陸公行狀〉，文長不錄。《宋人傳記資料索引》載：「陸時雍（1093～1155），字堯夫，嚴州淳安人。上舍賜第，爲福州教授，秩滿改池州，訓導不苟，所至，學者歸之。入爲秘書丞，在館二年，求外補，得通判湖州，再通判襄陽府，終知建昌軍，紹興二十五年卒，年六十三。」方回《桐江集》卷二有〈讀宏詞總類跋〉曰：「紹興二十三年癸酉，釣臺陸時雍守建昌軍，刊《宏祠總類》，以秦檜之文冠其首，作〈序〉諛之『日下有五色雲表』，以君喻日，以臣喻雲，固可喜；謂檜意在『捧重輪而瑞聖朝』，則巧於勑者矣。〈擒頡利露布〉，大窘束。惟『明明廟謨，請付史官之直筆；矯矯王造，應有儒生之雅歌』一聯佳。謂其志在□□，以靜中國，則□□誤國，未嘗有擒頡利之心。雖佞，殊不切題。〈汴都志序〉、〈楚漢龍淵銘〉俱平平。是科也，紹聖三年。以經術取，罷詞賦，故立科曰宏詞，四題分作兩場。大觀七年，更名曰詞學兼茂科。南渡後，紹興三年，以工部侍郎李擢奏，乞取紹聖宏詞、大觀詞學兼茂科，更加裁訂立科。左司王勻等乞以博學宏詞科爲名，六題分爲三場。檜乃宣和五年，以密州教授中詞科兼茂科也。近世廢之爲是。又以士不習偶儷，殺其恩數以試，俗呼爲小詞科。自紹聖創學，以至靖康之亂，凡有司之命題，與試者之作文，無非力詆元祐以媚時相。四六於是愈工，而祖宗時文章正氣掃地，天下文人才士心術蠱壞，知獵一時之榮，而不恤萬世之有公議，痛哉！」可參證。

古文關鍵二卷

《古文關鍵》二卷，呂祖謙所取韓、柳、歐、蘇、曾諸家文，標抹注釋，廣棪案：《文獻通考》作「註釋」。**以教初學。**

廣棪案：《宋史》卷二百九、〈志〉第一百六十二、〈藝文〉八、〈總集類〉著錄：「呂祖謙《古文關鍵》二十卷。」《宋志》作「二十卷」，衍「十」字。《四庫全書總目》卷一百八十七、〈集部〉四十、〈總集類〉二著錄：「《古文關鍵二卷》，江蘇巡撫採進本。宋呂祖謙編。取韓愈、柳宗元、歐陽修、曾鞏、蘇洵、蘇軾、張耒之文凡六十餘篇，各標舉其命意布局之處，示學者以門徑，故謂之關鍵。卷首冠以〈總論看文〉、〈作文之法〉。考《宋史・藝文志》載是書作二十卷。今卷首所載看諸家文法，凡王安石、蘇轍、李廌、秦觀、晁補之諸人俱在論列，而其文無一篇錄入。似此本非其全書。然《書錄解題》所載亦祗二卷，與今本卷數相合。所稱韓、柳、歐、蘇、曾諸家，亦與今本家數相合。知全書實止於此。《宋志》荒謬，誤增一十字也。此本爲明嘉靖中所刊，前有鄭鳳翔〈序〉。又別一本所刻，旁有鉤抹之處，而評論則同。考陳振孫謂其『標抹註釋，以教初學。』則原本實有標抹，此本蓋刊版之時，不知宋人讀書於要處多以筆抹，不似今人之圈點，以爲無用而刪之矣。葉盛《水東日記》曰：『宋儒批選文章，前有呂東萊，次則樓迂齋、周應龍，又其次則謝疊山也。朱子嘗以拘於腔子議東萊矣。要之，批選議論，不爲無益，亦講學之一端耳。』云云。然祖謙此書，實爲論文而作，不關講學。盛之所云，乃文章正宗之批，非此書之評也。」可供參考。

迂齋古文標注五卷

《迂齋古文標注》五卷，宗正寺簿四明樓昉暘叔撰。大略如呂氏《關鍵》，而所取自《史》、《漢》而下至於本朝，篇目增多，發明尤精當，學者便之。

廣棪案：此書疑即樓昉《崇古文訣》之前身，故《崇古文訣》二十卷，此書僅得五卷，是昉先編撰此書，續有增訂，而成《崇古文訣》。陸心源《皕宋樓藏書志》卷一百十四、〈集部・總集類〉三「《迂齋先生標注崇古文訣二十卷》」條有振孫〈序〉，惟有闕文，其〈序〉曰：「上缺則又何足以爲文。迂齋樓□文名於時，士之從其游者一□□援，皆有師法。間嘗采集先□□以來迄於今世之文，得一百六十有八篇，爲之標注，以諗學者。凡其用意之精深，立言之警拔，皆深索而表章之。蓋昔人所以爲文之法備矣，振〔孫〕觀公之去取，至於伊川先生講筵二〈疏〉，與夫致堂、澹齋二胡所上高廟〈書〉，彼皆非蘄以文著者也，而顧有取焉，毋亦道統之傳，接續孔孟，忠義之氣，貫通神明，殆所謂有本者，非耶？然則公之是編，豈徒文而已哉！昔之論文者，曰文以氣爲主，又曰文者貫道之器也。學者其亦以是觀之，則得所以爲文之法矣。公名昉，字暘叔，鄞人，迂齋其自謂也。寶慶丙戌嘉平月既望，永嘉陳振孫序。」此〈序〉疑爲《古文標注》一書之〈序〉，觀〈序〉中「間嘗采集先□□以來迄於今世之文，得一百六十有八篇，爲之標注，以諗學者」諸語可知。《四庫全書總目》卷一百八十七、〈集部〉

四十、〈總集類〉著錄：「《崇古文訣》三十五卷，內府藏本。宋樓昉撰。昉字暘叔，號迂齋，鄞縣人。紹熙四年進士。歷官守興化軍，卒追贈直龍圖閣。是集乃所選古文凡二百餘首，陳振孫《書錄解題》稱：『其大略如呂氏《關鍵》，而所錄自秦、漢而下至於宋朝，篇目增多，發明尤精，學者便之。』所言與今本相合。惟《書錄解題》作五卷，《文獻通考》亦同。篇帙多寡迥異，疑傳寫者誤脫『三十』二字也。宋人多講古文，而當時選本存於今者不過三四家。眞德秀《文章正宗》以理爲主，如飲食惟取禦饑，菽粟之外，鼎俎烹和皆在其所棄。如衣服惟取禦寒，布帛之外，黼黻章采皆在其所捐。持論不爲不正，而其說終不能行於天下。世所傳誦，惟呂祖謙《古文關鍵》、謝枋得《文章軌範》及昉此書而已。而此書篇目較備，繁簡得中，尤有裨於學者。蓋昉受業於呂祖謙，故因其師說，推闡加密，正未可以文皆習見而忽之矣。」綜振孫〈序〉與《四庫全書總目》，則可推知《古文標注》選文一百六十八篇，分五卷；《崇古文訣》選文二百餘篇，分三十五卷，篇數與分卷各自不同。而《四庫全書總目》謂《解題》著錄《古文標注》原三十五卷，疑傳寫者誤脫「三十」二字，所言似不符事實。樓昉，《宋史》無傳。《宋元學案》卷七十三、〈麗澤諸儒學案・軍守樓迂齋先生昉、樓先生昺合傳〉載：「樓昉，字暘叔，號迂齋，鄞縣人。與弟昺俱以文名。雲濠案：先生弟字季文。從東萊于婺。嘗以其學教授鄉里，從遊者數百人。李悅齋學士、王厚齋尚書，其高弟也。後守興化軍卒。梓材謹案：李悅齋為紹熙庚戌進士，厚齋尚書以嘉定癸未生，相去三十四年，且其父溫州已是幼從迂齋，尚書未必再及樓門。王厚齋云云，當是王厚齋尚書之父之譌脫耳。」可知其生平、宦歷概況。《後村先生大全集》卷之九十六、〈序〉有〈迂齋標註古文序〉，曰：「彙眾家文爲一編，蕭統以前無是也。統合先秦二漢三國六朝之作，爲三十卷。姚鉉專錄唐文爾，乃至百卷，卷帙益多，文字益濫，《選》、《粹》之優劣，即統、鉉之優劣也。本朝文治雖盛，諸老先生率崇性理，卑藝文。朱主程而抑蘇，呂氏《文鑑》去取，多朱氏意。水心葉氏又謂洛學興而文字壞，二論相反，後學殆不知所適從矣！迂齋標注者一百六十有八篇，千變萬態，不主一體。有簡質者，有葩麗者，有高虛者，有切實者，有峻厲者，有微婉者也。夫大匠誨規矩而不誨巧，老將傳兵法而不傳妙，自昔學者病焉。至迂齋則逐章逐句，原其意脉，發其秘藏，與天下後世共之。惟其學之博，心之平，故所采掇尊先秦而不陋漢、唐，尙歐、曾而並取伊、洛，矯諸儒相反之論，萃歷代能言之作，可以掃去《粹》、《選》而與《文鑑》並行矣！迂齋樓氏，名昉、字暘叔，以古文倡莆東。經指授成進士名者甚眾，其高弟爲帝者師、天下宰，而迂齋已不及見。今大灃寶謨匠監鄭公次時，亦當時升堂室者也。既刊《標注》十首卷，貽書余曰：『子，莆人也，非迂齋昔所下榻設醴者乎？其爲我序此書。』余曰：『謹受教。』」可供參考。

歷代奏議十卷

《歷代奏議》十卷，呂祖謙集。

廣棪案：此書不可考。

國朝名臣奏議十卷

《國朝名臣奏議》十卷，呂祖謙集。凡二百篇。

廣棪案：《宋史》卷二百九、〈志〉第一百六十二、〈藝文〉八、〈總集類〉著錄：「呂祖謙《國朝名臣奏議》十卷。」與此同。祖謙編《皇朝文鑑》一百五十卷，其中亦收奏議，朱熹謂其書「所載奏議，亦繫一時政治大節，祖宗二百年規模與後來中變之意，盡在其中」。此書疑即《皇朝文鑑》所收奏議也。

皇朝名臣奏議一百五十卷

《皇朝名臣奏議》一百五十卷，丞相沂國忠定公趙汝愚編進。時為蜀帥。

廣棪案：《讀書附志》卷下、〈總集類〉著錄：「《皇朝名臣經濟奏議》一百五十卷。右淳熙中趙忠定帥蜀時所進也。一〈君道〉，二〈帝繫〉，三〈天道〉，四〈百官〉，五〈儒學〉，六〈禮樂〉，七〈賞刑〉，八〈財賦〉，九〈兵政〉，十〈方域〉，十一〈邊防〉，十二〈總議〉。自建隆迄靖康，推尋歲月，槩見本末，忠定〈自序〉於前。紹熙之末，忠定有定策功，爲侂冑誣貶，久而論定，賜謚追王，配食寧廟。游侶誌其神道之碑，御篆額曰：『宗老元勛』云。」與此應同屬一書，而書名署異。趙汝愚，字子直，封沂國公，謚忠定。《宋史》卷三百九十二、〈列傳〉第一百五十一有傳。其〈傳〉謂汝愚「以集英殿修撰帥福建，陛辭，言國事之大者四，其一謂：『吳氏四世專蜀兵，非國家之利，請及今以漸抑之。』進直學士，制置四川兼知成都府。」是此書乃汝愚制置四川兼知成都時撰。其〈傳〉又謂汝愚「所著詩文十五卷、《太祖實錄舉要》若干卷，類《宋朝諸臣奏議》三百卷」。所言《宋朝諸臣奏議》，即此書，惟卷數不同，或《宋史》誤也。《文獻通考》卷二百四十九、〈經籍志〉七十六、〈集文史〉著錄此條下引汝愚〈自序〉曰：「恭惟我宋藝祖開基，累聖嗣業，深仁厚澤，相傳一道。若夫崇建三館，增置諫員；許給舍以封還，責侍從以獻納；復唐轉對之制，設漢方正之科。凡以廣聰明，容受讜直，海涵天覆，日新月益，得人之盛，高掩前古。逮至王安石為相，務行新法，違眾自用，而患人之莫己從也。於是指老成為流俗，謂公論為浮言，屏棄忠良，一時殆盡。自是而後，諂諛之風盛，而朋黨之禍起矣。臣伏覩建隆以來諸臣章奏，考尋歲月，蓋最盛於慶歷、元祐之際，而漸弊於熙寧、紹聖之時。方其盛也，朝廷庶事，微有過差，則上自公卿、大夫，下及郡縣小吏，皆得盡言極諫，無所違忌。其議論不已，則至於舉國之士，咸出死力而爭之。當是時也，豈無不利於言者。謂其強聒取名，植黨於朝，期以搖動上心，然而聖君賢相率善遇而優容之，故其治效卓然，士以增氣。及其敝也，朝廷有大黜陟，大政令，至無一人敢議論者。縱或有之，其言委曲畏避，終無以感悟人主之意，而獻諛者遂以為內外安靜，若無一事可言者矣。殊不知禍亂之機，發於所伏，今尚忍言哉！臣仰惟陛下嘗命館閣儒臣編類《國朝文鑑》，奏疏百五十六篇，猶病其太畧。茲不以臣既愚且陋，復許之盡獻其言萬幾餘閒，特賜紬繹，推觀慶歷、元祐諸臣，其詞直，其計從，而見效如此；熙寧、紹聖諸臣，其言切，其人放逐，而致禍如彼。然則國家之治亂，言路之通塞，蓋可以鑒矣。」可知此書撰作之旨。

續百家詩選二十卷

《續百家詩選》二十卷，三衢鄭景龍伯允集，以續曾慥前《選》。凡慥所遺及在慥後者皆取之。然其率略尤甚。

廣棪案：此書及其撰人均無可考。

江湖集九卷

《江湖集》九卷，臨安書坊所刻本。取中興以來江湖之士以詩馳譽者。而方惟深子通承平人物，晁公武子止嘗為從官，乃亦在其中。其餘亦未免玉石蘭艾，混淆雜遝。然而士之不能自暴白於世者，或賴此以有傳。廣棪案：《文獻通考》「有傳」作「有□」，闕一字。**書坊巧為射利，未可以責備也。**

廣棪案：此書已佚，不可考。方惟深，《宋史》無傳。程俱《北山集》卷三十三、〈墓誌〉四有〈莆陽方子通墓誌銘〉，記其生平、學行甚詳。其文曰：「宣和四年正月庚辰，興化方公卒吳下，享年八十有三，以三月乙亥葬于長洲武丘鄉、汝墳湖西先塋之南。其壻奉議郎親賢宅講書朱發請銘于史官尚書禮部員外郎程某，某以不佞，辭不獲，則叙而爲之銘。公諱惟深，字子通，世爲莆陽人。考諱龜年，終尚書屯田員外郎，葬吳，因留家不去。公生挺特，幼爲人見稱鄉長者；長則端敏涵養滋大，鄉貢爲第一。試禮部不第，即棄去。吳下有田一廛，公與其弟躬出入耕獲，凡衣食之具，一毫必自己力。間則讀書，非苟誦其言而已也。至于黃帝、老莊之書，養生爲壽者之說，其戶庭堂奧、根源派別，無不知。其所操之要，則曰『無爲』而已。于四方別傳得其大指，不數爲人劇談。平居視之，猶欺魄木雞也。及其論議古今，道理窮覈至到，確然莫能移。然常以雅道自娛，一篇出，人傳誦以熟。舒王以知制誥臥鍾山，得其詩，以謂精詣警絕，元、白、皮、陸有不到處。方元豐、元祐間，公賢益聞，以韋布之士閉關陋巷，躬行不言，而孝友清介之風，隱然稱東南。時朱先生長文隱樂圃，二人皆以學術爲鄉先生。士之往來吳下者，至必禮于其廬。朱公晚起爲太學博士，卒三館。公後死三十年，然世終莫得而挽也。元符初，孫集賢傑以郎官使淮浙，風采震慴州郡，入境遣從事問訊，且邀見，公辭焉。孫公至蘇，即日造公門，歸薦諸朝，雖知公之不可以吏也，以謂善人，國之紀，人之望也，庶幾旌善人以風士類乎？輒報聞，罷。崇寧中，詔舉遺逸，蒲輪走四方，一浙特起無慮郡。吳以公應詔，人以爲處士之榮也。復報聞，罷。時宰相皆公故人，豈意其不可以起也，弗強焉。崇寧某年，有司舉貢籍，以年格應補軍州助教者，就賜勑牒袍笏于其家。公得興化軍助教，命且至，或嗰之曰：『是其志視軒裳珪組亡如也，何助教云，是必辭。』公曰：『君命也。』拜受唯謹。公長不踰中人，貌古骨強，目光如水。居親側，洞洞屬屬。兄弟，誾誾如也。

交際，色勃如也。足，躩如也。其歲時祭享，自滌除；水火之役，身先之，蓋至老不變。閭里慶吊，每先眾人。其酬應曲折，雖小夫孺子，如見所畏者。至于王公貴人，去就疏數，或見或不見，皆有辭，非苟然者。或曰：『公信無求于世矣，何自苦爲是拘拘者耶？』嗚呼！是所以爲方子已矣！夫以亢爲高，以隨爲通，以放爲達，以無忌憚爲果。其似而非，譬之蛙紫也。足以眩盲聾而不可以欺婁、曠。且仁與禮，君子所不可斯須離者也，而謂處士可以去之乎？公初年四十無子，其弟有子，以謂吾先人有後足矣！即屏居于外。平生深于詩，遇得意，欣然忘食。中年忽若有所不樂者，因絕筆不道。夫卓絕之事，可能而常因循于所易，心生之決有不顧，而不能忘懷于嗜習。余于此知公之剛果絕人矣！公預知死期，期至火亂，喪葬皆有治命云。集其詩文爲五卷。母趙氏，參知政事文安公安人之女，繼母王氏，封長壽縣君，宣州觀察使得一之孫。妻，建安吳氏。公之葬，合諸吳氏之壙。二女，長嫁郟傑而卒，季嫁樂圃先生之仲子發也。銘曰：『猗歟方公，行峻而禮恭。從人而志獨學，該而守約，吳越之瞻也。一介不以與人，非以爲儉；一介不以取諸人，非以爲廉也。蓋妄取害于義，妄與害于仁。造端于取與之微，而賢否之分不容髮。故君子于此若是其嚴也。古之人有眇六合以爲隘，捐一瓢以爲煩，是以遯世絕跡，窮苦其身而不悔。故獨善濟物，不可得而兼也。雖位三旗，馬千駟，吾知其不以煩濁易安恬也。之人所以懷寶不試，寧老死而伏巇巇也。』」晁公武，《宋史》亦無傳。《宋人傳記資料索引》載：「晁公武字子止，號昭德先生，鉅野人，公休弟。紹興二年進士，初爲四川總領財賦司幹辦公，乾道中以敷文閣直學士爲臨安府少尹，人以良吏稱之。有《昭德文集》、《郡齋讀書志》。」亦可知公武生平及著述。方、晁皆仕宦，非江湖人，其詩亦濫入此《集》中，故不免直齋「玉石蘭艾，混淆雜遝」之譏評矣。

回文類聚三卷

《回文類聚》三卷，桑世昌澤卿集。以〈璇璣圖〉為本初，而併及近世詩詞，廣棪案：《文獻通考》「併」作「並」。**且以至道御製冠於篇首。**

廣棪案：《宋史》卷二百九、〈志〉第一百六十二、〈藝文〉八、〈總集類〉著錄：「西湖寓隱《回文類聚》一卷。」所著錄撰人與卷數均不同，疑非一書。《四庫全書總目》卷一百八十七、〈集部〉四十、〈總集類〉著錄：「《回文類聚》四卷、《補遺》一卷，編修汪如藻家藏本。宋桑世昌編。世昌有《蘭亭考》、已著錄。考劉勰《文心雕龍》曰：『回文所興，則道原爲始。』梅庚註謂原當作慶，宋賀道慶也。蓋其時〈璇璣圖詩〉未出，故勰云然。世昌以蘇蕙時代在前，故用爲託始。且繪像於前卷首，以明刱造之功。其說良是。然《藝文類聚》載曹植〈鏡銘〉八字，回環讀之，無不成文，實在蘇蕙以前。乃不標以爲始，是亦稍疎。又蘇伯玉妻〈盤中詩〉，據《滄浪詩話》。自《玉臺新咏》以外，別無出典。舊本具在，不聞有〈圖〉。此書繪一圓圖，莫知所本。考原詩末句稱『當從中央周四角』，則實方盤而非圓盤。所圖殆亦妄也。唯是咏歌漸盛，工巧日增，詩家既開此一途，不可竟廢，錄而存之，亦足以資博洽。是書之末有世昌〈自跋〉，稱至道御製登載卷首。此本無之，殆傳寫佚脫歟？」可供參證。惟《四庫全書》本作四卷，亦與《解題》著錄不同。桑世昌，《宋史》無傳。《宋詩紀事》卷六十三「桑世昌」條載：「世昌字澤卿，淮海人。居天台，陸放翁諸甥。著《蘭亭博議》、《回文類集》、《莫庵詩集》。」其中所載，正有此書。

滁陽慶曆集十卷、後集十卷

《滁陽慶曆集》十卷、《後集》十卷，朝散郎滁人徐徽仲元集。斷自慶曆以來。曾肇子開紹聖中謫守，為之〈序〉。其《後集》則吳珏、館臣案：《宋史・藝文志》作「班」。廣棪案：《文獻通考》作「琝」。《宋史・藝文志》作「珏」。**張康朝、王言恭所續，**館臣案：《文獻通攷》「王言恭」作「王彥恭」。**宣和四年，唐恪欽叟序之。末及紹興，蓋又後人續入之爾。**

廣棪案：《宋史》卷二百九、〈志〉第一百六十二、〈藝文〉八、〈總集類〉著錄：「徐徽《滁陽慶曆集》十卷。」與《解題》同。同書同卷又著錄：「曾肇《滁陽慶曆前集》十卷、吳珏《滁陽慶曆後集》十卷。」是《宋志》誤以撰〈序〉之曾肇爲《慶曆集》之作者，故著錄複出也。徐徽，《宋史》無傳。《宋詩紀事》卷二十二「徐徽」條載：「徽字仲元，滁州人。嘉祐四年進士，歷官提舉利州，改常平，抗疏致仕。居獨山，號獨山翁，編《滁州慶曆集》。」曾肇，鞏弟。《宋史》卷三百一十九、〈列傳〉第七十八附〈曾鞏〉，其〈傳〉曰：「肇字子開，舉進士，調黃巖簿，用薦為鄭州教授，擢崇文校書、館閣校勘兼國子監直講、同知太常禮院。太常自秦以來，禮文殘缺，先儒各以臆說，無所稽據。肇在職，多所釐正。親祠皇地祇於北郊，蓋自肇發之，異論莫能奪其議。兄布以論市易事被責，亦奪肇主判。滯於館下，又多希旨窺伺者，眾皆危之，肇恬然無慍。」吳珏，《宋史》無傳，《莆陽文獻傳》卷二十二載：「吳珏字仲玉，興化縣人。淳熙十四年特科出身，為南海縣尉，以捕盜應格，改知龍巖縣，節浮費以益學廩養士。會有建議增諸邑轉輸者，珏力爭止之。調簽書寧國軍節度判官，通判漳州，未行而卒。」張康朝，《宋史》無傳，生平無可考。王彥恭，《宋史》無傳。《宋元學案補遺》卷八十、〈立齋家學．王先生彥恭〉條載：「王彥恭，立齋之姪也。立齋夜對梅花，示以詩云：『羈旅不自怡，坐閱芳歲晚。江湖有莫逆，梅花遠到眼。平生相慰藉，風期無近遠。今夕共短檠，與子興不淺。』又曰：『羈旅閱世紛，坐念百憂集。共子時劇談，滿懷冰雪潔。儀型誰有常，梅花靜玉立。何用對忘憂，歲寒偏有益。』《濂洛風雅》。」立齋即王侃也。唐恪，《宋史》卷三百五十二、〈列傳〉第一百一十一有傳。《宋人傳記資料索引》載：「唐恪（？～1127），字欽叟，錢塘人，一曰餘杭人。以蔭登第，累官戶部侍郎。徽宗時，京師暴水，至汴且溢，付恪治之，浹旬水平。靖康初，金兵入汴，為中書侍郎，金要割三鎮，恪從之，而止諸道勤王兵勿前，及金兵薄城，始悔之，遂罷相。次年，金人陷汴京，逼百官推戴張邦昌，恪既書名，仰藥死。」可知徐徽諸人之生平仕履。

吳興詩一卷

《吳興詩》一卷，熙寧中知湖州孫氏集，而不著名。以其時考之，孫覺莘老也。

廣棪案：《宋史》卷二百九、〈志〉第一百六十二、〈藝文〉八、〈總集類〉著錄：「孫氏《吳興詩》三卷，不知名。」所著錄之卷數不同，疑此書乃孫覺集。考孫覺字莘老，高郵人，《宋史》卷三百四十四、〈列傳〉第一百三有傳。其〈傳〉曰：「青苗法行，……覺奏條其妄。……安石覽之，怒，覺適以事詣中書，安石以語動之曰：『不意學士亦如此！』始有逐覺意。會曾公亮言畿縣散常平錢，有追呼抑配之擾，安石因請遣覺行視虛實。覺既受命，復奏疏辭行，且言：『如陳留一縣，前後曉示，情願請錢，卒無一人至者，故陳留不散一錢。以此見民實不願與官中相交。所有體量，望賜寢罷。」遂以覺爲反覆，出知廣德軍，徙湖州。松江隄沒，水爲民患。覺易以石，高丈餘，長百里，隄下化爲良田。」是覺於神宗熙寧中曾知湖州。《吳興詩》一卷當集於此時。

吳興分類詩集三十卷

《吳興分類詩集》三十卷，霅川倪祖義子由編。大抵以孫氏所集大略而增廣之，且併及近時諸公之作。廣棪案：《文獻通考》「併」作「並」。**然亦病於太詳。祖義，齊齋之子，**廣棪案：盧校本「齋」後加「思」字。**少聰俊，**廣棪案：《文獻通考》作「少俊該洽」，盧校本同。**仕未達，得年五十以死。**

廣棪案：此書已佚。倪祖義，倪思子。《宋史》無傳。《宋元學案補遺》卷四十、〈文節家學・倪先生祖義、倪先生祖常合傳〉載：「倪祖義、祖常，皆文節子。文節六子，而二先生最賢。《居易錄》。」可供參證。倪思，字正甫，號齊齋，諡文節。《宋史》卷三百九十八、〈列傳〉第一百五十七有傳。

會稽掇英集二十卷、續集四十五卷

《會稽掇英集》二十卷、《續集》四十五卷，熙寧中郡守孔延之、程師孟相繼纂集。其《續集》則嘉定中汪綱俾郡人丁燧為之。

廣棪案：《宋史》卷二百九、〈志〉第一百六十二、〈藝文〉八、〈總集類〉著錄：「孔延之《會稽掇英集》二十卷，程師孟《續會稽掇英集》二十卷。」所著錄與《解題》不同。《四庫全書總目》卷一百八十六、〈集部〉三十九、〈總集類〉一著錄：「《會稽掇英總集》二十卷，浙江鄭大節家藏本。宋孔延之編。前有〈自序〉，首題其官爲『尚書司封郎中，知越州軍州事，浙東兵馬鈐轄』。末署『熙寧壬子五月一日，越州清思堂』。案施宿《嘉泰會稽志》，延之於熙寧四年以度支郎官知越州，五年十一月召赴闕。壬子正當熙寧五年，其歲月與《會稽志》合。惟《志》稱延之爲度支郎官，而此作司封郎中。《集》中有沈立等〈和蓬萊閣詩〉，亦作《孔司封集》爲延之手訂，於官位不應有誤，知施宿所記爲譌也。延之以會稽山水人物，著美前世，而紀錄賦詠，多所散佚。因博加搜採，旁及碑版石刻，自漢迄宋，凡得銘、志、歌、詩等八百五篇。輯爲二十卷，各有類目。前十五卷爲詩。首曰〈州宅〉。次〈西園〉，次〈賀監〉，次〈山水〉，分蘭亭等八子目。次〈寺觀〉，分雲門寺等四子目，而以祠宇附之。次〈送別〉，次〈寄贈〉，次〈感興〉，次〈唱和〉。後五卷爲文。首曰〈史辭〉，次〈頌〉，次〈碑銘〉，次〈記〉，次〈序〉，次〈雜文〉。書中於作者皆標姓名，而獨稱王安石爲史館王相。蓋作此書時，王安石柄政之際，故有所避而不敢直書歟？所錄詩文，大都由搜嚴剔藪而得之，故多出名人集本之外，爲世所罕見。如大歷浙東唱和五十餘人，今錄唐詩者或不能舉其姓氏，實賴此以獲傳。其於〈唐〉、〈宋太守題名壁記〉，皆全錄原文，以資考證，裨益良多。其蒐訪之勤，可謂有功於文獻矣。其書世鮮流傳，藏弆家多未著錄。此本乃明山陰祁氏淡生堂舊鈔，在宋人總集之中最爲珍笈，其精博在《嚴陵》諸集上也。」可供參考。孔延之，《宋史》無傳。《宋史翼》卷一、〈列傳〉第一載：「孔延之字長源，新淦人。孔子四十六世孫，慶曆進士。……知越州，緝有《會稽掇英總集》二十卷。」程師孟，《宋史》卷三百三十一、〈列傳〉第九十有傳，載：「程師孟字公闢，吳人，進士甲科。累知南康軍、楚州，提點夔路刑獄。……復起知越州、青州，遂致仕，以光祿大夫卒，年七十八。」同書卷四百二十六、〈列傳〉第一百八十五、〈循吏〉所載同。汪綱，字仲舉，黟縣人。《宋史》卷四百八〈列傳〉第一百六十七有傳。丁燧，生平不可考。

潤州類集十卷

《潤州類集》十卷，監潤州倉曹曾旼彥和纂。始東漢，終南唐。

廣棪案：《宋史》卷二百九、〈志〉第一百六十二、〈藝文〉八、〈總集類〉著錄：「曾旼《潤州類集》十卷。」曾旼，《宋史》無傳。王梓材、馮雲濠輯《宋元學案補遺・別附》卷二、〈宋儒博考〉下「曾先生旼」條載：「曾旼字彥和，爲《書解》，朱文公、呂成公皆取之。《館閣書目》：『書講義博士曾肢等解。』蓋誤以『旼』爲『肢』。《困學紀聞》。」〈附錄〉：「朱子曰：『曾彥和說《書》精博，其解〈禹貢〉「夢潁」，吳才老甚取之。』」《宋詩紀事》卷二十五「曾旼」條載：「旼字彥和，龍溪人。熙寧六年進士，監潤州倉曹，嘗纂《潤州類集》。」可知旼兼擅《尚書》學。

京口詩集十卷，續二卷

《京口詩集》十卷、《續》二卷，鎮江教授熊克集開寶以來詩文。本二十卷，止刻其詩。續又得二卷，自南唐而上曾所遺者，補八十餘篇。

廣棪案：《宋史》卷二百九、〈志〉第一百六十二、〈藝文〉八、〈總集類〉著錄：「熊克《京口詩集》十卷。」而未著錄有《續》二卷。熊克，字子復，建寧建陽人。《宋史》卷四百四十五、〈列傳〉第二百四、〈文苑〉七有傳，惟未記其曾任鎮江教授，振孫當有所據也。

嘉禾詩集一卷

《嘉禾詩集》一卷，不知集者。

廣棪案：《宋史》卷二百九、〈志〉第一百六十二、〈藝文〉八、〈總集類〉著錄：「《嘉禾詩文》一卷，集者不知名。」疑即此書，《宋志》著錄「詩文」，或「詩集」之誤。

永嘉集三卷

《永嘉集》三卷，亦不知何人集。

廣棪案：《宋史》卷二百九、〈志〉第一百六十二、〈藝文〉八、〈總集類〉著錄：「黃仁榮《永嘉集》三卷。」同卷又著錄：「李知己《永嘉集》三卷。」是《解題》著錄此書，若非黃仁榮集，即爲李知己所集，直齋謂「不知何人集」，疑未加深考也。

天台集二卷、別編一卷、續集三卷

《天台集》二卷、《別編》一卷、《續集》三卷，

廣棪案：《宋史》卷二百九、〈志〉第一百六十二、〈藝文〉八、〈總集類〉著錄：「李庚《天台前集》三卷、《前集別編》一卷、《續集》三卷、《續集別編》六卷，林師蒧及子表民增修輯。」《解題》著錄有脫誤。《四庫全書總目》卷一百八十七、〈集部〉四十、〈總集類〉二者錄：「《天台前集》三卷、《前集別編》一卷、《續集》三卷、《續集別編》六卷，浙江范懋柱家天一閣藏本。案是集皆裒輯天台題咏。《前集》，宋李庚原本，林師蒧等增修，皆錄唐以

前詩，成於寧宗嘉定元年戊辰，有郡守宣城李兼〈序〉。《前集別編》一卷，則師蒧子表民所輯補。又附〈拾遺詩〉十二首，有陳耆卿〈跋〉及表民〈自記〉，題『癸未小至』，乃嘉定十六年。《續集》前二卷亦李庚原本，後一卷則師蒧、林登、李次謩等所彙錄，皆宋初迄宣、政間人之詩，亦成於嘉定元年。後附〈拾遺詩〉七首，〈跋〉稱『得此於會稽鬻書者十年，今刻之《續集》後。』似亦爲表民所題也。《續集別編》則表民以所得南渡後諸人之詩及《續集》內闕載者，次第裒次而成。前五卷末有表民〈自跋〉，題『戊申中秋』，乃理宗淳祐八年。後一卷末題『庚戌夏五』，則淳祐十年。蓋父子相繼甄輯，歷四十年而後成書也。庚字子長，其爵里無考。惟李兼〈序〉有『李桀出其先公御史所裒文集』語，又有『寓公李公』語，則嘗官御史而流寓天台者也。師蒧字詠道，臨海人。嘗官州學學諭。表民字逢吉，與林登、李次謩仕履均不可考。表民別有《赤城集》，詩文兼載。此《集》則有詩而無文。雖僅方隅之賦詠，而遺集淪亡者每藉此以幸存百一，足爲考古者採摭之所資，固當與《會稽掇英總集》諸書竝傳不廢矣。」足資參證。惟《四庫全書總目》所考，亦不無錯誤也。

初，李庚子長集本朝人詩為二卷，未行，太守李兼孟達得之；又得郡士林師蔵所輯前代之作，廣梭案：「蔵」應作「蒧」，即「點」字。**為賦二、詩二百，乃以本朝人詩為《續集》而併刻焉。**

案：李庚，《宋史》無傳。陳耆卿《赤城志》卷三十三、〈人物門〉二、〈本朝・仕進・進士科〉「紹興十五年劉章榜」條載：「李庚，臨海人，字子長，歷御史臺主簿、監察御史、兵部郎中，繼奉祠，提舉江東常平，知南劍、撫二州，後知袁州，未上卒。有《集》號《詅癡符》，樓參政鑰爲之〈序〉。」庚之任兵部郎中，周麟之《海陵集》卷十八、〈外制〉有〈李庚除兵部郎官〉，曰：「文昌列曹，雖受察於御史府。然郎官著位，實居六察之右。或自臺而升省，或由省以入臺，二者均謂之遷，惟才無所不可矣！爾器範清穎，士之譽髦，敏於事爲，果達而濟。頃以公薦，序於憲僚。既升三院之聯，彌聳一時之望。輟自峨豸，畀之握蘭，時方弭兵，戎政簡矣。若夫正邦之大法，立武之常經，職在司存，有不可廢。昔之所察，今之所爲。委任不殊，往其懋勉。可。」是《四庫全書總目》謂庚「爵里無考」，所言未諦。李兼，《宋史》亦無傳。《宋元學案補遺》卷三十五「知州李先生兼」條云：「李兼字□□，宣城人，朝請宏之孫。謹厚好學，從韓子雲游，嘗官迪功郎，進監縣丞。《南澗甲乙稿》。」《宋人傳記資料索引》所載〈李兼〉小傳亦云：「李兼字孟達，號雪巖，宣城人，宏孫。歷知台州，居官有守。開禧四年卒，吏民爲之巷哭罷市。有《雪巖集》。」是兼曾知台州，故《解題》稱太守。兼此書有〈序〉，曰：「州爲一集，在昔有之。近歲東南郡皆有集，凡域內文什，彙次悉備；非特夸好事、資博聞也，於其山川土宇、民風士習，互可考見。然則州集，其地志之遺乎？天台以山名州，自孫興公〈賦〉行江左，迨今千禩，大篇舂容，短章寂寥，未聞省錄之者。予來經年，思會稡爲一編書，顧無其暇。方延諸儒議修圖牒，謂茲尤所先急。一日，州士李棨昆仲出其先公御史所裒文集四帙以爲貺；已而州學諭林師箴又示唐、宋詩三百餘篇；於是摭取前代之作，刪重補佚，而補其未備。爲賦三，詩、歌行合二百，梓而刻之，自餘《續集》傳焉。嗚呼！亦可以爲富矣。不出戶庭而盡睹海山之勝，不費探討而坐獲巾笥之藏，天下之事成於有志，其理固然，未有若是之捷且速也。圖牒雖未亟就，觀此《集》，斯過半矣。嘉定改元重五後一日，宣城李兼序。」兼〈序〉正可與《解題》相參證。林師蒧，《宋史》亦無傳。陳耆卿撰〈竹邨居士林君墓碑〉，曰：「君名師點，字詠道，其先曲阜人。五世祖廣之，卒天台縣稅官，依郡城以處。彬，曾祖也，沿江制司差使。斅，祖也，修職郎。信，父也。君孝友，孚達廣學而苦成。少所從多有道師儒，未遇卿相。跨郡所接識，多海內名勝；居家所振贍，多境外旅窮。好客如饑，耽士如醉；而尤嗜書傳，抉奇斸眇，近購遠求。家已卷數千，猶典衣，鈔傳恐晚。丹鉛勘點，蠅頭蟄然。至遇古帖秘文、斷刻墜簡，不啻虞簫振耳、商彝奪目。積之久，亦餘千卷焉。篆隸尤留心，以張謙中、虞仲房爲法。虞號君嫡，授簡俾代己書，每篇榜熒熒，必君也。夫士剽盜漁獵，以聚書爲贅疣，弗之好矣；或心好而力不能聚，諉曰窮。至字書不待達以工，而聽其委落，曰淺事，淺事拙何病？然則鄴侯永逝，而陽冰輩眞不起矣！如君聚人所難聚，而工人所不工，非愛古博雅能然哉！金夫人行實媲君，空嫁奩助之奉親，餘則以觴客。姑久疾，舅幾喪明，親煮藥饍食以供，不解衣三載。舅姑曰：『活我無以報，願汝生好兒長壽爾。』表民自幼即鄉學，受父母督程，其愛古博雅信好兒，而所儲書益富，獨貲用窘，書又以水多散亡併失，當寥寥也。故君死以甲戌七月十八日，金夫人死以戊子二月十七日，至乙未臘月八日始克合於浮岡祖壟之側，蓋君七十五，金又加五焉。其長壽，信夫！孫曰錫疇。銘曰：吾觀近世藏書之家多燬於火，而君復圮於水也。或曰：至寶難久聚，有是哉！雖然，其外可圮也，其中不可滓也。」可知師蒧之生平及先世。

《別編》則師蒧之子表民所補也。廣棪案：「師蒧」應作「師蒧」。

案：表民，《宋史》無傳。《宋元學案補遺》卷五十五有「林先生表民父詠道」條，云：「林表民，字逢吉，台州人。父詠道，好古博雅，儲書甚富。先生承其家學，而與陳篔窗耆卿、吳荆谿子良游。嘗同篔窗修《赤城志》，又自修《續志》三卷，輯《赤城集》二十八卷。《台州府志》。」《宋人傳記資料索引》亦有表民小傳，曰：「林表民，字逢吉，號玉溪，台州臨海人，師箴子。博物洽聞，著有《赤城續志》、《三志》、《赤城集》、《玉溪吟草》。」可知其生平。表民爲《別編》，陳耆卿作〈跋〉曰：「《天台集》，林君師點編也。先是李侯刊之郡齋，今其子表民又會稡得百篇，搜奧抉奇，殆無遺恨，可謂能廣父志者。會齊侯好古如李，乃續刊焉。今而後遂成完書矣。陳耆卿題。」〈跋〉中所言「李侯」即李兼，而「齊侯」，指齊碩也。據陳耆卿《赤城志》卷九、〈秩官門〉二〈本朝郡守〉條載碩以「嘉定十六年九月二十四日除本路提舉，常平茶鹽」。此書表民亦有〈記〉，曰：「《天台集》，舊所刊本頗多舛訛，或者妄有增入，予甚病之。因再輯晉、唐以來詩爲《別編》，郡守齊公喜而鋟諸木，遂釐正舊集闕誤四十有五處，及削去沈約〈沈道士館玉館〉、〈樟林〉、皮日休〈天竺桂子〉三詩，以李巨仁〈登天台山〉、李端〈贈衡岳禪師〉、皮日休〈夏日即事〉三詩補入。刊既訖，又得二詩，姑附載於此。嘉定癸亥小至日。」嘉定癸亥，乃爲嘉定十六年（1223）。

括蒼集三卷、後集五卷、別集四卷、續一卷

《括蒼集》三卷、《後集》五卷、《別集》四卷、《續》一卷，郡人吳飛英、陳百朋相繼纂輯。

廣棪案：《宋史》卷二百九、〈志〉第一百六十二、〈藝文〉八、〈總集類〉著錄：「詹淵《括蒼集》三卷、陳百朋《續括蒼集》五卷、柳大雅《括蒼別集》四卷。」所著錄與《解題》有所異同。吳飛英，《宋史》無傳。《盤洲文集》卷第十九、〈外制〉一、〈吳飛英太學博士制〉載：「愛其子，擇師教之。國家爲多士選模範，烏可忽也。爾頃遊膠庠，名出同輩。推其所得，

不倦於誨人，則有速肖之效矣。」陳騤《南宋館閣錄》卷七、〈官聯〉上「秘書郎」載：「淳熙以後七人：吳飛英，字德華，括蒼人。王十朋榜進士及第，治詩賦。元年十二月除秘書郎，二年二月爲將作少監。」可知其籍貫及仕履。陳百朋，《宋史》無傳，生平不可考。詹淵，《宋史》無傳。《宋元學案》卷六十九、〈滄洲諸儒學案〉上「輅院詹景憲先生淵」條載：「詹淵，字景憲，崇安人。調清江戶曹掾。江西俗尚囂訟，有數年不決者，先生一閱之，皆得其情。于是環十一府之民，有求質于有司者，皆請屬先生，曰：『寧爲戶曹非，不願他官直。』官至差監車輅院。梓材謹案：真西山為先生〈墓誌〉云：『景憲少時，奮然以學自力。既壯，從朱文公遊，得修己治人之大致。』」《宋元學案補遺》卷六十九、〈滄洲諸儒學案補遺〉上「補輅院詹景憲先生淵」條載：「雲濠謹案：先生慶元五年擢第。〈附錄〉：『嘗以博學宏詞試于春官，既中選，而以嫌黜，遂棄去不復爲。獨取河洛數君子與文公之書以授子曰：「此爲學之本也。」』」柳大雅，《宋史》無傳。《宋會要輯稿》第一百一冊、〈職官〉七二載：「（淳熙元年）六月十三日，大理司直柳大雅放罷，坐求媚大官，夤緣干進，故黜之。」又載：「（淳熙十年六月）二十五日，大宗正丞兼權倉部官柳大雅、太府寺丞兼權刑部郎官吳昭夫，並與在外，合入差遣。以言者論大雅闒茸貪鄙，因緣干進；昭夫傾回儇薄，結納權貴。故有是命。」同書第一百八十一冊、〈兵〉十九載：「（淳熙）十六年正月二十日，詔彭椿年、柳大雅各減一年磨勘。樞密院進呈處州解發到將兵拍試，並合格兵官，量與減磨勘。上曰：『兵官既已推賞，守臣亦不可不賞。』故有是命。」可知吳、陳、詹、柳四人生平概況。

釣臺新集六卷、續集十卷

《釣臺新集》六卷、《續集》十卷，郡人王蕢集。續者郡守謝德輿子上也。

廣棪案：此書不可考。王蕢，《宋史》無傳。《宋人傳記資料索引》載：「王蕢，政和元年知洪州，二年加顯謨閣待制，改知成德軍，三年徙知青州。」謝德輿，《宋史》無傳。《宋會要輯稿》第一百八十二冊、〈兵〉二十載：「（開禧三年五月）九日，詔從政郎、和州歷陽縣令謝德輿特改次等，合入官。以權發遣和州周虎言其自受闈閉之日，應辦大軍糧食，日逐帶甲上城，同為守禦故也。」可知二人宦履。

長樂集十四卷

《長樂集》十四卷，福建提刑吳興俞向集。館臣案：《文獻通攷》作「俞尚」。廣棪案：盧校注：「《通攷》誤。」**宣和三年序。**

廣棪案：《宋史》卷二百九、〈志〉第一百六十二、〈藝文〉八、〈總集類〉著錄：「俞向《長樂集》十四卷。」與此同。俞向，《宋史》無傳。《京口耆舊傳》卷二「俞康直」條載：「康直父遷居時，其從祖獻卿尚家黟縣，至其子希旦，亦徙丹徒。希旦以朝議大夫知澶州，卒于官，歸葬丹徒崇德鄉金鼎山。子向，終朝請大夫、秘閣修撰、提點福建路刑獄。」可知俞向宦歷。

清漳集三十卷

《清漳集》三十卷，通判漳州趙不敵編。

廣棪案：《宋史》卷二百九、〈志〉第一百六十二、〈藝文〉八、〈總集類〉著錄：「趙不敵《清漳集》三十卷。」與此同。趙不敵，《宋史》無傳。《宋會要輯稿》第五十四冊、〈崇儒〉一載：「（淳熙）三年九月二日，知南外宗正司趙不敵言：『乞依西外宗司公使庫歲給錢數，每次降給，不理選限。將仕郎綾紙二道下泉州，轉變見錢三千貫。文省付本司，充三歲公使，仍自今年為始。』從之。」同書第九十六冊、〈職官〉六二載：「（淳熙）三年正月六日，詔知西外宗正事不敵除直秘閣。以不敵操守廉正，糾率有方，故有是命。」同書第一百四十六冊、〈食貨〉五一載：「乾道四年六月二十一日，度支郎中趙不敵言：『度支所掌在於支度軍國之用，而會其出入。及其經費之數，臣嘗計方今一歲內外支用之數大槩五千五百萬緡有奇。又以一歲所入計之，若使諸路供應以時，別無蠲減拖久，務場入納無虧，則足以支一歲之用不闕。然賦用之窠名猥多，而分隸於戶部之五司，如僧道免丁，常平免役，坊場酒課之類，則左右曹掌之。如上供折帛，經總無額，茶鹽香礬之類，則金部掌之。度支則督月樁，倉部則專糴本，催理雖散於五司，悉經於度支稽之。古人量入為出之義，則度支一司安可以不周知其所入之數也哉！臣昨庀職之初，見其凡遇科降移用之際，一切臨時批會於五司，據憑其數，即以施行。或以吏緣為姦，或有批報隱漏，迫於倉卒，考實無由。小則有悞於支遣，大則失陷於財賦。臣因置為都籍，會計窠名，總為揭貼，事事雖方行。籍書草具，而條具詳備，固已粲然易考。欲望付之本曹，自茲爲始，歲一易之，庶幾有司得以久遠遵行，不唯財賦易以稽考，抑使胥吏無所容其姦。』從之。」是不敵除任漳州通判外，孝宗乾道、淳熙間，又嘗任度支郎中、南外宗正司、西外宗正司，且直秘閣也。

揚州詩集二卷

《揚州詩集》二卷，教授馬希孟編。元豐四年秦觀作〈序〉。

廣棪案：《宋史》卷二百九、〈志〉第一百六十二、〈藝文〉八、〈總集類〉著錄：「馬希孟《楊州集》三卷。」《宋志》作「楊州」，誤。《文獻通考》卷二百四十九、〈經籍考〉七十六、〈集總集〉著錄此條，下引秦少游〈序〉，畧曰：「鮮于公領州事之二年，命教授馬君採諸家之集而次之；又搜訪於境內簡編碑板亡缺之餘，凡得古律詩洎箴、賦合二百二篇，爲三卷，號《揚州集》。按〈禹貢〉，淮海惟揚州，則江湖之間盡其地。自漢以來，既置刺史於是，稱揚州者，往往指其刺史所治而已。漢以來刺史無常治，或歷陽、壽春、曲阿、合肥、建業，而江左復以會稽爲東揚州。自隋以後始治廣陵。此《集》之作，自魏文帝詩而下，在當時雖非揚州，而實今之廣陵者，皆取之。其非廣陵，而當時爲揚州者，皆不復取云。」可知此《集》內容梗概。惟秦〈序〉作三卷，《解題》作二卷，未知孰是。馬希孟，《宋史》無傳。《宋元學案》卷九十八、〈荊公新學略〉「爲新學者‧進士馬先生希孟」條載：「馬希孟，雲濠案：一作晞孟。字彥醇，廬陵人。熙寧癸丑登第。著有《禮記解》七十卷。陳振孫曰：『亦宗王氏者。』《宋元學案補遺》卷九十八、〈荊公新學略補遺〉「從新學者‧補進士馬先生希孟」條載：「梓材謹案：秦少游序《揚州集》云：『大夫鮮于公領州事之二年，始命教授馬君希孟採諸家之集而次之。』則先生嘗官教授。」足資參證。

宣城集三卷

《宣城集》三卷，知宣州安平劉涇。元符三年序。

廣棪案：《宋史》卷二百九、〈志〉第一百六十二、〈藝文〉八、〈總集類〉著錄：「劉理《宣城集》三卷。」所著錄撰人與《解題》不同，未知孰是。考劉涇，宋代同姓名者二人。其一見《宋史》卷四百四十三、〈列傳〉第二百二、〈文苑〉五載：「劉涇字巨濟，簡州陽安人。舉進士，王安石薦其才，召見，除經義所檢討。久之，爲太學博士，罷，知咸陽縣，常州教授，通判莫州、成都府，除國子監丞，知處、虢、眞、坊四州。元符末上書，召對，除職方郎中。卒，年五十八。涇爲文務奇怪語，好進取，多爲人排斥，屢躓不伸。」另一《宋史》無傳。惟周紫芝《太倉稊米集》卷五十一、〈劉氏家訓序〉載：「劉涇，宣城涇邑人。累官御史，神宗朝爲諫官，常以十事言丞相王安石，甚切直，聞其名者爲之凜然。」是神宗朝同時有二劉涇，一附安石，一反安石。劉珵，《宋史》無傳。《宋詩紀事》卷三十四「劉珵」條載：「珵字純父。元祐癸酉守明州，疏月湖積土爲十洲，隨景命名，與舒亶倡和。又嘗以戶部郎中守蘇州。」可知其宦歷。此書〈序〉未見。

南州集十卷

《南州集》十卷，太平州教授林桷子長集。

廣棪案：《宋史》卷二百九、〈志〉第一百六十二、〈藝文〉八、〈總集類〉著錄：「楊倓《南州集》十卷。」所著錄撰人與《解題》不同。林桷，《宋史》無傳。梁克家《淳熙三山志》卷二十八、〈人物類〉三、〈科名〉載：「(紹興) 二十一年辛未趙逵榜：林桷，字景安，長溪人，終迪功郎。」《宋詩紀事》卷五十「林桷」條載：「桷字子長，一字景安，長溪人。紹興二十一年進士。秦熺之壻，官右司郎中，有《横堂小集》。」又《宋人傳記資料索引》載：「林桷字景實，長溪人，秦熺之壻。紹興二十一年進士，官右司郎中。有《横堂小集》十卷，《南州集》十卷，《姑熟志》五卷。」是桷有集名《南州集》。而楊倓，《宋史》卷三百六十七附〈楊存中〉，載：「子偰，工部侍郎；倓，簽書樞密院事、昭慶軍節度使。」《宋人傳記資料索引》載：「楊倓（？～1181），字子靖，代州崞縣人，存中子。中進士第，歷都官郎中，乾道元年出知荆南府，移隆興。淳熙元年除簽書樞密院事，再出知荆南府，調江陵，右正言葛邲論其罪，提舉玉隆萬壽觀。八年卒，贈太尉。」均未記有《南州集》事，疑《宋志》誤。

南紀集五卷、後集三卷

《南紀集》五卷、《後集》三卷，知漢陽軍于霆、廣棪案：《文獻通考》作「千霆」，誤。**教授施士衡編。其《後集》則教授鞏豐也。**

廣棪案：《宋史》卷二百九、〈志〉第一百六十二、〈藝文〉八、〈總集類〉著錄：「于霆《南紀集》五卷。」惟《後集》三卷則未見著錄，而另著錄：「湯邦傑《南紀別集》一卷。」考于霆，《宋史》無傳，生平無可考。施士衡，《宋史》無傳，《宋詩紀事》卷五十七「施士衡」條載：「士衡，字德求，湖州人。嘗爲宣州簽幕，有《同庵集》。」鞏豐，《宋史翼》卷二十八、〈列傳〉第二十八、〈文苑〉三有傳，載：「鞏豐字仲至，號栗齋，上世自鄆州須城縣渡江，即所寓土斷爲婺之武義人。以太學上舍對策高第，登淳熙甲辰進士，教授漢陽軍。次授江東提刑司幹辦公事。母喪免。又授幹辦福建帥司公事，以格知臨安縣政。尙寬簡，吏民信化，刑罰衰息。久之，提轄左藏庫，奉祠卒。豐學敏而早成，自童丱時，前輩源緒古今音節事之。因革總統，如注水千仭之壑，迎前隨後，宿叟駭服。嘗從朱子問學，聲實著甚。其文以理屈人，片詞半牘，皆清朗得言外趣。尤工於詩，多至三千餘首，有《東平集》二十七卷，又有《耳目志》若干卷。《敬鄉錄》。」是鞏曾教授漢陽軍，此書《後集》當其時所編。

相江集三卷

《相江集》三卷，館臣案：《文獻通攷》作「湘江」。　廣棪案：盧校本作「楨江」。校注曰：「館本『湘江』是。」**不知何人集。「相江」者，**廣棪案：《文獻通考》作「湘江」。**韶州曲江別名。**

廣棪案：《宋史》卷二百九、〈志〉第一百六十二、〈藝文〉八、〈總集類〉著錄：「《相江集》十卷，集者並不知名。」所著錄卷數與《解題》不同。曲江，即曲江縣。臧勵龢等編《中國古今地名大辭典》載：「曲江縣，漢置，故城在今廣東曲江縣西，五代梁移治中洲，即今治。明清皆爲廣東韶州府治，清設南韶鎭總兵駐此，民國初爲廣東嶺南道治。唐張九齡爲曲江人，稱爲曲江公。按曲江之名。《水經注》曰：『縣昔號曲紅。曲紅，山名也，東連岡是矣。』然《兩漢志》皆作曲江。〈漢桂陽太守周府君碑〉，其碑陰曲江字皆作曲紅，而蒼江、江夏字亦作紅。曾鞏《南豐集》謂江、紅字古通用。《隸釋》云：『曲江之爲曲紅。音同之故。』又《元和志》云：『江流迴曲，故名曲江。』說謂湞、武二水抱城迴曲，因名。地爲省北門戶，東北入江西，西北入湖南，必道此。粵漢鐵路經之。」可供參考。惟辭典未言及相江乃曲江之別名，或亦有所疏漏也。

艮嶽集一卷

《艮嶽集》一卷，不知集者。其首則御製《記》文也。

廣棪案：此書已佚。《宋史》卷二百三、〈志〉第一百五十六、〈藝文〉二、〈傳記類〉著錄：「徽宗《宣和殿記》一卷，又《嵩山崇福記》一卷、《太清樓特宴記》一卷、《筠莊縱鶴宣和閣記》一卷、《宴延福宮承平殿記》一卷、《明堂記》一卷、《艮嶽記》一卷。」《解題》謂：「其首則御製《記》文也。」即指徽宗所撰《艮嶽記》。

桃花源集三卷，又二卷

《桃花源集》二卷、又二卷，紹聖丙子四明田孶序。淳熙庚子縣令趙彥琇重編，合為一卷。下卷則淳熙以後所續。

廣棪案：《宋史》卷二百九、〈志〉第一百六十二、〈藝文〉八、〈總集類〉著錄：「道士龔元正《桃花源集》二卷。」此或即《解題》著錄「又二卷」之《桃花源集》。紹聖丙子，乃宋哲宗紹聖三年（1096）。惟《四庫全書總目》卷一百九十一、〈集部〉四十四、〈總集類存目〉一著錄：「《桃花源集》一卷，《永樂大典本》。宋姚孶編。孶，四明人。元祐辛未，補武陵令。因道士龔元正所輯古石刻文及諸家題詠輯爲是編。前有〈自序〉，稱『沅水去牂柯西，流貫武陵，東會洞庭，而桃源枕其涯，異人逸士多寓焉。故錄嘉祐以前諸公詩文，綴爲一卷』云。」其編者作姚孶，而卷作一卷，與《解題》異。考田孶，宋代無其人。姚孶，《宋元學案》卷六、〈士劉諸儒學案〉「鄞江門人．知州姚先生孶」條載：「姚孶，字舜徒，以字行，慈溪人。幼開爽穎悟，學如夙植。熙寧九年進士，爲桃源宰，訊民疾苦而振雪之。郡將怙威淩僚吏，屬邑患苦，先生毅然爭論，郡將爲之少戢。鄰郡有訴不平，必丐于部使者，願付先生決之。捐貲修孔子廟，督課諸士，翕然向方。鄉有虎，先生以文禱諸社，越三日，虎仆祠旁。奏績爲天下第一，除提舉成都府路常平等事。陛辭，神宗諭以『卿任桃源，有愛民之心』。先生退謁丞相，論蜀道利疚，乞以義倉之儲，置吏立法，收養鰥寡老幼，死給衣裳，官爲殮葬；歲薦饑，間有遺兒，請顧嫗乳之。丞相爲奏行焉。丁艱未赴。服除，改湖南，神宗復諭以『居養安，濟漏澤，爲朕施實德于民。卿向有言，故復命卿』。後由江東副曹除直龍圖閣、知夔州，興學勸農，有古循吏風。卒之日，夔民罷市聚哭。訃聞桃源，民乃即先生祠，爭出貲薦奠焉。參《寧波府志》。」是編《桃花源集》並撰〈序〉者乃姚孳，非田孳，《解題》誤也。趙彥琇，生平無可考。

庾樓紀述三卷、琵琶亭詩一卷

《庚樓紀述》三卷、《琵琶亭詩》一卷，廣棪案：盧校本無「一卷」二字。不知集者。

廣棪案：二書均不可考。

東陽記詠四卷

《東陽記詠》四卷，亦不知集者。

廣棪案：此書不可考。《解題》卷八、〈地理類〉，《宋史》卷二百四、〈志〉第一百五十七、〈藝文〉三、〈地理類〉均著錄：「洪遵《東陽志》十卷。」未知此書與洪遵關係若何？

盤洲編二卷

《盤洲編》二卷，洪丞相适兄弟子姪所賦園池詩也。

廣棪案：此書已佚。洪适，《宋史》卷三百七十三、〈列傳〉第一百三十二附其父〈洪皓〉。其〈傳〉曰：「适字景伯，皓長子也。……紹興十二年，與弟遵同中博學宏詞科。……後三年，弟邁亦中是選，由是三洪文名滿天下。……适以文學聞望，遭時遇主，自兩制一月入政府，又四閱月居相位，又三月罷政，然無大建明以究其學，家居十有六年，兄弟鼎立，子孫森然，以著述吟詠自樂，近世備福鮮有及之。」疑此書乃适家居時所編也。

瓊野錄一卷

《瓊野錄》一卷，學士洪邁園池記述題詠。其曰「瓊野」者，從維揚得瓊花，植之而生，遂以名圃。

廣棪案：《宋史》卷二百八、〈志〉第一百六十一、〈藝文〉七、〈別集類〉著錄：「洪邁《野處猥藁》一百四卷，又《瓊野錄》三卷。」所著錄此書卷數與《解題》不同。洪邁，《宋史》卷三百七十三、〈列傳〉第一百三十二附〈洪皓〉。其〈傳〉曰：「邁字景盧，皓季子也。……邁兄弟皆以文章取盛名，躋貴顯，邁尤以博洽受知孝宗，謂其文備眾體。邁考閱典故，漁獵經史，極鬼神事物之變，手書《資治通鑑》凡三。有《容齋五筆》、《夷堅志》行於世，其他著述尤多。」而未著錄此書，而《宋志》所載，正可補〈傳〉之闕也。

清暉閣詩一卷

《清暉閣詩》一卷，史正志創閣於金陵，僚屬皆賦詩。

廣棪案：《宋史》卷二百九、〈志〉第一百六十二、〈藝文〉八、〈總集類〉著錄：「史正心《清暉閣詩》一卷。」《宋志》撰人姓名作「史正心」，誤。正志，《宋史》無傳。《宋詩紀事》卷五十「史正志」條載：「正志字志道，江都人。紹興二十一年進士，累除司農丞。孝宗朝，仕至右文殿修撰，知靖江府。歸老姑蘇，號吳門老圃。」可知其宦歷。

會稽紀詠六卷

《會稽紀詠》六卷，汪綱仲舉帥越，多所修創。

廣棪案：汪綱字仲舉，黟縣人，簽書樞密院勃之曾孫。《宋史》卷四百八、〈列傳〉第一百六十七有傳，並載其帥越修創事甚詳，曰：「進直煥章閣、知紹興府、主管浙東安撫司公事兼提點刑獄。訪民瘼，罷行尤切。蕭山有古運河，西通錢塘，東達台、明，沙漲三十餘里，舟行則膠。乃開浚八千餘丈，復創牐江口，使泥淤弗得入，河水不得洩，於涂則盡甃以達城闉。十里創一廬，名曰『施水』，主以道流。於是舟車水陸，不問晝夜暑寒，意行利涉，歡訢忘勩。屬邑諸縣瀕海，而諸暨十六鄉瀕湖，蕩濼灌溉之利甚博，勢家巨室率私植埂岸，圍以成田，湖流既束，水不得去，雨稍多則溢入邑居，田閭寖蕩。瀕海藉塘爲固，隄岸易圮，鹹鹵害稼，歲損動數十萬畝，蠲租亦萬計。以綱言，詔提舉常平司發田園，奇援巧請，一切峻卻，而湖田始復；郡備緡錢三萬專備修築，而海田始固。綱謂：『是邦控臨海道，密拱都畿，而軍籍單弱。』乃招水軍，刺叉手，教習甚專，不令他役。創營千餘間，寬整堅密，增置甲兵，威聲赫然。兼權司農卿，尋直龍圖閣，因任。」所記可與《解題》相參證。

嚴陵洪璞每事為一絕，廣棪案：《文獻通考》「洪璞」作「洪渼」。**賡者四人，曰張浸、**廣棪案：盧校本「張浸」改「張淏」。校注曰：「張淏清源居越，故作《會稽續志》，此殆即其人也。」**王栐、程震龍、馮大章。又有諸葛興為古詩二十篇。**

案：此書所收者爲洪、張、王、程、馮、諸葛六人紀詠之詩。洪璞或洪渼，均無可考。張浸，明鄭柏《金華賢達傳》卷六、〈政事．宋張翊傳〉載：「張浸字清源，號雲谷，慶元二年預鄉試選，尋用蔭補官。後銓試吏部，累官主管尚書吏部架閣文字，積階奉議郎，守大社令致仕。」張淏，《宋人傳記資料索引》載：「張淏字清源，號雲谷，武義人。慶元二年預鄉試選，尋用蔭補官。累官主管吏部架閣文字，積階奉議郎，守太社令致上。撰有《寶慶會稽續志》、《艮獄記》、《雲谷雜記》。」蓋張浸與張淏爲同一人，二字形近，應作張浸爲是。王栐，字叔永，撰《燕翼詒謀錄》，振孫妹壻，《宋史》無傳。拙著《陳振孫之生平及其著述研究》、第四章〈陳振孫之戚友與交游〉、第一節〈陳振孫之親戚〉考之頗詳。讀此條，知栐亦能詩。程震龍、馮大章，生平無可考。諸葛興，《宋詩紀事》卷六十一「諸葛興」條載：「興字仁叟，會稽人。嘉定元年進士，爲彭澤、奉化兩丞。嘗作《會稽九頌》，有《梅軒集》。」《解題》謂「諸葛興爲古詩二十篇」，或采自《會稽九頌》也。

蕭秋詩集一卷

《蕭秋詩集》一卷，玉山徐文卿斯遠作〈蕭秋詩〉，四言九章、章四句，趙蕃昌甫而下，和者十三人，紹熙辛亥也，趙汝談履常亦與焉。後三十三年，嘉定癸未，乃序而刻之。文卿晚第進士，未授官而死，廣棪案：《文獻通考》「未授」作「未注」，盧校本同。**有詩見《江湖集》。**

廣棪案：此書不可考。徐文卿，《宋史》無傳。《宋詩紀事》卷六十一「徐文卿」條載：「文卿字斯遠，號樟丘，玉山人。嘉定四年進士，與趙昌父、韓仲止齊名，有《蕭秋詩集》。」其後又引葉水心〈序〉云：「斯遠淹玩眾作，淩暴偃蹇，情瘦而意潤，貌枯而神澤，方于西江宗派，斯又過之。」足供參考。趙蕃，《宋史》卷四百四十五、〈列傳〉第二百四、〈文苑〉七附〈張即之〉。其〈傳〉曰：「趙蕃字昌父，其先鄭州人。建炎初，大父暘以秘書少監出提點坑冶，寓信州之玉山。蕃以暘致仕恩，補州文學。」是蕃和徐文卿〈蕭秋詩〉，應在任信州文學時。信州，今江西上饒縣。趙汝談，《宋史》卷四百一十三、〈列傳〉第一百七十二有傳，曰：「趙汝談字履常，生而穎悟，年十五，以大父恩補將仕郎。登淳熙十一年進士第。丞相周必大得其文異之，語參知政事施師點曰：『是子他日有大名于世。』調汀州教授，改廣德軍，添差江西安撫司幹辦公事。嘗從朱熹訂疑義十數條，熹嗟異之。」是汝談參與和詩事，正「添差江西安撫司幹辦公事」時，宋光宗紹熙二年（1191）辛亥歲也。由此而下三十三年，乃寧宗嘉定十六年（1123）癸未，文卿撰〈序〉，並刻其書，直齋所記應符事實。

唐山集一卷、後集一卷

《唐山集》一卷、《後集》三卷，卞圜宋佽編。「唐山」者，臨安昌化縣也。

廣棪案：此書不可考。卞圜，《宋史》無傳。《宋元學案補遺・別附》卷二、〈宋儒博考〉下「州倅卞先生圜父大亨」條載：「卞圜字子東，其先泰州人。父大亨，字嘉甫。主懷寧簿，未幾隱居象山，自號松隱居士，著《松隱集》二十卷、《尚書類數》二十卷。先生于書無所不讀，入太學有聲，人稱卞夫子。登紹興三十年進士，授揚州倅。著《論語大意》二十卷，行于世。《姓譜》。」一字宋佽，一字子東，未知是否同一人。

後典麗賦四十卷

《後典麗賦》四十卷，金華唐仲友與政編。仲友以辭賦稱於時。廣棪案：《文獻通考》「辭賦」作「詞賦」。**此集自唐末以及本朝盛時，名公所作皆在焉，止於紹興間。**

廣棪案：此書不可考。唐仲友，字與政，金華人，侍御史堯封之子。《宋史翼》卷十三、〈列傳〉第十三有傳，其〈傳〉記仲友「所著曰《六經解》

一百五十卷、《孝經解》一卷、《九經發題》一卷、《諸史精義》百卷、《陸宣公奏議解》十卷、《經史難答》一卷、《乾道祕府羣書新錄》八十三卷、《天文詳辯》三卷、《地理詳辯》三卷、《愚書》一卷、《說齋文集》四十卷，尚有《故事備要》，辭科雜錄諸種，而其尤著者曰《帝王經世圖譜》十卷。周益公曰：『此備《六經》之指趣，爲百世之軌範者也。』又嘗取韓子之文合于道者三十六篇，定爲《韓子》二卷。」而未載此書，或此書即在「《辭科雜錄》諸種」內也。

先有王戊集《典麗賦》九十三卷，故此名《後典麗賦》。王氏集未見。

案：《宋史》卷二百九、〈志〉第一百六十二、〈藝文〉八、〈總集類〉著錄：「王咸《典麗賦》九十三卷。」《宋志》作王咸，《解題》作王戊，兩人《宋史》均無傳，未知孰是。

指南賦箋五十五卷、指南賦經八卷

《指南賦箋》五十五卷、《指南賦經》八卷，皆書坊編集時文。止於紹熙以前。

廣棪案：此二書已佚。紹熙，光宗年號。

指南論十六卷，又本前、後二集四十六卷

《指南論》十六卷。又本《前》、《後》二集四十六卷，淳熙以前時文。

廣棪案：此書已佚，蓋用以教授撰作時文者。淳熙，孝宗年號。

擢犀策一百九十六卷、擢象策一百六十八卷

《擢犀策》一百九十六卷、《擢象策》一百六十八卷，《擢犀》者，元祐、宣、政以及建、紹初年時文也，《擢象》則紹興末。大抵科舉場屋之文，每降愈下，廣棪案：《文獻通考》「每」作「愈」。**後生亦不復識前輩之舊作，**廣棪案：《文獻通考》「識」作「知」。**姑存之以觀世變。**廣棪案：《文獻通考》「世變」作「世事」。

廣棪案：二書亦佚，殆錄哲宗、徽宗，以迄高宗時之時文，選其舊作之佳者以授後生。

文章正宗二十卷

《文章正宗》二十卷，參知政事真德秀希元撰。廣棪案：盧校本無「參知政事」四字。

廣棪案：黃虞稷、倪燦撰《宋史藝文志補・集部・總集類》著錄：「眞得秀《文章正宗》二十卷、《續集》二十卷。」《解題》未著錄《續集》二十卷。惟《宋史藝文志補》撰人姓名作「眞得秀」，蓋筆誤。德秀字景元，後更爲希元，建之浦城人。《宋史》卷四百三十七、〈列傳〉第一百九十六、〈儒林〉七有傳，理宗朝拜參知政事。德秀著作豐贍，其〈傳〉謂其所著書有《西山甲乙藁》、《對越甲乙集》、《經筵講義》、《端平廟議》、《翰林詞草四六》、《獻忠集》、《江東救荒錄》、《清源雜志》、《星沙集志》，惟闕此書。

〈自序〉：「正宗」云者，以後世文詞之多變，欲學者識其源流之正也。自昔集錄文章，若杜預、摯虞諸家，往往湮沒不傳。今行於世者，惟梁《昭明文選》、姚鉉《文粹》而已。繇今視之，二書所錄，果得源流之正乎？故今所集，廣棪案：盧校本無「自序」至「故今所集」一段。校注曰：「此係元本，《通考》本乃馬氏增添，館本據之，非也。」**以明義理、切世用為主，**廣棪案：盧校本「為主」作「為要」。**其體本乎古而旨近乎經者，**廣棪案：《文獻通考》「旨」作「指」。**然後取焉；否則，辭雖工亦不錄。**廣棪案：盧校本無「其體本乎古」至「亦不錄」一段。校注曰：「此係元本，《通攷》乃馬氏增添，館本據之，非也。」

案：德秀所撰《文章正宗綱目》曰：「正宗云者，以後世文辭之多變，欲學者識其源流之正也。自昔集錄文章者眾矣，若杜預、摯虞諸家，往往堙沒弗傳。今行於世者，惟梁《昭明文選》、姚鉉《文粹》而已，繇今眡之，二書所錄果皆得源流之正乎？夫士之於學所以窮理而致用也，文雖學之一事，要亦不外乎此。故今所輯，以明義理、切世用爲主。其體本乎古，其指近乎經者，然後取焉。否則，辭雖工亦不錄。其目凡四，曰〈辭命〉，曰〈議論〉，曰〈叙事〉，曰〈詩賦〉，今凡二十餘卷云。紹定執除之歲正月甲申學易齋書。」是《解題》所述，乃據此《綱目》櫽括。紹定，理宗年號，執除，應作執徐。《爾雅・釋天》曰：「太歲在辰曰執徐。是《綱目》撰於紹定五年（1232）壬辰。

其目凡四，曰「辭命」、曰「議論」、曰「敍事」、曰「詩賦」，

案：《文獻通考》卷二百四十九、〈經籍考〉七十六、〈集總集〉著錄此條，下引：「序〈辭命〉曰：『〈書〉之諸篇，聖人筆之於經，不當與後世文辭同錄，獨取《春秋內外傳》所載周天子諭告諸侯之辭，列國往來應對之辭，下至兩漢詔冊而止。蓋魏、晉以降，文辭猥下，無復深渲溫厚之指。至偶儷之作興，而去古益遠矣。學者欲知王言之體，當以《書》之誥、誓、命爲之主，而參之以此篇，則所謂正宗者，庶可識矣。』序〈議論〉曰：『《六經》、《語》、《孟》，聖賢大訓，不當與後之作者同錄，而獨取《春秋內外傳》所載諫爭、論說之辭，先漢以後諸臣所上書疏、封事之屬，以爲議論之首。他所纂述，或發明義理，或敷析治道，或褒貶人物，以次而列焉。』序〈敍事〉曰：『今於〈書〉之諸篇，與史之紀傳，皆不復錄，獨取《左氏》、《史》、《漢》敍事之可喜者，與後世記、序、傳、誌之典則簡嚴者，以爲作文之式。若夫有志於史筆者，自當深求《春秋》大義，而參之遷、固諸書，非此所能該也。』序《詩歌》曰：『朱文公嘗言古今之詩凡三變。』蓋自書傳所記，虞夏以來，下及漢、魏，自爲一等；自晉、宋間顏、謝以後，下及唐初，自爲一等，自沈、宋以後定著律詩，下及今日，又爲一等。然自唐初以前，其爲詩者固有高下，而法猶未變；至律詩出，而後詩之古法始爲大變矣。故嘗欲抄取經、史諸書所載韻語，下及《文選》、古詩，以盡乎郭景純、陶淵明之作，自爲一編，而附於《三百篇》、《楚辭》之後，以爲詩之根本準則。又於其下二等之中，擇其近於古者各爲一編，以爲之羽翼輿衞，其不合者則悉去之，不使其接於胸次，要使方寸之中，無一字世俗語言意思，則其爲詩不期於高遠而自高遠矣。今惟《虞》、《夏》二歌與三百五篇不錄外，自餘皆以文公之言爲準，而拔其尤者，列之此篇。律詩雖工亦不得與，若箴、銘、頌、贊、郊廟樂歌、琴操，皆詩之屬，間亦采摘一二，以附其間。至於詞、賦則有文公《集註楚辭後語》，今亦不錄。或曰此編以明義理爲主，後世之詩，其有之乎？曰三百五篇之詩，其正言義理者無幾，而諷詠之間，悠然得其性情之正，即所謂義理也。後世之作雖未可同日而語，然其間寄興高遠，讀之使人忘寵辱，去鄙吝，翛然有自得之趣，而於君親臣子大義亦時有發焉。其爲性情心術之助，反有過於他文者，蓋不必顯言性命，而後爲關於義理也。讀者以是求之，斯過半矣。」可知其選錄文章去取之旨。

去取甚嚴。館臣案：此條原本脫漏，今據《文獻通攷》補入。

案：《文獻通考》著錄此條下引後村劉氏曰：「《文章正宗》初蒙西山先生以〈詩歌〉一門屬余編類，且約以世教民彝爲主，如仙釋、閨情、宮怨之類，皆勿取。予取漢武帝〈秋風辭〉，西山曰：『《文中子》亦以此詞爲悔心之萌，豈其然乎？』意不欲收，其嚴如此。然所謂『攜佳人兮不能忘』之語，蓋指公卿扈從者，似非爲後宮設。凡余所取，而西山去之者太半；又增入陶詩甚多，如三謝之類多不收。」可證其去取之嚴。《四庫全書總目》卷一百八十七、〈集部〉四十、〈總集類〉二著錄：「《文章正宗》二十卷、《續集》二十卷，內府藏本。宋眞德秀編。德秀有《四書集編》，已著錄。是《集》分〈辭令〉、〈議論〉、〈敘事〉、〈詩歌〉四類。錄《左傳》、《國語》以下至於唐末之作。案總集之選錄《左傳》、《國語》自是編始，遂為後來坊刻古文之例。其持論甚嚴。大意主於論理而不論文。《劉克莊集》有〈贈鄭寧文詩〉曰：『昔侍西山講讀時，頗於函丈得精微。書如〈逐客〉猶遭黜，辭取〈橫汾〉亦恐非。箏笛焉能諧雅樂，綺羅原未識深衣。嗟予老矣君方少，好向師門識指歸。』其宗旨具於是矣。然克莊《後村詩話》又曰：『《文章正宗》初萌芽，以〈詩歌〉一門屬予編類，且約以世教民彝爲主、如仙釋，閨情、宮怨之類皆弗取。余取漢武帝〈秋風辭〉。西山曰：『《文中子》亦以此辭爲悔心之萌，豈其然乎？』意不欲收，其嚴如此。然所謂『懷佳人兮不能忘』，蓋指公卿扈從者，似非爲後宮而設。凡余所取，而西山去之者大半，又增入陶詩甚多。如三謝之類多不收』。詳其詞意，又若有所不滿於德秀者。蓋道學之儒與文章之士各明一義，固不可得而強同也。顧炎武《日知錄》亦曰：『眞希元《文章正宗》所選詩，一掃千古之陋，歸之正旨。然病其以理爲宗，不得詩人之趣。且如〈古詩十九首〉雖非一人之作，而漢代之風略具乎此。今以希元之所刪者讀之，『不如飲美酒，被服紈與素』，何異〈唐風・山有樞〉之篇。『良人惟古歡，枉駕惠前綏』，蓋亦〈邶風・雄雉于飛〉之義。牽牛織女，意仿〈大東〉；兔絲女蘿，情同〈車舝〉。十九作中，無甚優劣。必以坊淫正俗之旨嚴爲繩削，雖矯昭明之枉，死失〈國風〉之義。六代浮華固當刊落，必使徐、庾不得爲人，陳、隋不得爲代，毋乃太甚，豈非執理之過乎？』所論至爲平允，深中其失。故德秀雖號名儒，其說亦卓然成理。而四五百年以來，自講學家以外，未有尊而用之者，豈非不近人情之事，終不能強行於天下歟？然專執其法以論文，固矯枉過直。兼存其理以救浮華冶蕩之弊，則亦未嘗無裨。藏弆之家，至今著錄，厥亦有由矣。《續集》二十卷，皆北宋之文。闕〈詩歌〉、〈辭命〉二門，僅有〈敘事〉、〈議論〉，而末一卷議論之文又有錄無書。蓋未成之本。舊附前集以行，今亦仍竝錄焉。」可供參考。

別集類上

廣棪案：盧校本卷四十九〈別集類〉上。校注曰：「有元本。」

宋玉集一卷

《宋玉集》一卷，楚大夫宋玉撰。《史記・屈原傳》言：「楚人宋玉、唐勒、景差之徒，蓋皆原之弟子也，而玉之辭賦獨傳，至以屈、宋並稱於後世，餘人皆莫能及。」

廣棪案：《史記》卷八十四、〈屈原賈生列傳〉第二十四載：「屈原既死之後，楚有宋玉、唐勒、景差之徒者，皆好辭而以賦見稱，然皆祖屈原之從容辭令，莫敢直諫。」《解題》所引未全據《史記》。《漢書》卷三十、〈藝文志〉第十、〈詩賦略〉著錄：「《宋玉賦》十六篇。楚人，與唐勒並時，在屈原後也。」是班固所見宋玉賦凡十六篇。

案：《隋志》：《集》三卷，《唐志》二卷，今書乃《文選》及《古文苑》中錄出者，未必當時本也。

案：《隋書》卷三十五、〈志〉第三十、〈經籍〉四〈集・別集〉著錄：「楚大夫《宋玉集》三卷。」《新唐書》卷六十、〈志〉第五十、〈藝文〉四、〈別集類〉著錄：「楚《宋玉集》二卷。」至《文選》所收宋玉作品，計有〈風賦〉、〈高唐賦〉、〈神女賦〉、〈登徒子好色賦〉、〈九辯〉、〈招魂〉、〈宋玉對楚王問〉，共七篇，《古文苑》有〈笛賦〉、〈大言賦〉、〈小言賦〉、〈諷賦〉、〈釣賦〉、〈舞賦〉，共六篇。是《解題》著錄《宋玉集》一卷，所收宋玉賦凡十三篇。

枚叔集一卷

《枚叔集》一卷，漢弘農都尉淮陰枚乘撰。叔其字也。

廣棪案：《漢書》卷三十、〈藝文志〉第十、〈詩賦略〉著錄：「《枚乘賦》九篇。」同書卷五十一、〈賈鄒枚路傳〉第二十一載：「枚乘字叔，淮陰人也，爲吳王濞郎中。吳王之初怨望謀爲逆也，乘奏書諫曰……吳王不用乘策，卒見禽滅。漢既平七國，乘由是知名。景帝召拜乘爲弘農都尉。乘久爲大國上賓，與英俊並游，得其所好，不樂郡吏，以病去官。復游梁，梁客皆善屬辭賦，乘尤高。孝王薨，乘歸淮陰。武帝自爲太子聞乘名，及即位，乘年老，乃以安車蒲輪徵乘，道死。詔問乘子，無能爲文者，後乃得其孽子皋。」可知其生平。

《隋志》:「梁時有二卷，亡。」《唐志》復著錄。今本乃於《漢書》及《文選》諸書鈔出者。

案:《隋書》卷三十五、〈志〉第三十、〈經籍〉四〈集・別集〉著錄:「漢《淮南王集》一卷，梁二卷。又有《賈誼集》四卷，《晁錯集》三卷，漢弘農都尉《枚乘集》二卷，《錄》各一卷，亡。」《新唐書》卷六十、〈志〉第五十、〈藝文〉四、〈別集類〉著錄;「《枚乘集》二卷。」今《漢書・枚乘傳》載其〈上書諫吳王〉、〈上書重諫吳王〉，共二篇;《文選》載其〈七發〉、〈書諫吳王濞〉、〈重諫舉兵〉，共三篇。另《古文苑》載乘〈梁王菟園賦〉、〈忘憂館柳賦〉，共二篇。三者去其複重，則《解題》著錄之《枚叔集》一卷，所收乘作凡五篇。

董仲舒集一卷

《董仲舒集》一卷，漢膠西相廣川董仲舒撰。

廣棪案:仲舒，《史記》卷一百二十一、〈儒林列傳〉第六十一，《漢書》卷五十六、〈董仲舒〉第二十六均有傳，並載:「董仲舒，廣川人也。」《漢書》又載:「仲舒所著，皆明經術之意，及上疏條教，凡百二十三篇。而說《春秋》事得失，〈聞舉〉、〈玉杯〉、〈蕃露〉、〈清明〉、〈竹林〉之屬復數十篇，十餘萬言，皆傳於後世。掇其切當世、施朝廷者著于篇。」考《漢書》卷三十、〈藝文志〉第十、〈六藝略・春秋〉著錄:「《公羊董仲舒治獄》十六篇。」又〈諸子略・儒家〉著錄:「《董仲舒》百二十三篇。」所著錄作百二十三篇，與《漢書》本傳同。

案:《隋》、《唐志》皆二卷，今惟錄本傳中〈三策〉及《古文苑》所載〈士不遇賦〉、〈詣公孫弘記室書〉二篇而已。

案:《隋書》卷三十五、〈志〉第三十、〈經籍〉四〈集〉:「漢膠西相《董仲舒集》一卷，梁二卷。又有漢太常《孔臧集》二卷，亡。」《新唐書》卷六十、〈志〉第五十、〈藝文〉四、〈別集類〉著錄:「《董仲舒集》二卷。」卷數與《隋志》異。惟《崇文總目》卷五、〈別集類〉一仍著錄:「《董仲舒集》一卷。」則與《隋志》同。今《漢書》仲舒本傳載其〈三策〉，而《古文苑》載其〈士不遇賦〉、第三卷。〈詣丞相公孫弘記室書〉、第十卷。〈郊祀對〉、第十一卷。〈山川頌〉、第十二卷。及〈集叙〉第十七卷。等。是《解題》所著錄《董仲舒集》一卷，其書內容或僅收上述各篇而已。

其〈敘篇〉略本傳語，亦載《古文苑》。

案：《古文苑》卷第十七、〈雜文〉載此篇，稱「董仲舒」〈集叙〉，其文曰：「董仲舒，清河廣川人也。以治《春秋》爲博士，下帷講誦，弟子傳以久次相授業，或莫能見其面。盖三年不窺園圃，進退容止，非禮不行，學士皆師尊之。漢孝武皇帝即位，以賢良對策，爲江都相，事易王。王素驕好勇，仲舒以禮義匡正，王敬重焉。公孫弘希世用事，深疾仲舒，是時膠西王尤縱恣，數害吏二千石。弘欲中之，乃言於上曰：『獨仲舒可使相膠西。』王素服其德，善待之。仲舒恐久獲罪，以病免。凡相兩國，輒事驕王，正身率下，所居而治。及去立歸居，終不問產業，以脩學著書爲事。年老，以壽終於家。」《古文苑》注此篇，於文末謂：「並仲舒本傳語，抑此〈叙〉居前，班固采以爲傳邪？」所言可與《解題》相參證。

仲舒平生著書，廣棪案：《文獻通考》無「書」字。**如〈玉杯〉、〈繁露〉、〈清明〉、〈竹林〉之類，其泯沒不存多矣。**廣棪案：《文獻通考》「存」下有「者」字，盧校本同。**所傳〈繁露〉，亦非本真也。**

廣棪案：《解題》卷三、〈春秋類〉著錄：「《春秋繁露》十七卷，漢膠西相廣川董仲舒撰。案《隋》、《唐》及《國史志》卷皆十七，《崇文總目》凡八十二篇，《館閣書目》止十卷，萍鄉所刻亦財三十七篇。今乃樓攻媿得潘景憲本，卷篇皆與前《志》合，然亦非當時本書也。先儒疑辨詳矣。其最可疑者，本〈傳〉載所著書百餘篇，〈清明〉、〈竹林〉、〈繁露〉、〈玉杯〉之屬，今總名曰《繁露》，而〈玉杯〉、〈竹林〉則皆其篇名，此決非其本眞。況《通典》、《御覽》所引，皆今書所無者，尤可疑也。然古書存於世者希矣，姑以傳疑存之可也。」足供參證。

劉中壘集五卷

《劉中壘集》五卷，漢中壘校尉劉向子政撰。

廣棪案：向字子政，本名更生，漢成帝時爲中壘校尉，其〈傳〉附見《漢書》卷三十六、〈楚元王傳〉第六中。《漢書》卷三十、〈藝文志〉第十六、

〈六藝略・書〉著錄:「劉向《五行傳記》十一卷。」又〈六藝略・春秋〉著錄:「《新國語》五十四篇。劉向分《國語》。」又〈諸子略・道〉著錄:「《劉向說老子》四篇。」又〈詩賦略・賦〉著錄:「《劉向賦》三十三篇。」《隋書》卷三十五、〈志〉第三十、〈經籍〉四〈集〉著錄:「漢諫議大夫《劉向集》六卷。」《新唐書》卷六十、〈志〉第五十、〈藝文〉四、〈別集類〉著錄:「《劉向集》五卷。」《解題》分卷與《新唐志》同。

前四卷,〈封事〉並見《漢書》,〈九歎〉見《楚辭》,廣棪案:《文獻通考》作「〈九歌〉」,誤。**末〈請雨華山賦〉見《古文苑》。**

案:《漢書》向本傳所載〈封事〉共兩篇,一爲〈條災異封事〉,在元帝時;一爲〈極諫用外戚封事〉,在成帝時。〈九歎〉見《楚辭章句》卷十六。〈請雨華山賦〉見《古文苑》第二十一卷。

揚子雲集五卷

《揚子雲集》五卷,漢黃門郎成都揚雄子雲撰。

廣棪案:揚雄字子雲,蜀郡成都人。其〈傳〉見《漢書》卷八十七上、〈揚雄傳〉第五十七上、下。其除爲郎,給事黃門在元帝時。《漢書》卷三十、〈藝文志〉第十、〈六藝略・小學〉著錄:「《揚雄蒼頡訓纂》一篇。」〈諸子略・儒〉著錄:「《揚雄所序》三十八篇。《太玄》十九,《法言》十三,《樂》四,《箴》二。」〈詩賦略・賦〉著錄:「《揚雄賦》十二篇。」《隋書》卷三十五、〈志〉第三十、〈經籍〉四〈集〉著錄:「漢太中大夫《揚雄集》五卷。」《新唐書》卷六十、〈志〉第五十、〈藝文〉四、〈別集類〉著錄:「《揚雄集》五卷。」《解題》分卷與《隋志》、《新唐志》同。惟《郡齋讀書志》卷第十七、〈別集類〉上著錄:「《揚雄集》三卷。」

大抵皆錄《漢書》及《古文苑》所載。

案:《漢書〉雄本傳載〈反離騷〉、〈甘泉賦〉、〈河東賦〉、〈校獵賦〉、〈長楊賦〉、〈解嘲〉、〈解難〉及〈法言目〉。《古文苑〉載:〈太玄賦〉、〈逐貧賦〉、〈蜀都賦〉,第四卷。〈揚雄答劉歆書〉,第十卷。〈揚雄百官箴〉,第十四、十五卷。〈揚雄元后誄〉。第二十卷。《解題》著錄《揚子雲集》五卷,所收即上述數篇。

案：宋玉而下五家，皆見唐以前〈藝文志〉，而《三朝志》俱不著錄，《崇文總目》僅有《董集》一卷而已，蓋古本多已不存，好事者於史傳、類書中鈔錄，以備一家之作，充藏書之數而已。

案：「宋玉而下五家」，指宋玉、枚叔、董仲舒、劉向、揚雄五家。五家之書，《漢志》、《隋志》、《新唐志》均著錄。《三朝志》，指呂夷簡等撰之《三朝國史藝文志》。三朝者，太祖、太宗、眞宗也。《崇文總目》卷五、〈別集類〉一著錄：「《董仲舒集》一卷。鑒按：《舊唐志》、《通志略》並二卷。」錢東垣輯釋本。其餘四家之書則均未著錄。

二十四箴一卷

《二十四箴》一卷，揚雄撰。今廣德軍所刊本，校《集》中無〈司空〉、〈尚書〉、〈博士〉、〈太常〉四箴。《集》中所有，皆據《古文苑》。而此四箴，或云崔駰，或云崔子玉，疑不能明也。廣棪案：《文獻通考》此條作「晁氏曰」，誤。

廣棪案：《宋史》卷二百八、〈志〉第一百六十一、〈藝文〉七、〈別集類〉著錄：「《揚雄集》六卷，又《二十四箴》二卷。」所載卷數與《解題》不同。《古文苑》第十四卷、〈箴・揚雄百官箴〉載〈冀州牧箴〉、〈兗州牧箴〉、〈青州牧箴〉、〈徐州牧箴〉、〈揚州牧箴〉、〈荆州牧箴〉、〈豫州牧箴〉、〈益州牧箴〉、〈雍州牧箴〉、〈幽州牧箴〉、〈并州牧箴〉、〈交州牧箴〉，凡十二篇；第十五卷〈揚雄百官箴〉載〈光祿勳箴〉、〈衞尉箴〉、〈太僕箴〉、〈廷尉箴〉、〈大鴻臚箴〉、〈宗正箴〉、〈大司農箴〉、〈少府箴〉、〈執金吾箴〉、〈將作大匠箴〉、〈城門校尉箴〉、〈上林苑令箴〉，凡十二篇，合共二十四箴。《解題》著錄之《二十四箴》一卷，即指此。《古文苑》第十五卷、〈揚雄百官箴〉此下另有〈司空箴〉、一作崔駰。〈太常箴〉、一作崔駰。〈尚書箴〉、一作崔瑗。〈博士箴〉，一作崔瑗。凡四篇。此即《解題》所謂「或云崔駰，或云崔子玉，疑不能明」者也。崔駰字亭伯，涿郡安平人，《後漢書》卷五十二、〈列傳〉第四十二有傳。瑗字子玉，駰中子，銳志好學，盡能傳其父業。其〈傳〉附《後漢書》駰傳。

蔡中郎集十卷

《蔡中郎集》十卷，後漢左中郎將陳留蔡邕伯喈撰。

廣棪案：《隋書》卷三十五、〈志〉第三十、〈經籍〉四〈集〉著錄：「後漢左中郎將《蔡邕集》十二卷，梁有二十卷，《錄》一卷。」《舊唐書》卷四十七、〈志〉第二十七、〈經籍〉下、〈別集類〉著錄：「《蔡邕集》二十卷。」《通志》卷六十九、〈藝文略〉第七、〈別集〉一〈後漢〉著錄同。邕，《後漢書》卷六十下〈列傳〉第五十下載：「蔡邕字伯喈，陳留圉人也。……初平元年，拜左中郎將，從獻帝遷都長安，封高陽鄉侯。……所著詩、賦、碑、誄、銘、讚、連珠、箴、弔、論議、〈獨斷〉、〈勸學〉、〈釋誨〉、〈敘樂〉、〈女訓〉、〈篆執〉、祝文、章表、書記，凡百四篇，傳於世。」

《唐志》二十卷，今本闕亡之外，纔六十四篇。其間有稱建安年號及為魏宗廟頌述者，非邕文也。卷末有天聖癸亥歐陽靜所書〈辨證〉甚詳，以為好事者雜編他人之文相混，廣棪案：元抄本無「雜」字。**非本書。**

案：《新唐書》卷六十、〈志〉第五十、〈藝文〉四、〈別集類〉著錄：「《蔡邕集》二十卷。」《崇文總目》卷五、〈別集類〉一著錄：「《蔡邕文集》五卷。鑒按：《舊唐志》、《唐志》、《通志略》並二十卷，《宋志》、《書錄解題》、《通考》並十卷。今存六卷。」是《蔡邕集》代有闕亡。錢鑒按語謂「今存六卷」者，蓋據《四庫全書》本。《四庫全書總目》卷一百四十八、〈集部〉一、〈別集類〉一著錄：「《蔡中郎集》六卷，江蘇巡撫採進本。漢蔡邕撰。《隋志》載：『後漢左中郎將《蔡邕集》十二卷。』註曰：『梁有二十卷，《錄》一卷。』則其《集》至隋已非完本。《舊唐志》乃仍作二十卷，當由官書佚脫，而民間傳本未亡，故復出也。《宋志》著錄僅十卷，則又經散亡，非其舊本矣。此本爲雍正中陳留所刊。文與詩共得九十四首。證以張溥《百三家集》刻本，多寡增損，互有出入。卷首歐靜〈序〉論姜伯淮〈劉鎮南碑〉斷非邕作。以年月考之，其說良是。張本刪去〈劉碑〉，不爲無見。然以伯淮爲邕前輩，宜有邕文，遂改建安二年爲熹平二年。則近於武斷矣。張本又載〈薦董卓表〉，而陳留本無之。其事范《書》不載，或疑爲後人贋作。然劉克莊《後村詩話》已排詆此〈表〉，與揚雄〈劇秦美新〉同稱。則宋本實有此文，不自張本始載。後漢諸史、自范、袁二家以外，尚有謝承、薛瑩、張璠、華嶠、謝沈、袁崧、司馬彪諸家，今皆散佚。亦難以史所未載，斷其事之必無。或新本刊於陳留，以桑梓之情，欲為隱諱，故削之以滅其蹟歟？」可供參考。

陳思王集二十卷

《陳思王集》二十卷，魏陳王曹植子建撰。廣棪案：《文獻通考》闕此句。**卷數與前《志》合。**廣棪案：《文獻通考》此句作「今本二十卷，與《唐志》同」。**其間亦有采取《御覽》、《書鈔》、《類聚》諸書中所有者，**廣棪案：盧校本「諸書」後有「類」字。元抄本作「諸類書」。又《文獻通考》闕末句「者」字。**意皆後人附益，然則亦非當時全書矣。其間或引摯虞《流別集》。此書國初已亡，猶是唐人舊傳也。**

廣棪案：《隋書》卷三十五、〈志〉第三十、〈經籍〉四〈集〉著錄：「魏《陳思王曹植集》三十卷。」《舊唐書》卷四十七、〈志〉第二十七、〈經籍〉下、〈別集類〉著錄：「魏《陳思王集》二十卷，又三十卷。」《新唐書》卷六十、〈志〉第五十、〈藝文〉四、〈別集類〉著錄：「《陳思王集》二十卷，又三十卷。」是此書或作三十卷。《三國志》卷十九、〈魏書〉十九、〈任城陳蕭王傳〉第十九載：「陳思王植字子建。……（太和六年）其二月，以陳四縣封植為陳王，邑三千五百戶。……景初中，詔曰：『陳思王昔雖有過失，既克己慎行，以補前闕，且自少至終，篇籍不離於手，誠難能也。其收黃初中諸奏植罪狀，公卿已下議尚書、祕書、中書三府、大鴻臚者皆削除之。撰錄植前後所著賦、頌、詩、銘、雜論，凡百餘篇，副藏內外。』」晁公武《郡齋讀書志》卷第十七、〈別集類〉上著錄：「《曹植集》十卷。右魏曹植子建也。太祖子，文帝封植為陳王，卒年三十一，謚曰思。年十歲餘，誦讀詩論及辭賦數十萬言。善屬文，援筆立成。自少至終，篇籍不離於手。按〈魏志〉：『景初中，撰錄植所著賦、頌、詩、銘、雜論，凡百餘篇。』《隋志》植集三十卷，《唐志》植集二十卷。今集十卷，比隋、唐本有亡逸者，而詩文二百篇，返溢於本傳所載，不曉其故。」《四庫全書總目》卷一百四十八、〈集部〉一、〈別集類〉一著錄：「《曹子建集》十卷，兩江總督採進本。魏曹植撰。案〈魏志〉植本傳：『景初中，撰錄植所著賦、頌、詩、銘、雜論，凡百餘篇，副藏內外。』《隋書・經籍志》載：『《陳思王集》三十卷。』《唐書・藝文志》作二十卷，然復曰：『又三十卷。』蓋三十卷者，隋時舊本。二十卷者，爲後來合併重編。實無兩集。鄭樵作《通志略》亦併載二本。焦竑作《國史經籍志》，遂合二本卷數爲一，稱《植集》爲五十卷。謬之甚矣。陳振孫《書錄解題》亦作二十卷。然振孫謂『其間頗有採取《御覽》、《書鈔》、《類聚》中所有者。』則捃摭而成，已非唐時二十卷之舊。《文獻通考》作十卷，又併非陳氏著錄之舊。此本目錄後有『嘉定六年癸酉』字，猶從宋寧宗時本翻雕。蓋即《通考》所載也。凡賦四十四篇、詩七十四篇、雜文九十二篇。合計之得二百十篇，較〈魏志〉所稱百餘篇者，其數轉溢。然殘篇斷句，錯出其間。如〈鷂雀〉、〈蝙蝠〉二賦均採自《藝文類聚》。《藝文類聚》之例，皆標某人某文曰云云，編是《集》者遂以曰字爲正文，連於賦之首句，殊爲失考。又〈七哀詩〉，晉人採以入樂，增減其詞，以就音律，見《宋書・樂志》中。此不載其本詞，而載其入樂之本，亦爲舛謬。〈棄婦篇〉見《玉臺新詠》，亦見《太平御覽》。〈鏡銘〉八字，反覆顛倒，皆叶韻成文，實爲回文之祖。見《藝文類聚》，皆棄不載。而〈善哉行〉一篇，諸本皆作古辭，乃誤爲植作。不知其下所載『當來日大難』，即當此篇也。使此爲植作，將自作之而自擬之乎？至於〈王宋妻詩〉，《藝文類聚》作魏文帝，邢凱《坦齋通編》據舊本《玉臺新詠》稱爲植作；今本《玉臺新詠》又作王宋自賦之詩。則眾說異同，亦宜附載，以備參考，乃竟遺漏，亦爲疎略，不得謂之善本。然唐以前舊本既佚，後來刻植《集》者率以是編爲祖，別無更古於斯者。錄而存之，亦不得已而思其次也。」足供參考。《郡齋讀書志》、《四庫全書總目》著錄均作十卷，其卷數又與《解題》作二十卷者不同，顯非同一版本矣。

陳孔璋集十卷

《陳孔璋集》十卷，魏丞相軍謀掾陳琳孔璋撰。

廣棪案：《隋書》卷三十五、〈志〉第三十、〈經籍〉四〈集〉著錄：「後漢丞相軍謀掾《陳琳集》三卷，梁十卷，《錄》一卷。」《舊唐書》卷四十七、〈志〉第二十七、〈經籍〉下、〈別集類〉著錄：「《陳琳集》十卷。」《新唐志》、《通志略》、《宋志》著錄同。《崇文總目》卷五、〈別集類〉一著錄：「《陳琳文集》九卷。鑒按：《舊唐志》、《唐志》、《通志略》、《通考》並十卷。」是則此書有作三卷及九卷者。

案〈魏志〉：文帝為五官中郎將，及平原侯植，皆好文學，山陽王粲仲宣、北海徐幹偉長、廣陵陳琳孔璋、陳留阮瑀元瑜、汝南應瑒德璉、東平劉植公榦，廣棪案：《文獻通考》「植」作「楨」。**並見友善。自邯鄲淳、繁欽、路粹、丁廙、楊修、荀緯等，亦有文采，而不在此七人之列，世所謂「建安七子」者也。但自王粲而下纔六人，意子建亦在其間耶？**

案：《三國志》卷二十一、〈魏書〉二十一、〈王衞二劉傅傳〉第二十一載：「始文帝爲五官將，及平原侯植皆好文學。粲與北海徐幹字偉長、廣陵陳琳字孔璋、陳留阮瑀字元瑜、汝南應瑒字德璉、東平劉楨字公幹，並見友善。自潁川邯鄲淳、繁欽、陳留路粹、沛國丁儀、丁廙、弘農楊脩、河內荀緯等，亦有文采，而不在此七人之例。」所述據《三國志・王粲傳》，《解題》作「劉植」，殆筆誤。

而文帝《典論》則又以孔融居其首，并粲、琳等謂之七子，植不與焉。

案：〈典論論文〉云：「今之文人：魯國孔融文舉、廣陵陳琳孔璋、山陽王粲仲宣、北海徐幹偉長、陳留阮瑀元瑜、汝南應瑒德璉、東平劉楨公幹，斯七子者，於學無所遺，於辭無所假，咸以自騁驥騄於千里，仰齊足而並馳，以此相服，亦良難矣。」是建安七子中，子建不與焉。

今諸家詩文散見於《文選》及諸類書。其以集傳者，仲宣、子建、孔璋三人而已。余家亦未有《仲宣集》。

案：建安七子詩文見於《文選》者，第十一卷有王粲〈登樓賦〉、第二十卷有王粲〈公讌詩〉、劉楨〈公讌詩〉、應瑒〈侍五官中郎將建章臺集詩〉，第二十一卷有王粲〈詠史〉，第二十三卷有王粲〈七哀詩〉二首、王粲〈贈蔡子篤〉、〈贈士孫文始〉、〈贈文叔良〉、劉楨〈贈五官中郎將〉四首、〈贈徐幹〉、〈贈從弟〉三首，卷第二十七有王粲〈從軍詩〉五首，第二十九卷有王粲〈雜詩〉、劉楨〈雜詩〉，第三十七卷有孔融〈薦禰衡表〉，第四十卷有陳琳〈答東阿王牋〉，第四十一卷有孔融〈論盛孝章書〉、陳琳〈爲曹洪與魏文帝書〉，第四十四卷有陳琳〈爲袁紹檄豫州〉、〈檄吳將校部曲文〉。徐、阮二家詩文則未見選錄。

阮步兵集十卷

《阮步兵集》十卷，廣棪案：《文獻通考》作「《阮籍集》十卷」。**魏步兵校尉陳留阮籍嗣宗撰。籍，瑀之子也。**

廣棪案：《郡齋讀書志》卷第十七、〈別集類〉上著錄：「《阮籍集》十卷。右魏阮籍嗣宗也。尉氏人。籍志氣宏放，博覽羣籍，尤好莊老，屬文不留思，嗜酒，能嘯，善彈琴。當其得意，忽忘形體。雖不拘禮教，而發言玄遠。晉帝輔政，爲從事中郎，後求爲步兵校尉。」籍，《三國志》卷二十一、〈魏書〉二十一、〈王衞二劉傅傳〉第二十一載：「瑀子籍，才藻艷逸，而倜儻放蕩，行己寡欲，以莊周爲模則。官至步兵校尉。」均足供參證。

嵇中散集十卷

《嵇中散集》十卷，廣棪案：《文獻通考》作「《嵇康集》十卷」。**魏中散大夫譙嵇康叔夜撰。本姓奚**，廣棪案：《文獻通考》二句合一句，作「康本姓奚」。**自會稽徙譙之銍縣嵇山**，廣棪案：《文獻通考》作「鋐縣稽山」。**家其側，遂氏焉。取「稽」字之上**，廣棪案：《文獻通考》「稽」作「嵇」。**志其本也。**館臣案：《晉書》本傳：銍縣有嵇山，家於其側，因而命氏。此云「取稽字之上」，蓋以「嵇」與「稽」字體相近，為不忘會稽之意。《文獻通攷》作「取嵇」，恐誤。**所著文論六七萬言。今存于世者，僅如此。**

廣棪案：《郡齋讀書志》卷第十七、〈別集類〉上著錄：「《嵇康集》十卷。右魏嵇康叔夜也。譙國人。康美詞氣，有丰儀，土木形骸，不自藻飾。學不師受，博覽該通，長好莊老，屬文玄遠。以魏宗室婚，拜中散大夫。景元初，鍾會譖於晉文帝，遇害。」康，《三國志》卷二十一、〈魏書〉二十一、〈王衞二劉傅傳〉第二十一載：「時又有譙郡嵇康，文辭壯麗，好言老、莊，而尚奇任俠。至景元中，坐事誅。」裴松之注曰：「康字叔夜。案《嵇氏譜》：康父昭，字子遠，督軍糧治書侍御史。兄喜，字公穆，晉揚州刺史、宗正。喜爲康〈傳〉曰：『家世儒學，少有儁才，曠邁不羣，高亮任性，不脩名譽，寬簡有大量。學不師授，博洽多聞，長而好老、莊之業，恬靜無欲。性好服食，嘗採御上藥。善屬文論，彈琴詠詩，自足于懷抱之中。以爲神仙者，稟之自然，非積學所致。至於導養得理，以盡性命，若安期、彭祖之倫，可以善求而得也；著〈養生篇〉。知自厚者所以喪其所生，其求益者必失其性，超然獨達，遂放世事，縱意於塵埃之表。撰錄上古以來聖賢、隱逸、遁心、遺名者，集爲《傳贊》，自混沌至于管寧，凡百一十有九人，蓋求之於宇宙之內，而發之乎千載之外者矣。故世人莫得而名焉。』」裴注又引虞預《晉書》曰：「康家本姓奚，會稽人。先自會稽遷于譙之銍縣，改爲嵇氏，取『稽』字之上，〔加〕『山』以爲姓，蓋以志其本也。一曰銍有嵇山，家于其側，遂氏焉。」是《解題》所述，據裴注所引虞預之《晉書》。

《唐志》猶有十五卷。

案：《隋書》卷三十五、〈志〉第三十、〈經籍〉四〈集〉著錄：「魏中散大夫《嵇康集》十三卷。梁十五卷，《錄》一卷。」《舊唐書》卷四十七、〈志〉第二十七、〈經籍〉下、〈別集類〉著錄：「《嵇康集》十五卷。」《新唐志》同。是此書北宋初撰《新唐志》時猶有十五卷。

張司空集三卷

《張司空集》三卷，晉司空范陽張華茂先撰。前二卷為四言、五言詩，後一卷為祭、廣棪案：《文獻通考》「為祭」作「稱冊」。元抄本、盧校本「祭」作「策」。**祝、哀、誄等文。**

廣棪案：《隋書》卷三十五、〈志〉第三十、〈經籍〉四〈集〉著錄：「晉司空《張華集》十卷。《錄》一卷。」《通志略》同。是上舉兩書所著錄卷數與《解題》不同。《郡齋讀書志》卷第十七、〈別集類〉上著錄：「《張華集》三卷。右晉張華茂先也。范陽人。惠帝時爲司空，趙王倫，孫秀黨謀害之。華學業優博，辭藻溫麗，圖緯、方伎等書，莫不詳覽。家有書三十乘，天下奇祕悉在。博物洽聞，世無與比。《集》有詩一百二十，哀詞、冊文二十一，賦三。」足供參證。華字茂先，范陽方城人。《晉書》卷三十六、〈列傳〉第六有傳。

陸士衡集十卷

《陸士衡集》十卷，晉平原內史吳郡陸機士衡撰。

廣棪案：《隋書》卷三十五、〈志〉第三十、〈經籍〉四〈集〉著錄：「晉平原內史《陸機集》十四卷。梁四十七卷，《錄》一卷，亡。」《舊唐書》卷四十七、〈志〉第二十七、〈經籍〉下、〈別集類〉著錄：「《陸機集》十五卷。」《新唐志》同。《通志》卷六十九、〈藝文略〉七、〈別集〉二〈晉〉著錄：「平原內史《陸機集》四十七卷。」所著錄卷數均與《解題》不同。《郡齋讀書志》卷第十七、〈別集類〉上著錄：「《陸機集》十卷。右晉陸機士衡也。抗之子。少有異才，文章冠世，服膺儒術，非禮不動。吳滅，退居舊里，閉門勤學，積有十年。太康末，入洛。成都王穎令機率師伐長沙王乂，至河橋大敗，爲穎所誅。初，造張華，華重其名，如舊相識，嘗謂之曰：『人常恨才少，而子更患多。』葛洪著書亦稱歎焉。所著文章凡三百餘篇，今存詩、賦、論、議、箋、表、碑、誄一百七十餘首。以《晉書》、《文選》校正外，餘多舛誤。」可供參證。機字士衡，吳郡人。《晉書》卷五十四、〈列傳〉第二十四有傳，《郡齋讀書志》所述即據其〈傳〉檃括。

陸士龍集十卷

《陸士龍集》十卷，晉清河內史陸雲士龍撰。太康平吳，二陸入洛，張茂先所謂「利獲二俊」者也。遜、抗之後，而有機、雲，可謂代不乏人矣。然皆不免其身。才者身之累也，況居亂世乎！機好遊權門，抑又有以取之耶？

廣棪案：《隋書》卷三十五、〈志〉第三十、〈經籍〉四〈集〉著錄：「晉清河太守《陸雲集》十二卷，梁十卷，《錄》一卷。」《通志略》同。《崇文總目》卷五、〈別集類〉一著錄：「《陸雲集》八卷。鑒按：《舊唐志》、《唐志》、《書錄解題》、《通考》並十卷。《通志略》十二卷，今本十卷。」錢東垣輯釋本。所著錄卷數有八卷與十二卷者，與此不同。《郡齋讀書志》卷第十七、〈別集類〉上著錄：「《陸雲集》十卷。右晉陸雲士龍也。吳郡人。惠帝時，爲中書侍郎。會兄機兵敗，同遇害。雲六歲能屬文，性清正，有才理。與機齊名，雖文章不及，而持論過之。所著文章三百四十九篇，《新書》十篇。」《四庫全書總目》卷一百四十八、〈集部〉一、〈別集類〉一著錄：「《陸士龍集》十卷，編修勵守謙家藏本。晉陸雲撰。雲與兄機齊名，時稱二陸。史謂其文章不及機，而持論過之。今觀《集》中諸啓，其執辭諫諍，陳議鯁切，誠近於古之遺直。至其文藻麗密，詞旨深雅，與機亦相上下。平吳二俊，要亦未易優劣也。《隋書・經籍志》載雲《集》十二卷，又稱梁十卷，《錄》一卷。是當時所傳之本，已有異同。《新唐書・藝文志》但作十卷，則所謂十二卷者，已不復見。至南宋時，十卷之本又漸湮沒。慶元間，信安徐民瞻始得之於祕書省，與機《集》竝刊以行。然今亦未見宋刻。世所行者惟此本。考史稱雲所著文詞凡三百四十九篇。此僅錄二百餘篇，似非足本。蓋宋以前相傳舊《集》久已亡佚。此特裒合散亡，重加編緝，故敘次頗爲叢雜。如〈答兄平原詩〉二首，其『行矣怨路長』一首乃機贈雲之作。故馮惟訥《詩紀》收入機詩內，而此本誤作雲答機詩。又『綠房含青實』四語，及『逍遙近南畔』二語，皆自《藝文類聚》〈芙渠部〉、〈嘯部〉摘出，佚其全篇。故《詩紀》以爲失題，系之卷末，但註見《藝文》某部。此乃直標曰芙蓉，曰嘯，殆明人不學者所編，又出《詩紀》之後矣。特是雲之原《集》既不可見，惟藉此以傳什一。故悉仍其舊錄之，姑以存其梗概焉。」足供參證。雲字士龍，《晉書》卷五十四、〈列傳〉第二十四有傳。

劉司空集十卷

《劉司空集》十卷，晉司空中山劉琨越石撰。前五卷差全可觀，後五卷闕誤，或一卷數行，或斷續不屬，殆類鈔節者。

廣棪案：《隋書》卷三十五、〈志〉第三十、〈經籍〉四〈集〉著錄：「晉太尉《劉琨集》九卷，梁十卷。」又：「《劉琨別集》十二卷。」《舊唐書》卷四十七、〈志〉第二十七、〈經籍〉下〈別集類〉著錄：「《劉琨集》十卷。」《新唐志》同。《通志》卷六十九、〈藝文略〉第七、〈別集〉二〈晉〉著錄：「太尉《劉琨集》十卷、《劉琨別集》十二卷。」是此書或作九卷，另有《別集》十二卷。琨字越石，中山魏昌人，據《晉書》卷六十二、〈列傳〉第三十二琨本傳載：晉愍帝建興三年曾遣「兼大鴻臚趙廉持節拜琨爲司空，都督并、冀、幽三州諸軍事」，故稱劉司空。明張溥《漢魏六朝百三家集》卷五十五、〈晉劉琨集題詞〉曰：「晉《劉司空集》十卷，在宋時已多缺誤，今日欲覩全書，未可得也。越石兄弟與石崇、賈謐友善，金谷文詠，秘書唱和，詩、賦豈盡無傳，顧迺奔走亂離，僅存書、表。

想其當日執槊倚盾，筆不得止，勁氣直辭，迴薄霄漢。推此志也，屈平沅湘，荊卿易水，其同聲耶！晉元渡江，無心北伐，越石再三上表，辭雖勸進，義切復讎。讀者苟有胸腹，能無慷慨。以彼雄才，結盟戎狄，揚旌幽、并。身死而復生，國危而復安，間患差跌，不病驅馳。及同盟見疑，命窮幽縶，子諒文儒，坐觀其斃。爲之君者，孝非子胥；爲之友者，仁非魯連。慇懃贈詩，送哀而已。夫漢賊不滅，諸葛出師；二聖未還，武穆鞠旅。二臣忠貞，表懸天壤。上下其間，中有越石。追鞭祖生，投書盧子，英雄失援，西狩興悲。予嘗感中夜荒雞，月明清嘯，抑覽是《集》，彷彿其如有聞乎？」可供參考。

末卷〈劉府君誄〉尤多訛，未有別本可以是正。

案：考唐歐陽詢《藝文類聚》卷第四十六、〈職官部〉二、〈太尉・墓誌〉載：「晉盧諶〈太尉劉公誄〉曰：廣棪案：「諶」原訛「謀」，據馮校本改。『公侯之生，固天攸擢。高智蕭條，英風卓犖。勵操宏壯，抗意崇邈。雅用深奧，明鑒朗出。摛藻雲浮，飛辯盆溢。驅其豺狼，斬其藜藋。建立市朝，營置亭徼。劉恥南比，猗盧北接。□□□□，或以恩燮。微我公侯，方事焉捷。委重于外，弛禦于中。制比鄧禹，禮優竇融。』」其文於「猗盧北接」句下脫四字。振孫謂「未有別本可以是正」，殊失之眉睫也。

陶靖節集十卷

《陶靖節集》十卷，晉彭澤令潯陽陶潛淵明撰。或云淵明字元亮，大司馬侃曾孫，自號五柳先生，世稱靖節徵士。

廣棪案：《隋書》卷三十五、〈志〉第三十、〈經籍〉四〈集〉著錄：「宋徵士《陶潛集》九卷，梁五卷，《錄》一卷。」《舊唐書》卷四十七、〈志〉第二十七、〈經籍〉下、〈別集類〉著錄：「《陶淵明集》五卷。」《新唐書》卷六十、〈志〉第五十、〈藝文〉四、〈別集類〉著錄：「《陶淵集》二十卷。」《通志略》同。《崇文總目》卷五、〈別集類〉一著錄：「《陶潛集》十卷。鑒按：《唐志》、《通志略》並二十卷。今存八卷。」錢東垣輯釋本。是此書另有五卷、八卷、二十卷本。《郡齋讀書志》卷第十七、〈別集類〉著錄：「《陶潛集》十卷。右晉陶淵明元亮也。一名潛，潯陽人。蕭統云：『淵明字元亮。』《晉書》云：『潛字元亮。』《宋書》云：『潛字淵明。』或云字深明，名元亮。按《集》〈孟嘉傳〉與〈祭妹文〉皆自稱淵明，當從之。晉安帝末，起爲州祭酒。桓玄簒位，淵明自解而歸。州召主簿，不就，躬耕自資。劉裕舉兵討玄，誅之，爲鎮軍將軍。淵明參其軍事，未幾，改爲建威將軍。淵明見裕有異志，乃求爲彭澤令，去職。潛少有高趣，好讀書，不求甚解，著〈五柳先生傳〉以自況，世號靖節先生。今《集》有數本：七卷者，梁蕭統編，以〈序〉、〈傳〉、顏延之〈誄〉載卷首。十卷者，北齊陽休之編，以〈五孝傳〉、〈聖賢羣輔錄〉、〈序〉、〈傳〉、〈誄〉分三卷，益之詩，篇次差異。按《隋・經籍志》，潛《集》九卷，又云梁有五卷，《錄》一卷。《唐・藝文志》，潛《集》五卷。今本皆不與二《志》同。獨吳氏《西齋書目》有潛《集》十卷，疑即休之本也。休之本出宋庠家云。江左名家舊書，其次第最有倫貫，獨《四八目》後〈八儒〉、〈三墨〉二條，似後人妄加。」可供參證。潛，《晉書》卷九十四、〈列傳〉第六十四、〈隱逸〉，《宋書》卷九十三、〈列傳〉第五十三、〈隱逸〉，《南史》卷七十五、〈列傳〉第六十五、〈隱逸〉上均有傳。《晉書》本傳載：「陶潛字元亮，大司馬侃之曾孫也。祖茂，武昌太守。潛少懷高尚，博學善屬文，穎脫不羈，任眞自得，爲鄉鄰之所貴。嘗著〈五柳先生傳〉以自況。」昭明太子亦撰有〈陶淵明傳〉，《晉書》本傳多據之。

陶靖節年譜一卷、年譜辨證一卷、雜記一卷

《陶靖節年譜》一卷，廣棪案：元抄本、盧校本「年譜」前有「集十卷」三字。盧校注：當從館本去此三字，《通攷》亦無之。**《年譜辨證》一卷、《雜記》一卷，吳郡吳仁傑斗南為《年譜》，蜀人張縯季長辨證之，**廣棪案：《文獻通考》「張縯」作「張演」、「辨證」作「辯證」。**又雜記前賢論靖節語。**廣棪案：《文獻通考》「前賢」作「晉賢」。**此蜀本也，卷末有陽休之、宋庠〈序錄〉、〈私記〉，又有治平三年思悅題，**廣棪案：盧校注：「趙瞰江云：『思悅，宋虎丘寺僧。』」**稱「永嘉示以宋丞相刊定之本」。思悅者，不知何人也。**廣棪案：《文獻通考》「永嘉」下脱「示以宋丞相刊定之本思悅者」十二字。

廣棪案：陸心源《皕宋樓藏書志》卷二十七、〈史部・傳記類〉二著錄：「《陶靖節年譜》一卷，舊抄本，璜川吳氏舊藏。宋河南吳仁傑編。」周中孚《鄭堂讀書記》卷二十二、〈史部〉八、〈傳記類〉一、〈名人〉著錄：「《陶靖節先生年譜》一卷，舊鈔本。宋吳仁傑撰。仁傑仕履見〈正史類〉。《書錄解

題·別集類》載《陶靖節年譜》一卷，《年譜辨證》一卷、《雜記》一卷，云：『斗南爲《年譜》，張縯辨證之，又雜記前賢論靖節語。』今《辨證》、《雜記》俱佚，惟《年譜》存。其書俱就《靖節全集》，參以《晉書》本傳，采輯事蹟，按年分載，若網在綱，有條不紊，較之王質紹《陶錄》所譜，殊爲勝之。是本爲徐亮直陶璋所藏，尙屬舊鈔本，後有亮直私印二，前又有毛子晉私印四，則僞矣。」足供參證。吳仁傑，《宋史翼》卷二十九、〈列傳〉第二十九、〈文苑〉四載：「吳仁傑字斗南，一字南英，其先洛陽人，居崑山。父信，修武郎。仁傑博洽經史，育□才，講學朱子之門。登湻熙進士第，歷羅田令、國子錄，自號蠹隱，以詩文名一時。所著《古易》十二卷、《兩漢刊誤補遺》十卷、《禘祫緜叢書》三卷、《周易圖說》、《樂舞新書》、《廟制罪言》、《郊祀贅說》、《鹽石論》丙、丁各二卷，集《古易》、《尙書》、《洪範辨圖》，《陶淵明》、《杜子美年譜》各一卷，皆行於世。□仁輔子樗。盧熊《蘇州府志》。」張縯，《宋史》無傳。《宋詩紀事》卷五十三「張縯」條載：「縯字季長，蜀之唐安人。隆興元年進士，官大理少卿。」陽休之，《宋史》無傳，生平不可考。宋庠字公序，開封雍丘人。《宋史》卷二百八十四、〈列傳〉第四十三有傳。思悅，振孫已不知何人，盧校注引趙瞰江云「宋虎丘寺僧」，不知何據？

鮑參軍集十卷

《鮑參軍集》十卷，宋前軍行參軍東海鮑照明遠撰。世多云鮑昭，以避唐武后諱也。廣棪案：《文獻通考》此句以上作「照，東海人。唐人避武后諱改為昭」。**沈約《宋書》、李延壽《南史》皆作鮑照。而《館閣書目》直以為鮑昭，且云上黨人，非也。**

廣棪案：《隋書》卷三十五、〈志〉第三十、〈經籍〉四〈集〉著錄：「宋征虜記室參軍《鮑照集》十卷，梁六卷。」兩《唐志》同。而《宋志》作《鮑昭集》十卷。《郡齋讀書志》卷第十七、〈別集類〉上著錄：「《鮑照集》十卷。右宋鮑照明遠也。上黨人。世祖以爲中書舍人，後臨海王子頊鎮荊州，以照爲參軍。子頊敗，爲亂兵所殺。初，孝武好文，自謂人莫能及。照悟其旨，爲文多鄙言累句，當時謂照才盡，實不然也。事見沈約《書》。而李延壽乃以世祖爲文帝。《集》有齊虞炎〈序〉，云：『爲宋景所害。』儻見於他書乎？唐人避武后諱，改『照』爲『昭』。」可供參證。照，《宋書》卷五十一、〈列傳〉第十一、〈宗室〉，《南史》卷十三、〈列傳〉第三、〈宋宗室及諸王〉上均附〈臨川烈武王道規傳〉。《南史》照本傳載：「鮑照字明遠，東海人。」與《解題》同。惟《中興館閣書目》及《郡齋讀書志》均云上黨人。蓋南朝宋人虞炎為此書撰〈序〉，首句即曰：「鮑照字明遠，本上黨人。」《中興館閣書目》、《郡齋讀書志》所云殆據虞〈序〉也。惟後人於此事仍有聚訟，《四庫全書總目》卷一百四十八、〈集部〉一、〈別集類〉一著錄：「《鮑參軍集》十卷，安徽巡撫採進本。宋鮑照撰。照字明遠，東海人。晁公武《讀書志》作上黨人，蓋誤讀虞炎〈序〉中『本上黨人』之語。照或作昭，蓋唐人避武后諱所改。」今人孫猛《郡齋讀書志校證》則曰：「按《中興書目》亦謂上黨人，《書錄解題》卷十六曰：『《館閣書目》直以為鮑昭，且云上黨人，非也。』陳振孫蓋未見虞炎〈序〉。《宋書》卷五十一、《南史》卷十三皆謂照東海人，公武據虞炎〈序〉。」是《四庫全書總目》誤會《郡齋讀書志》有所誤讀，而孫猛又怪振孫未見虞〈序〉也。其實虞〈序〉謂「本上黨人」者，即其先上黨人，指未南渡前之祖籍也；《南史》謂「東海人」者，南渡後所佔籍也。

謝宣城集五卷

《謝宣城集》五卷，齊中書郎陳郡謝朓玄暉撰。廣棪案：《文獻通考》無此句。**《集》本十卷，樓炤知宣州，止以上五卷賦與詩刊之，下五卷皆當時應用之文，衰世之事。**廣棪案：《文獻通考》「衰世」作「襄世」，誤。**可采者已見本傳及《文選》。餘視詩劣焉，無傳可也。**

廣棪案：《隋書》卷三十五、〈志〉第三十、〈經籍〉四〈集〉著錄：「齊吏部郎《謝朓集》十二卷。」《通志略》同。又著錄：「《謝朓逸集》一卷。」《舊唐書》卷四十七、〈志〉第二十七〈經籍〉下〈別集類〉著錄：「《謝朓集》十卷。」《新唐志》同。《崇文總目》卷五、〈別集類〉一著錄：「《謝元暉文集》十卷，謝朓撰。鑒按：《書錄解題》、《通考》並五卷。《通志略》十二卷。」錢東垣輯釋本。是則此書或作十二卷，或作十卷，或作五卷。五卷者，樓炤所刊。《郡齋讀書志》卷第十七、〈別集類〉著錄：「《謝朓集》十卷。右齊謝朓玄暉也。陽夏人。明帝初，自中書郎出為東海太守。東昏時，為江祏黨譖害之。朓少好學，有美名，文章清麗，善草隸，尤長五言詩。沈約嘗云：『二百年來無此詩也。』《文選》所錄朓詩僅二十首，《集》中多不載，今附入。」是公武所藏者乃十卷本。《四庫全書總目》卷一百四十八、〈集部〉一、〈別集類〉一著錄：「《謝宣城集》五卷，內府藏本。齊謝朓撰。朓字元暉，陳郡陽夏人。事蹟具《南齊書》本傳。案朓以中書郎出爲宣城太守。以選復爲中書郎。又出爲晉安王鎭北諮議，南東海太守，行南徐州事，遷尙書吏部郎，被誅。其官實不止於宣城太守。然詩家皆稱謝宣城，殆以北樓吟咏爲世盛傳耶？據陳振孫《書錄解題》稱：『《朓集》本十卷。樓炤知宣州，止以上五卷賦與詩刊之。下五卷皆當時應用之文，衰世之事。可采者已見本傳及《文選》。餘視詩劣焉，無傳可也。』考鍾嶸《詩品》稱：『朓極與予論詩，感激頓挫過其文。』則振孫之言審矣。張溥刻《百三家集》，合朓詩、賦五卷爲一卷。此本五卷，即紹興二十八年樓炤所刻。前有炤〈序〉，猶南宋佳本也。本傳稱朓長於五言詩，沈約嘗云：『二百年來無此詩。』鍾嶸《詩品》乃稱其『微傷細密，頗在不倫。一章之中，自有玉石。』又稱其『善自發端，而末篇多躓。』過毀過譽，皆失其眞。趙紫芝詩曰：『輔嗣《易》行無漢學，元暉詩變有〈唐風〉。』斯於文質升降之間，爲得其平矣。」可供參考。朓，《南齊書》卷四十七、〈列傳〉第二十八，《南史》卷十九、〈列傳〉第九均有傳。至樓炤，字仲暉，婺州永康人。《宋史》卷三百八十、〈列傳〉第一百三十九有傳。《宋史》本傳載：「（紹興）十四年，以資政殿學士知紹興府，過闕入見，除簽書樞密院事兼權參知政事。尋爲李文會、詹大方所劾，與祠。久之，除知宣州，徙廣州，未行而卒，年七十三。」是則炤刻《謝宣城集》，在其晚年。此《集》有炤〈跋〉，曰：「南齊吏部郎謝朓長五言詩，其在宣城所賦，藻績尤精，故李太白詠『澄江』之句而思其人，杜少陵亦曰『詩接謝宣城』也。余至郡，視事之暇，裒取郡舍石刻並《宣城集》所載謝詩，纔得二十餘首，繼得蔣公之奇所集《小謝詩》，以昭亭廟、疊嶂樓、綺霞閣所刻，及《文選》、《玉臺新詠》本集所有，合成一編，共五十八篇，自謂備矣。然小謝自有《全集》十卷，但世所罕傳，如〈宋海陵王墓誌〉，《集》中有之，而《筆談》乃曰：『此《全集》中不載。』蓋雖存中之博，亦未之見也。而余家舊藏偶有之。考其上五卷，賦與樂章之外，詩乃百有二首，而唱和聯句他人所附見者不與焉，以是知蔣公所謂本《集》者非《全集》矣。

於是屬之僚士參校謬誤，雖是正已多，而有無他本可證者，故猶有闕文，鋟版傳之，目曰《謝宣城詩集》。其下五卷，則皆當時應用之文，衰世之事，其可采者，已載於本傳及《文選》，餘視詩劣焉，無傳可也，遂置之。紹興丁丑秋七月朔，東陽樓炤題。」可供參證。紹興丁丑，紹興二十七年（1157），是炤之知宣州，當在此年。

孔德璋集十卷

《孔德璋集》十卷，館臣案：《文獻通攷》作一卷。**齊太子詹事山陰孔稚圭德璋撰。**

廣棪案：《隋書》卷三十五、〈志〉第三十、〈經籍〉四〈集〉著錄：「齊金紫光祿大夫《孔稚圭集》十卷。」兩《唐志》、《通志略》同。《崇文總目》卷五、〈別集類〉一著錄：「《孔稚圭集》十卷。鑒按：《通志略》、《通考》並一卷。」錢東垣輯釋本。錢鑒按語謂《通志略》作一卷，實誤。疑此書應作十卷，《通考》作一卷，誤。考《讀書附志》卷下、〈別集類〉一著錄：「《孔稚珪集》十卷。右齊孔稚珪字德璋之文也。稚珪，道隆孫，會稽山陰人，為東南冠族。少知名，有文彩，辭章清拔，獨冠當世。舉秀才，為安成王法曹參軍。齊高帝時，補記室參軍，終於都官尚書、散騎常侍、太子詹事，追贈金紫光祿大夫，謚簡子。《集》有〈序〉云：『所為文章，雖行於世，竟未撰《集》。今摭其遺逸，分為十卷。』然莫知其為誰序也。」足供參考。稚珪字德璋，會稽山陰人。東昏侯永元元年遷太子詹事。《南齊書》卷四十八、〈列傳〉第二十九，《南史》卷四十九、〈列傳〉第三十九有傳。

〈北山移文〉，其所作也。

案：〈北山移文〉，最早見於《文選》卷第四十三、〈書〉下。明人張溥《漢魏百三家集》卷七十九、〈齊孔稚圭集題詞〉云：「孔靈產立館禹井山，事道精篤。而齊高輔政，竟以術數登榮位，來羽扇素几之贈。子珪宅營山水，草萊不翦，而彈文表奏，盛行朝廷。父子出處間，何相似也。汝南周顒結舍鍾嶺，後出為山陰令，秩滿入京，復經此山。珪代山移文絕之，昭明取入《選》中。比攷孔、周二〈傳〉，俱不載此事。豈調笑之言，無關紀錄，如嵇康於山濤，徒有其書，交未嘗絕也。」是張溥視此文為「調笑之言，無關紀錄」者。

沈約集十五卷、別集一卷、又九卷

《沈約集》十五卷、廣棪案：《文獻通考》作「《沈休文集》」。《別集》一卷、又九卷，梁特進吳興沈約休文撰。約有《文集》百卷，今所存惟此而已。十五卷者，前二卷為賦，餘皆詩也。《別集》雜錄詩文，不分卷。九卷者，皆詔草也。《館閣書目》但有此九卷及詩一卷，凡四十八首。

廣棪案：《隋書》卷三十五、〈志〉第三十、〈經籍〉四〈集〉著錄：「梁特進《沈約集》一百一卷，並《錄》。」《舊唐書》卷四十七、〈志〉第三十七、〈經籍〉下、〈別集類〉著錄：「《沈約集》一百卷。」《新唐志》、《通志略》同。此即《解題》所謂「約有《文集》百卷」，《隋志》作「一百一卷」，其一卷者即《錄》也。《崇文總目》卷五、〈別集類〉一著錄：「《沈約集》九卷。鑒按：《通考》十五卷，《別集》一卷，又九卷。《舊唐志》、《唐志》、《通志略》並一百卷。」錢東垣輯釋本。此即《解題》所謂「九卷者，皆詔草也」。《中興館閣書目輯考．集部．別集類》著錄：「《沈約集》九卷，《詩》一卷。《書錄解題》卷十六。」趙士煒輯考本。此即據《解題》輯考者也。《宋史》卷二百八、〈志〉第一百六十一、〈藝文〉七、〈別集類〉著錄：「《沈約集》九卷，又《詩》一卷。」此即《解題》所謂「《館閣書目》但有此九卷及《詩》一卷，凡四十八首」也。約字休文，吳興武康人，梁武帝天監十二年前加特進。《宋書》卷一百、〈列傳〉第六十有〈自序〉，《梁書》二卷十三、〈列傳〉第七，《南史》卷五十七、〈列傳〉第四十七均有傳。

昭明太子集五卷

《昭明太子集》五卷，梁太子蕭統德施撰。

廣棪案：《隋書》卷三十五、〈志〉第三十、〈經籍〉四〈集〉著錄：「梁《昭明太子集》二十卷。」《新唐志》、《通志略》同。是上列三書著錄卷數與此異。《宋史》卷二百八、〈志〉第一百六十一、〈藝文〉七、〈別集類〉著錄：「《昭明太子集》五卷。」著錄卷數與此同。《四庫全書總目》卷一百四十八、〈集部〉一、〈別集類〉一著錄：「《昭明太子集》六卷，江蘇巡撫採進本。梁昭明太子統撰。案《梁書》本傳，稱統有《集》二十卷。《隋書．經籍志》、《唐書．藝文志》竝同。《宋史．藝文志》僅載五卷，已非其舊。《文獻通考》不著錄，則宋末已佚矣。此本爲明嘉興葉紹泰所刊。

凡〈詩賦〉一卷，〈雜文〉五卷。賦每篇不過數句，蓋自類書採掇而成，皆非完本。詩中〈擬古〉第二首、『林下作伎』一首、『照流看落釵』一首、『美人晨妝』一首、『名士悅傾城』一首，皆梁簡文帝詩，見於《玉臺新詠》。其書爲徐陵奉簡文之令而作，不容有誤。當由書中稱簡文帝爲皇太子，輾轉稗販，故誤作昭明。又〈錦帶書十二月啓〉亦不類齊、梁文體。其〈姑洗三月啓〉中有『啼鶯出谷，爭傳求友之聲』句。考唐人試〈鶯出谷詩〉，李綽《尚書故實》譏其事無所出。使昭明先有此〈啓〉，綽豈不見乎？是亦作僞之明證也。張溥《百三家集》中亦有統《集》。以兩本互校，此本〈七召〉一篇、與〈東宮官屬令〉一篇，〈謝賚涅槃經講疏啓〉一篇、〈謝敕賚銅造善覺寺塔露盤啓〉一篇、〈謝賚魏國錦〉、〈賚廣州塸〉、〈賚城邊橘〉、〈賚河南菜〉、〈賚大菘啓〉五篇，〈與劉孝儀〉、〈與張纘〉、〈與晉安王論張新安書〉三篇，〈駁舉樂議〉一篇，皆溥本所無。溥本〈與明山賓令〉一篇，〈詳東宮禮絕旁親議〉一篇，〈謝敕鑄慈覺寺鐘啓〉一篇，亦此本所無。然則是二本者皆明人所掇拾耳。」足資參考。統字德施，梁武帝長子，中大通三年（531）四月乙巳薨，年三十一，謚昭明。《梁書》卷八、〈列傳〉第二，《南史》卷五十三、〈列傳〉第四十三有傳。《梁書》本傳載：「所著《文集》二十卷；又撰古今典誥文言，爲《正序》十卷；五言詩之善者，爲《文章英華》二十卷；《文選》三十卷。」是統之《集》原二十卷，直齋所得乃不完本，已非其舊矣。

何仲言集三卷

《何仲言集》三卷，廣棪案：《文獻通考》作「《何遜集》」。「三卷」，館臣案：《文獻通攷》作「二卷」。　廣棪案：元抄本、盧校本同。疑《解題》誤。**梁水部郎何遜仲言撰。本傳集八卷**，廣棪案：元抄本「集」作「文集」。**《館閣書目》同。**廣棪案《文獻通考》脫「同」字。**今所傳止此。**

廣棪案：《隋書》卷三十五、〈志〉第三十、〈經籍〉四〈集〉著錄：「梁仁威記室《何遜集》七卷。」《通志略》同。《舊唐書》卷四十七、〈志〉第二十七、〈經籍〉下、〈別集類〉著錄：「《何遜集》八卷。」《新唐志》同。《中興館閣書目輯考・集部・別集類》著錄：「《何遜集》八卷。《書錄解題》卷十六。」趙士煒輯考本。是此書原八卷，而另有七卷本。《宋史》卷二百八、〈志〉第一百六十一、〈藝文〉七、〈別集類〉著錄：「《何遜詩集》五卷。」是遜又有五卷本詩集。《郡齋讀書志》卷第十七、〈別集類〉著錄：「《何遜集》。右梁何遜仲言也。東海人。終水部員外郎。遜少能詩，州舉秀才。范雲見其文，嗟賞曰：『觀文人，質則過儒，麗則傷俗。能含清濁，中今古，見之何生。』沈約謂：『每讀卿詩，一日三復，猶不能已。』與劉孝綽以文章見重於世，謂之『何、劉』。王僧孺集其文爲八卷，今亡逸不全。」《四庫全書總目》卷一百四十八、〈集部〉一、〈別集類〉一著錄：「《何水部集》一卷，江蘇蔣曾瑩家藏本。梁何遜撰。遜字仲言，東海郯人。官至水部員外郎。故自唐以來稱何水部。王僧孺嘗輯遜詩，編爲八卷。宋黃伯思《東觀餘論》有〈遜集跋〉，稱爲春明宋氏本。蓋宋敏求家所傳，其卷數尚與《梁書》相符。而伯思云：『杜甫所引「昏鴉接翅歸」、「金粟裏搔頭」等句，不見《集》中。』則當時已有佚脫。舊本久亡，所謂八卷者不可復睹。即《永樂大典》所引遜詩，亦皆今世所習見。則元、明間已不存矣。此本爲正德丁丑松江張紘所刊。首列遜小傳，凡詩九十五首、附載范雲、劉孝綽同作〈擬古〉二首、聯句十三首。末載黃伯思〈跋〉。〈跋〉後附〈七召〉一篇。末復有紘〈跋〉稱：『舊與《陰鏗集》偕刻。紘以二家體裁各別，不當比而同之，公暇獨取是《集》，刪其繁蕪。同寅毗陵陸懋之、永嘉李昇之捐俸共刻。』然則是《集》又經紘刊削，有所去取歟？」足供參證。是《四庫全書》本乃一卷本。遜，《梁書》卷四十九、〈列傳〉第四十三、〈文學〉上，《南史》卷三十三、〈列傳〉第二十三有傳。《梁書》本傳載：「何遜字仲言，東海郯人也。……天監中，起家奉朝請，遷中衞建安王水曹行參軍，兼記室。王愛文學之士，日與遊宴，及遷江州，遜猶掌書記。還爲安西安成王參軍事，兼尚書水部郎，母憂去職。服闋，除仁威廬陵王記室，復隨府江州，未幾卒。東海王僧孺集其文爲八卷。」可知其生平及宦歷。

江文通集十卷

《江文通集》十卷，梁散騎常侍江淹文通撰。

廣棪案：《隋書》卷三十五、〈志〉第三十、〈經籍〉四〈集〉著錄：「梁金紫光祿大夫《江淹集》九卷，梁二十卷。《江淹後集》十卷。」《舊唐書》卷四十七、〈志〉第二十七、〈經籍〉下、〈別集類〉著錄：「《江淹前集》十卷、《江淹後集》十卷。」《新唐志》同。惟《通志》卷六十九、〈藝文略〉第七、〈別集〉三〈梁〉則著錄：「金紫光祿大夫《江淹集》二十卷，

《江淹後集》十卷。」其《集》作「二十卷」，則仍梁時著錄之舊。《宋史》卷二百八、〈志〉第一百六十一、〈藝文〉七、〈別集類〉著錄：「《江淹集》十卷。」則與《解題》同。《郡齋讀書志》卷第十七、〈別集類〉著錄：「《江淹集》十卷。右梁江淹文通也。濟陽人。梁初，爲散騎常侍，封醴陵侯。少好學，不事章句，留情於文章。晚節才思微退，人謂才盡。著述百餘篇，自撰爲《前》、《後集》。今《集》二百四十九篇。魏晉間名人詩文行於世者，往往羨於史所載。曹植、王粲及淹皆是也，豈後人妄益之歟？」是此《集》宋時均作十卷。淹字文通，濟陽考城人。天監元年爲散騎常侍。《梁書》卷十四、〈列傳〉第八，《南史》卷五十九、〈列傳〉第四十九有傳。《梁書》本傳謂：「淹少以文章顯，晚節才思微退，時人皆謂之才盡。凡所著述百餘篇，自撰爲《前》、《後集》，并《齊史》十〈志〉，並行於世。」是此書本分《前》、《後集》。

庾開府集二十卷

《庾開府集》二十卷，周司憲中大夫南陽庾信子山撰。廣棪案：《文獻通考》無此句。**信，肩吾之子，仕梁及周。其在揚都，有《集》四十卷；及江陵，又有三卷，皆兵火不存。今《集》止自入魏以來所作，而〈哀江南賦〉寔為首冠。**

廣棪案：《隋書》卷三十五、〈志〉第三十、〈經籍〉四〈集〉著錄：「後周開府儀同《庾信集》二十一卷，并《錄》。」是去《錄》不計，仍爲二十卷。《舊唐書》卷四十七、〈志〉第二十七、〈經籍〉下、〈別集類〉著錄：「《庾信集》二十卷。」《新唐志》同。《通志》卷七十、〈藝文略〉、八〈別集〉四、〈後周〉著錄：「《開府儀同庾信集》二十一卷，又《略集》三卷。」《宋史》卷二百八、〈志〉第一百六十一、〈藝文〉七、〈別集類〉著錄：「《庾信集》二十卷，又〈哀江南賦〉一卷。」各書著錄均有所異同。《郡齋讀書志》卷第十七、〈別集類〉著錄：「《庾信集》二十卷。右周庾信子山也。南陽人。梁元帝時，爲散騎常侍。聘西魏，遂留長安。孝閔時，終司憲中大夫。信在梁與徐陵文並綺麗，世號『徐庾體』。《集》有滕王逌〈序〉。」可供參證。信，《周書》卷四十一、〈列傳〉第三十三，《北史》卷八十三、〈列傳〉第七十一、〈文苑〉有傳。《周書》本傳載：「庾信字子山，南陽新野人也。祖易，齊徵士。父肩吾，梁散騎常侍、中書令。」又載：「孝閔帝踐阼，封臨清縣子，邑五百戶，除司水下大夫。出爲弘農郡守，遷驃騎大將軍、開府儀同三司、司憲中大夫，進爵義城縣侯。俄拜洛州刺史。信多識舊章，爲政簡靜，吏民安之。時陳氏與朝廷通好，南北流寓之士，各許還其舊國。陳氏乃請王褒及信等十數人。高祖唯放王克、殷不害等，信及褒竝留而不遣。尋徵爲司宗中大夫。世宗、高祖竝雅好文學，信特蒙恩禮。至於趙、滕諸王，周旋款至，有若布衣之交。羣公碑誌，多相請託。唯王褒頗與信相埒，自餘文人，莫有逮者。信雖位望通顯，常有鄉關之思。乃作〈哀江南賦〉，以致其意云。」是信曾任司憲中大夫，並作〈哀江南賦〉之證。

稽聖賦三卷

《稽聖賦》三卷，北齊黃門侍郎琅邪顏之推撰。其孫師古注。蓋擬〈天問〉而作。《中興書目》稱李淳風注。

廣棪案：此賦已佚。之推字介，琅邪臨沂人，北齊時任黃門侍郎。《北齊書》卷四十五、〈列傳〉第三十七、〈文苑〉，《北史》卷八十三、〈列傳〉第七十一、〈文苑〉有傳。師古名籀，齊黃門侍郎之推之孫。《舊唐書》卷七十三〈列傳〉第二十三，《新唐書》卷一百九十八、〈列傳〉第一百二十三、〈儒學〉上有傳。李淳風，《舊唐書》卷七十九、〈列傳〉第二十九，《新唐書》卷二百四、〈列傳〉第一百二十九、〈方技〉有傳。或此書顏師古、李淳風各有注。

唐太宗集三卷

《唐太宗集》三卷，《唐太宗皇帝本集》四十卷。《館閣書目》但有詩一卷、六十九首而已。今此本第一卷賦四篇、詩六十五首，後二卷為碑銘、書詔之屬，而訛謬頗多。世所傳太宗之文見於石刻者，如〈帝京篇〉、〈秋日效庾信體詩〉、〈三藏聖教序〉，皆不在。又《晉書》紀、廣棪案：《文獻通考》「紀」作「總」，誤。**傳論，稱「制曰」者四，皆太宗御製也。今獨載宣、武二〈紀論〉，而陸機、王羲之〈傳論〉不預焉。〈宣紀論〉復重出，其他亦多有非太宗文者雜廁其中，**廣棪案：《文獻通考》此句作「其他亦多有非太宗文雜廁其中者」。**非善本也。**

廣棪案：《舊唐書》卷四十七、〈志〉第二十七、〈經籍〉下、〈別集類〉著錄：「《太宗文皇帝集》三十卷。」《新唐書》卷六十、〈志〉第五十、〈藝文〉四、〈別集類〉著錄：「《太宗集》四十卷。」《通志略》同。《解題》謂「《唐太宗皇帝本集》四十卷」，殆據《新唐志》也。《崇文總目》卷五、〈別集類〉一著錄：「《唐太宗集》一卷。」錢東垣輯釋本。《宋史》卷二百八、〈志〉第一百六十一、〈藝文〉七、〈別集類〉著錄：「《唐太宗詩》一卷。」疑《崇文總目》及《宋志》所著錄之一卷本，應與《中興館閣書目》著錄之詩一卷同。丁丙《善本書室藏書志》卷二十四、〈集部〉三著錄：「《唐太宗皇帝集》二卷，明活字刊本，何夢華藏書。按《天一閣書目》作一卷，明淮海朱應辰訂梓，北江聞人洽〈序〉。吳郡都穆〈跋〉云：『太常邊廷實《館閣書目》有《文皇詩》一卷，凡六十九首。今以詩按之，正符此數。但其中〈望春臺〉乃明皇詩；〈餞中書侍郎來濟〉，乃宋之問詩，當是後人誤入，非館閣之舊。是本前有〈感應賦〉、〈臨層臺賦〉、〈小池賦〉三篇，詩六十七首。所謂〈望春臺〉及〈餞來濟〉二首均不列入，正合前數，較朱應辰刻本爲佳。有『何元錫印』、『夢華館藏書』二印。」足供參考。

東皐子五卷

《東皐子》五卷，唐大樂丞太原王績無功撰。廣棪案：《文獻通考》「大樂」作「太樂」。元抄本、盧校本同。**績，文中子王通仲淹之弟也。仕隋，為正字，嗜酒簡放，不樂仕進。晚以大樂吏焦革善釀，**廣棪案：《文獻通考》「大樂」作「太樂」。元抄本、盧校本同。**求為其丞，不問流品，亦阮嗣宗步兵之意也。革死，乃歸於所居，立杜康祠，為文祭之，以焦革配。自號東皐子。**

廣棪案：此書又名《王績集》。《舊唐書》卷四十七、〈志〉第二十七、〈經籍〉下、〈別集類〉著錄：「《王績集》五卷。」《新唐志》、《宋志》同。《通志》卷七十、〈藝文略〉第八、〈別集〉四〈唐〉著錄作「《王勣集》五卷。」「勣」字誤。《崇文總目》卷五、〈別集類〉一則著錄作「《東皐子集》二卷。」錢東垣輯釋本。《郡齋讀書志》卷第十七、〈別集類〉著錄：「王績《東皐子集》五卷。右唐王績無功也。龍門人。隋大業中，舉孝悌廉潔，授六合丞。棄官耕東皐，自號東皐子。《唐書》以爲隱逸。《集》有呂才〈序〉。稱其幼岐嶷，年十五謁楊素，占對英辨，一坐盡傾，以爲神仙童子。薛道衡見其〈登龍門憶禹賦〉，歎曰：『今之庾信也！』且載其卜筮之驗者數事云。」可供參證。

其友呂才鳩訪遺文，編成五卷，為之〈序〉。

案：呂才〈序〉曰：「君姓王氏，諱績，字無功，太原祁人也。高祖晉穆公自南歸北，始家河汾焉。歷宋、魏迄于周、隋，六世冠冕，國史家牒詳焉。君性好學，博聞強記，與李播、陳永、呂才為莫逆之交，陰陽曆數之術無不洞曉。大業末，應孝悌廉潔舉，射高第，除秘書正字。君性簡放，飲酒至數斗不醉。常云：『恨不逢劉伶，與閉戶轟飲。』因著〈醉鄉記〉及〈五斗先生傳〉，以類〈酒德頌〉云。雅善鼓琴，加減舊弄作〈山水操〉，為知音者所賞，高情勝氣，獨步當時。及為正字，端簪理笏，非其好也。以疾罷，乞署外職，除揚州六合縣丞。君篤于酒德，頗妨職務，時天下亂，藩部法嚴，屢被勘劾，君歎曰：『羅網高懸，去將安所？』受俸錢積于縣城門前，託以風疾，輕舟夜遁。隋季版蕩，客遊河北，去還龍門。武德中，詔徵以前揚州六合縣丞，待詔門下省。時省官例，日給良醞三升，君第七弟靜為武皇千牛，謂曰：『待詔可樂否？』君曰：『吾待詔祿俸殊為蕭瑟，但良醞三升，差可戀爾。』侍中江國公，君之故人也，聞之曰：『三升良醞未足以絆王先生。』判日給王待詔一斗，時人號為斗酒學士。貞觀初，以足疾罷歸，欲定長往之計而困于貧。貞觀中，以家貧赴選，時太樂有府史焦革家善醞酒，冠絕當時，君苦求為太樂丞，選司以非士職不授，君再三請曰：『此中有深意，且士庶清濁，天下所安，不聞莊周避漆園，老聃耻柱下。』卒授焉。數月而焦革死，妻袁氏時送美酒。歲餘，袁又死，君歎曰：『天乃不令吾飽美酒。』遂掛冠歸田，自是太樂丞為清流。君後追述《焦革酒經》一卷，其術精悉，兼採杜康、儀狄已來善為酒人為《酒譜》一卷，太史令李淳風見而悅之，曰：『王君可謂酒家之南、董。』君歷職皆以好酒廢，鄉里或咍之，因著《無心子》以喻志。河汾中先有渚田十數頃，稱良沃，隣渚又有隱士仲長子光服食養性，君重其貞素，願與相近，遂結廬河渚，縱意琴酒，慶弔禮絕十有餘年。河渚東南隅有連沙磐石，地頗顯敞，君于其側遂為杜康立廟，歲時致祭，以焦革配焉。貞觀中，京兆杜之松、清河崔善為繼為本州刺史，皆請與君相見，君曰：『奈何悉欲坐召嚴君平。』竟不見。崔、杜高君調趣，卒不敢屈，但歲時贈以美酒鹿脯，詩書往來不絕。君又葛巾聯牛，躬耕東皐，每著書，自稱東皐子。晚歲醉飲無節，鄉人或諫止之，則笑曰：『汝輩不解，理正當然。』或乘牛駕驢，出入郊郭，止宿酒店，動經歲月，往往題詠作詩，好事者錄之，諷詠並傳於代。貞觀十八年終于家，時年若干。臨終自尅死日，遺命薄葬，兼預自爲〈墓志〉。所著詩賦並多散逸，鳩訪未畢，且緝成三卷。又著《會心高士傳》五卷、《酒譜》二卷及註《老子》，並別成一家，不列於《集》云。河東呂才君英撰。」〈序〉謂：「鳩訪未畢，且緝成三卷。」與《解題》異。

其後陸淳又為〈後序〉。廣棪案：《文獻通考》作「又為之〈序〉。」

案：《宋史》卷二百八、〈志〉第一百六十一、〈藝文〉七、〈別集類〉著錄：「陸淳《東皐子集略》二卷。」淳撰〈後序〉，或在編成《集略》後。淳，後以避唐憲宗名，改名質。《舊唐書》卷一百八十九下、〈列傳〉第一百三十九下、〈儒學〉下，《新唐書》卷一百六十八、〈列傳〉第九十三有傳。淳〈後序〉曰：「淳聞於師曰：『秉仁義、立好惡，方之內者也；等是非、遺物我，方之外者也；冥內而遊外，聖人也。』聖人，吾不得見之矣，方內者時有焉，其惟方外之徒莫得而測也，豈踐跡之道易，忘言之理難耶？將羣於人而內自得耶？何乃莊叟之後，緜歷千祀，幾於是道者，余得之王君焉。心與物冥，德不外蕩，隨變而適，即分而安。忘所拘而跡不害教，遺其累而道不絕俗，故有陶公之去職，言不怨時；有阮氏之放情，行不忤物。曠哉淵乎！眞可謂樂天之君子者矣。生於隋季，人莫之知，故其遺文高跡不顯。余每覽其《集》，想見其人，恨不同時，得爲忘形之友。故祛彼有爲之詞，全懸解之志，庶乎死而可作，無愧異代之知音爾。其祖宗之由，出處之行，前〈序〉備矣，此不復云。平原陸淳化卿撰。」

有〈醉鄉記〉，傳於世。

案：《全唐文》卷一百三十二載績〈醉鄉記〉，曰：「醉之鄉，去中國不知其幾千里也。其土曠然無涯，無邱陵阪險；其氣和平一揆，無晦明寒暑；其俗大同，無邑居聚落；其人甚精，無愛憎喜怒；吸風飲露，不食五穀；其寢于于，其行徐徐，與鳥獸魚鼈雜處，不知有舟車、器械之用。昔者，黃帝氏嘗獲遊其都，歸而杳然喪其天下，以爲結繩之政已薄矣。降及堯、舜，作爲千鍾、百壺之獻。因姑射神人以假道，蓋至其邊鄙，終身太平。禹、湯立法，禮繁樂雜，數十代與醉鄉隔。其臣羲和，棄甲子而逃，冀臻其鄉，失路而道夭，故天下遂不寧。至乎末孫桀、紂，怒而昇其糟邱，階級千仞，南向而望，卒不見醉鄉。武王得志於世，乃命公旦立酒人氏之職，典司五齊，拓土七千里，僅與醉鄉達焉。故四十年刑措不用。下逮幽、厲，迄乎秦漢，中國喪亂，遂與醉鄉絕。而臣下之愛道者，亦往往竊至焉。阮嗣宗、陶淵明等十數人，並遊於醉鄉，沒身不返，死葬其壤，中國以爲酒仙云。嗟乎！醉鄉氏之俗，豈古華胥氏之國乎？其何以淳寂也如是，今予將遊焉，故爲之〈記〉。」是此〈記〉固傳於世。

盧照鄰集十卷

《盧照鄰集》十卷，唐新都尉范陽盧照鄰撰。以久病，自沈潁水。

廣棪案：《舊唐書》卷四十七、〈志〉第二十七、〈經籍〉下、〈別集類〉著錄：「《盧照隣集》二十卷。」《新唐志》、《通志略》同。是照鄰《集》唐時爲二十卷，與《解題》異。《崇文總目》卷五、〈別集類〉一著錄：「《盧照鄰集》十卷。」錢東垣輯釋本。《宋志》同。《郡齋讀書志》卷第十七、〈別集類〉著錄：「盧照隣《幽憂子集》十卷。右唐盧照隣昇之也。范陽人。調新都尉，病去官，隱具茨山下。手足攣癈，疾久，訣親戚，自沈潁水。照隣自以當高宗時尚吏，己獨儒；武后尚法，己獨黃老；后封嵩山，聘賢士，己病癈。著〈五悲文〉，今在《集》中。嘗自號幽憂子。」可供參證。《宋史》卷二百八、〈志〉第一百六十一、〈藝文〉七、〈別集類〉另著錄有《幽離子》三卷，應與此十卷本非同一書。照鄰，《舊唐書》卷一百九十上、〈列傳〉第一百四十上、〈文苑〉上，《新唐書》卷二百一、〈列傳〉第二百二十六、〈文藝〉上均有傳。《舊唐書》本傳載：「盧照鄰字昇之，幽州范陽人也。年十餘歲，就曹憲、王義方授《蒼》、《雅》及經史，博學善屬文。初授鄧王府典籤，王甚愛重之，曾謂羣官曰：『此即寡人相如也。』後拜新都尉，因染風疾去官，處太白山中，以服餌爲事。後疾轉篤，徙居陽翟之具茨山，著〈釋疾文〉、〈五悲〉等誦，頗有騷人之風，甚爲文士所重。照鄰既沉痼攣廢，不堪其苦，嘗與親屬執別，遂自投潁水而死，時年四十。《文集》二十卷。」可知其生平與宦歷。

駱賓王集十卷

《駱賓王集》十卷，唐臨海丞義烏駱賓王撰。賓王後為徐敬業傳檄天下，罪狀武后，所謂「一抔之土未乾，六尺之孤安在」者也。廣棪案：《文獻通考》闕以上各句。**其首卷有魯國郗雲卿〈序〉，言賓王光宅中廣陵亂伏誅，莫有收拾其文者，後有勅搜訪，雲卿撰焉。**廣棪案：《文獻通考》闕此句。**又有蜀本，**廣棪案：《文獻通考》作「又有四五本」，疑「四五」乃「蜀」字形近之誤。**卷數亦同，而次序先後皆異。〈序〉文視前本加詳，**廣棪案：《文獻通考》脫「本」字。**而云廣陵起義不捷，因致遁逃，文集散失，中宗朝詔令搜訪。案：本傳言賓王既敗，亡命，不知所之，**廣棪案：《文獻通考》由「因致遁逃」句至此處，作「因遁。本傳亦言敗而亡命，不知所終」。**與蜀本〈序〉合。**廣棪案：《文獻通考》脫「本」字。

廣棪案：《舊唐書》卷四十七、〈志〉第二十七、〈經籍〉下、〈別集類〉著錄：「《駱賓王集》十卷。」《新唐志》、《崇文總目》、錢東垣輯釋本。《通志略》、《宋志》著錄同。《郡齋讀書志》卷第十七、〈別集類〉著錄：「《駱賓王集》十卷。右唐駱賓王也。義烏人。武后時，數言事，得罪，貶臨海丞。不得志，棄官去。文明中，徐敬業亂，署府佐，爲敬業傳檄天下，斥武后罪。后讀之矍然。及敗，亡命，不知所之。後宋之問逢之於靈隱，已祝髮爲浮屠矣。賓王七歲能屬文，妙於五言詩。中宗詔求其文，得百餘篇，命郗雲卿次序之。」《四庫全書總目》卷一百四十九、〈集部〉二、〈別集類〉二著錄：「《駱丞集》四卷，副都御史黃登賢家藏本。唐駱賓王撰。《唐書・文苑傳》稱：『中宗時詔求其文，得百餘篇，命郗雲卿編次之。』《書錄解題》引雲卿舊〈序〉，稱：『光宅中廣陵亂，伏誅。』蓋據李孝逸奏捷之語。孟棨《本事詩》則云：『賓王落髮，徧遊名山。宋之問遊靈隱寺作詩，嘗爲續「樓觀滄海日、門對浙江潮」之句。』今觀《集》中，與之問蹤蹟甚密，在江南則有投贈之作，在兗州則有餞別之章。宜非不相識者，何至覿面失之。封演爲天寶中人，去賓王時甚近，所作《聞見記》中載之問此詩，證月中桂子之事，竝不云出賓王，知當時尙無是說。又朱國楨《湧幢小品》載：『正德九年，有曹某者，鑿靛池於海門城東黃泥口，得古冢題石，曰駱賓王之墓云云。』亦足證亡命爲僧之說不確。蓋武后改唐爲周，人心共憤。敬業、賓王之敗，世頗憐之，故造是語。孟棨不考而誤載也。其《集》，《新》、《舊唐書》皆作十卷。《宋・

藝文志》載有《百道判》三卷。今竝散佚。此本四卷，蓋後人所裒輯。其註則明給事中顏文選所作。援引疎舛，殆無可取。以《文選》之外別無註本，而其中亦尚有一二可採者。故姑竝錄之，以備參考焉。」均可供參證。賓王，《舊唐書》卷一百九十上、〈列傳〉第一百四十上、〈文苑〉上，《新唐書》卷二百一、〈列傳〉第一百二十六、〈文藝〉上有傳。《舊唐書》本傳載：「駱賓王，婺州義烏人。少善屬文，尤妙於五言詩，嘗作〈帝京篇〉，當時以爲絕唱。然落魄無行，好與博徒遊。高宗末，爲長安主簿。坐贓，左遷臨海丞，怏怏失志，棄官而去。文明中，與徐敬業於揚州作亂。敬業軍中書檄，皆賓王之詞也。敬業敗，伏誅，文多散失。則天素重其文，遣使求之。有兗州人郗雲卿集成十卷，盛傳於世。」可知其生平概況。

陳拾遺集十卷

《陳拾遺集》十卷，廣棪案：《文獻通考》「《陳拾遺集》」作「《陳子昂集》」。**唐右拾遺射洪陳子昂伯玉撰。**廣棪案：《文獻通考》闕此句。

廣棪案：《舊唐書》卷四十七、〈志〉第二十七、〈經籍〉下、〈別集類〉著錄：「《陳子昂集》十卷。」《新唐志》、《崇文總目》、錢東垣輯釋本。《郡齋讀書志》、《通志略》、《宋志》著錄同。子昂字伯玉，梓州射洪人。武后稱帝時擢右拾遺。《舊唐書》卷一百九十中、〈列傳〉第一百四十中、〈文苑〉中，《新唐書》卷一百七、〈列傳〉第三十二有傳。

黄門侍郎盧藏用為之〈序〉。廣棪案：《文獻通考》脫「之」字。**又有〈別傳〉系之卷末。**

案：藏用字子潛，幽州范陽人。《舊唐書》卷九十四、〈列傳〉第四十四，《新唐書》卷一百二十三、〈列傳〉第四十八有傳。《舊唐書》本傳稱藏用「少與陳子昂、趙貞固友善，二人並早卒，藏用厚撫其子，爲時所稱」。藏用所撰〈右拾遺陳子昂文集序〉及〈陳子昂別傳〉，見《全唐文》卷二百三十八，其〈別傳〉文長不錄。

子昂仕武后，既不遇，以父喪家居。縣令段簡貪暴，取貨弗厭，致之獄以死，年財四十二。廣棪案：《文獻通考》此數句作「子昂死時才四十二」。

案：《舊唐書》子昂本傳載：「子昂父在鄉，爲縣令段簡所辱，子昂聞之，遽還鄉里。簡乃因事收繫獄中，憂憤而卒，時年四十餘。」《新唐書》本傳載：「聖曆初，以父老，表解官歸侍，詔以官供養。會父喪，廬冢次，每哀慟，聞者爲涕。縣令段簡貪暴，聞其富，欲害子昂，家人納錢二十萬緡，簡薄其賂，捕送獄中。子昂之見捕，自筮，卦成，驚曰：『天命不祐，吾殆死乎！』果死獄中，年四十三。」所記不同。

子昂為〈明堂議〉、〈神鳳頌〉，廣棪案：《文獻通考》此句作「為〈神鳳頌〉、〈明堂議〉」。**納忠貢諛於孽后之朝，大節不足言矣。然其詩文在唐初寔首起八代之衰者。韓退之〈薦士詩〉言「國朝盛文章，子昂始高蹈」，非虛語也。**

案：子昂其人其文，自宋以來，頗見聚訟。《郡齋讀書志》卷第十七、〈別集類〉著錄：「《陳子昂集》十卷。右唐陳子昂伯玉也。梓州人。文明初舉進士，上書，召見，累擢拾遺。《新唐書》稱子昂聖曆初解官歸養。父喪，廬墓。縣令段簡貪暴，脅取其賂不厭，逮捕，死獄中。沈下賢獨云爲武承嗣所殺。未知孰是。子昂少以豪俠使氣，及冠，折節爲學，精究墳籍，耽愛黃老、《易象》，尤善屬文。唐興，文章承徐、庾餘風，天下祖尚，至是始變雅正。故雖無風節，而唐之名人無不推之。柳儀曹曰：『張說以著述之餘，攻比興而莫能極；張九齡以比興之暇，窮著述而不克備；唐興以來，稱是選而不怍者，子昂一人而已。』」晁氏推崇可稱備至。《四庫全書總目》卷一百四十九、〈集部〉二、〈別集類〉二著錄：「《陳拾遺集》十卷，內府藏本。唐陳子昂撰。子昂事蹟具《唐書》本傳，及盧藏用所爲〈別傳〉。唐初文章，不脫陳、隋舊習。子昂始奮發自爲，追古作者。韓愈詩云：『國朝盛文章，子昂始高蹈。』柳宗元亦謂：『張說工著述，張九齡善比興，兼備者子昂而已。』馬端臨《文獻通考》乃謂：『子昂惟詩語高妙，其他文則不脫偶儷卑弱之體。』韓、柳之論不專稱其詩，皆所未喻。今觀其《集》，惟諸表、序猶沿排儷之習，若論事書疏之類，實疎樸近古，韓、柳之論未爲非也。子昂嘗上書武后，請興明堂太學。宋祁《新唐書》傳贊以爲『薦圭璧於房闥，以脂澤汙漫之。』其文今載《集》中。王士禎《香祖筆記》又舉其〈大周受命頌〉四章、〈進表〉一篇、〈請追上太原王帝號表〉一篇，以爲視〈劇秦美新〉殆又過之，其下筆時不復知世有節義廉恥事。今亦載《集》中。然則是《集》之傳，特以詞采見珍。譬諸蕩姬佚女，以色藝冠一世，而不可以禮法繩之者也。此本傳寫多譌脫，第七卷闕兩葉。據目錄尋之〈禡牙文〉、〈禜海文〉在《文苑英華》九百九十五卷。〈弔塞上翁〉文在九百九十九卷。〈祭孫府君文〉在九百七十九卷。又〈送崔融等序〉之後，據目錄尚有〈餞陳少府序〉一篇。此本亦佚。《英華》七百十九卷有此文。今竝葺補，俾成完本。《英華》八百二十二卷收子昂〈大崇福觀記〉一篇，稱武士彠爲太祖孝明皇帝。此《集》不載其目，殆偶佚脫。今併補入，俾操觚揮翰之士知立身一敗，遺詬萬年，有求其不傳而不能者焉。」紀氏抨擊可謂不留餘地。要之，以直齋所評爲得其公允也。

盧〈序〉亦簡古清壯，非唐初文人所及。廣棪案：《文獻通考》「所及」作「可及」。

案：藏用〈右拾遺陳子昂文集序〉曰：「昔孔宣父以天縱之才，自衞返魯，迺刪《詩》、《書》，述《易》道，而修《春秋》。數千百年文章，粲然可觀也。孔子歿二百歲而騷人作，於是婉麗浮侈之法行焉。漢興二百年，賈誼、馬遷爲之傑，憲章禮樂，有老成之風。長卿、子雲之儔，瑰詭萬變，亦奇特之士也。惜其王公大人之言，溺於流辭而不顧。其後班、張、崔、蔡、曹、劉、潘、陸，隨波而作，雖大雅不足，其遺風餘烈，尚有典型。宋、齊之末，益顦顇矣。逶迤陵頹，流靡忘返，至於徐、庾，天之將喪斯文也。後進之士若上官儀者，繼踵而生，於是風雅之道，掃地盡矣。《易》曰：『物不可以終〈否〉，故受之以〈泰〉。』道喪五百歲而得陳君，君諱子昂，字伯玉，蜀人也。崛起江漢，虎視函夏，卓立千古，橫制頹波，天下翕然，質文一變。非夫岷峨之精，巫廬之靈，則何以生此。故其諫諍之辭，則爲政之先也。昭夷之碣，則議論之當也。〈國殤〉之文，則〈大雅〉之怨也。徐君之議，則刑禮之中也。至於感激頓挫，微顯闡幽，庶幾見變化之朕，以接乎天人之際者，則〈感遇〉之篇存焉。觀其逸足駸駸，方將摶扶搖而陵太清，躐遺風而薄嵩岱，吾見其進，未見其止。惜乎湮厄當世，道不偶時，委骨巴山，年志俱夭，故其文未極也。嗚呼！聰明精粹而淪剝，貪饕桀驁以顯榮，天乎天乎！吾殆未知夫天焉。昔嘗與余有忘形之契，四海之內，一人而已。良友歿矣，天其喪予，今採其遺文可存者，編而次之，凡十卷。恨不逢作者，不得列於詩人之什，悲夫！故粗論文之變而爲之〈序〉。至於王霸之才，卓犖之行，則存之〈別傳〉，以繼於終篇云耳。」直齋評此文，以爲「簡古清壯，非唐初文人所及」，信非誣也。

宋之問集十卷

《宋之問集》十卷，唐越州長史河汾宋之問延清撰。

廣棪案：《舊唐書》卷四十七、〈志〉第二十七、〈經籍〉下、〈別集類〉著錄：「《宋之問集》十卷。」《新唐志》、《崇文總目》、錢東垣輯釋本。《郡齋讀書志》、《通志略》、《宋志》著錄同。之問字延清，虢州弘農人。唐中宗時任越州長史。《舊唐書》卷一百九十中、〈列傳〉第一百四十中、〈文苑〉中，《新唐書》卷二百二、〈列傳〉第一百二十七、〈文藝〉中有傳。《郡齋讀書志》卷第十七、〈別集類〉著錄：「《宋之問考功集》十卷。右唐宋之問延清也。汾州人。武后召與楊炯分直習藝館。諂事太平公主，爲考功員外郎。睿宗初，貶欽州，賜死。自魏建安迄江左，詩律屢變，至沈約、庾信，以音韻相婉附，屬對精密；及之問、沈佺期，又加靡麗，回忌聲病，約句準篇，如錦繡成文，學者宗之，號曰『沈、宋』。徐堅嘗論之問之文：『如良金美玉，無施不可。』其爲當時所重如此。」可供參考。

沈佺期集十卷

《沈佺期集》十卷，館臣案：《文獻通攷》作五卷。**唐中書舍人內黃沈佺期雲卿撰。**廣棪案：《文獻通考》闕此句。

廣棪案：《舊唐書》卷四十七、〈志〉第二十七、〈經籍〉下、〈別集類〉著錄：「《沈佺期集》十卷。」《新唐志》、《崇文總目》、錢東垣輯釋本。《通志略》、《宋志》著錄同。惟《郡齋讀書志》著錄作五卷。沈佺，字雲卿。《舊唐書》卷一百九十中、〈列傳〉第一百四十中、〈文苑〉中，《新唐書》卷二百二、〈列傳〉第一百二十七、〈文藝〉中有傳。

自沈約以來，始以音韻、對偶為詩，至之問、佺期，廣棪案：《文獻通考》作「至佺期、之問」。**益加靡麗。學者宗之，號為沈、宋。**廣棪案：《文獻通考》作「學者號沈、宋」。**唐律蓋本於此。**

案：《新唐書》卷二百二、〈列傳〉第一百二十七、〈文藝〉中、〈宋之問〉載：「魏建安後迄江左，詩律屢變，至沈約、庾信，以音韻相婉附，屬對精密。及之問、沈佺期，又加靡麗，回忌聲病，約句準篇，如錦繡成文，學者宗之，號爲『沈、宋』。語曰『蘇、李居前，沈、宋比肩』，謂蘇武、李陵也。」《解題》所述乃本此。

二人者皆以諂附二張進，景龍中俱為修文館學士。佺期《四波詞》有所謂「齒錄牙緋」者，其為人可知。

案：《新唐書．宋之問傳》載：「于時張易之等烝昵寵甚，之問與閻朝隱、沈佺期、劉允濟傾心媚附，易之所賦諸篇，盡之問、朝隱所爲，至爲易之奉溺器。及敗，貶瀧州，朝隱崖州，並參軍事。之問逃歸洛陽，匿張仲之家。會武三思復用事，仲之與王同皎謀殺三思安王室，之問得其實，令兄子曇與冉祖雍上急變，因丐贖罪，由是擢鴻臚主簿，天下醜其行。」《新唐書．沈佺期傳》載：「沈佺期字雲卿，相州內黃人。及進士第，由協律郎累除給事中，考功受賕，劾未究，會張易之，遂長流驩州。稍遷台州錄事參軍事。入計，得召見，拜起居郎兼脩文館直學士。既侍宴，帝詔學士等舞〈回波〉，佺期爲弄辭悅帝，還賜牙、緋。尋歷中書舍人、太子少詹事。開元初卒。」《郡齋讀書志》卷第十七、〈別集類〉著錄：「《沈佺期集》五卷。右唐沈佺期雲卿也。相州人。及進士第，由協律郎累遷弘文館直學士。嘗侍中宗宴，舞〈回波〉，爲弄辭悅帝。還，賜牙笏、衣緋。」均足資參證。惟《郡齋讀書志》之「弘文館直學士」，實乃「修文館直學士」之誤。

之問尤反覆無行，卒以罪死。廣棪案：末六句，《文獻通考》省作「二人皆附二張進，之問尤無行。」

案：《新唐書．宋之問傳》載：「景龍中，遷考功員外郎，諂事太平公主，故見用，及安樂公主權盛，復往諧結，故太平深疾之。中宗將用爲中書舍人，太平發其知貢舉時賕餉狼藉，下遷汴州長史，未行，改越州長史。頗自力爲政。窮歷剡溪山，置酒賦詩，流布京師，人人傳諷。睿宗立，以獪險盈惡詔流欽州。祖雍歷中書舍人、刑部侍郎。倡飲省中，爲御史劾奏，貶蘄州刺史。至是，亦流嶺南，並賜死桂州。之問得詔震汗，東西步，不引決。祖雍請使者曰：『之問有妻子，幸聽訣。』使者許之，而之問荒悸不能處家事。祖雍怒曰：『與公俱負國家當死，奈何遲回邪？』乃飲食洗沐就死。」足供參證。

張燕公集三十卷

《張燕公集》三十卷，唐宰相范陽張說說之撰。一字道濟，與蘇頲號「燕許大手筆」。家未有《蘇許公集》。二人名相，而以文擅天下，盛矣哉。
廣棪案：《文獻通考》此條作「說與蘇頲號『燕許大手筆』，家未有《蘇許公集》」。

廣棪案：《新唐書》卷六十、〈志〉第五十、〈藝文〉四、〈別集類〉著錄：「《張說集》二十卷。」與此不同。惟《郡齋讀書志》卷第十七、〈別集類〉亦著錄作三十卷，曰：「右唐張說道濟也。洛陽人。永昌元年，賢良方正策第一，累遷鳳閣舍人。睿宗時，兵部侍郎、平章事。開元十八年，終左丞相、燕國公。說爲文精壯，長於碑志，朝廷大述作多出其手。嘗典集賢圖書之任，間爲天平軍大使及致仕一歲，皆即軍中、於其家論撰國史。晚謫岳州，詩益悽惋，人謂得江山助。」足供參證。說字道濟，或字說之，其先范陽人，玄宗時爲宰相。《舊唐書》卷九十七、〈列傳〉第四十七，《新唐書》卷一百二十五、〈列傳〉第五十有傳。蘇頲字廷碩，京兆武功人，瓌子，襲封許國公。《舊唐書》卷八十八、〈列傳〉第三十八，《新唐書》卷一百二十五、〈列傳〉第五十附〈蘇瓌〉。《新唐書》本傳載：「頲性廉儉，奉稟悉推散諸弟親族，儲無長貲。自景龍後，與張說以文章顯，稱望略等，故時號『燕許大手筆』。帝愛其文，曰：『卿所爲詔令，別錄副本，署臣某撰，朕當留中。』後遂爲故事。」足供參證。《新唐志》著錄《蘇頲集》三十卷。

曲江集二十卷

《曲江集》二十卷，廣棪案：《文獻通考》作「《張九齡曲江集》」。唐宰相曲江張九齡子壽撰。廣棪案：《文獻通考》無此句。曲江本有元祐中郡人鄧開〈序〉，自言得其文於公十世孫蒼梧守唐輔而刊之，於末附以中書舍人樊子彥所撰〈行狀〉、廣棪案：《文獻通考》「於」作「卷」。元抄本、盧校本同。會稽公徐浩所撰〈神道碑〉及太常博士鄭宗珍〈議謚文獻狀〉。廣棪案：此句《文獻通考》省作「卷末〈行狀〉、〈神道碑〉、〈謚議〉」。蜀本無之。

廣棪案：《新唐書》卷六十、〈志〉第五十、〈藝文〉四、〈別集類〉著錄：「《張九齡集》二十卷。」《崇文總目》、錢東垣輯釋本。《郡齋讀書志》、《通志略》、《宋志》著錄同。《郡齋讀書志》卷第十七、〈別集類〉著錄：「《張九齡曲江集》二十卷。右唐張九齡子壽也。曲江人。長安二年進士，調校書郎，以道侔伊吕科策高等，爲左拾遺。開元中，爲中書令，卒，謚文獻。九齡風度醞藉，幼善屬文。玄宗朝，知制誥，雅爲帝知。爲相，諤諤有大臣節。及貶荆州，惟文史是娱，朝廷許其勝流。徐堅論九齡之文，如輕縑素練，實濟時用，而窘邊幅。柳宗元以九齡兼攻詩文，但不能究其極爾。《集》後有姚子彥所撰〈行狀〉、吕溫撰〈眞贊〉、鄭宗珍撰〈謚議〉、徐浩撰〈墓碑〉及〈贈司徒敕辭〉。」是晁氏所藏者亦曲江本。瞿鏞《鐵琴銅劍樓藏書目錄》卷第十九、〈集部〉一、〈別集類〉著錄：「《張曲江集》二十卷，明刊本。唐張九齡撰，明成化間邱文莊公得館閣藏本，手自鈔錄，屬韶郡太守江陰蘇韡刻之。案陳氏《書錄》云：『元祐中有鄧開刻本，後附樊子彥所作〈行狀〉、徐浩〈神道碑〉、鄭宗珍〈議謚文獻狀〉。』此本無之，殆所謂蜀本是也。有文莊〈序〉、蘇韡〈跋〉，舊爲飛鴻堂汪氏藏書。卷首有新安汪氏啓淑信印二朱記。」是明刊本所據者爲蜀本。九齡字子壽，韶州曲江人。《舊唐書》卷九十九、〈列傳〉第四十九，《新唐書》卷一百二十六、〈列傳〉第五十一有傳。

王右丞集十卷

《王右丞集》十卷，唐尚書右丞河中王維摩詰撰。

廣棪案：《新唐書》卷六十、〈志〉第五十、〈藝文〉四、〈別集類〉著錄：「《王維集》十卷。」《崇文總目》、錢東垣輯釋本。《郡齋讀書志》、《通志略》、《宋志》著錄同。維字摩詰，太原祁人。肅宗時任尚書右丞。《舊唐書》卷一百九十下、〈列傳〉第一百四十下、〈文苑〉下，《新唐書》卷二百二、〈列傳〉第一百二十七、〈文藝〉中有傳。

建昌本與蜀本次序皆不同，大抵蜀刻《唐六十家集》多異于他處本，而此《集》編次尤無倫。

案：顧廣圻《思適齋集》卷十五、〈題跋〉二、〈王摩詰集跋丁亥〉曰：「《王摩詰文集》十卷，每卷有『二泉主人聽松風處』、『子京項墨林鑑賞章』、『宋本甲等』印，第五卷有款云：『袁褧觀及袁氏尙之印，今藏汪氏藝芸書舍。』與前收《讀書敏求記》所載《王右丞文集》皆宋本，而迥乎不合。予讀《文獻通考》引《書錄解題》云：『建昌本與蜀本次第皆不同，大抵蜀刻《唐六十家集》多異他處本，而此《集》編次尤無倫。』乃悟題《摩詰集》者，蜀本也；題《王右丞集》，建昌本也。建昌本前六卷詩，後四卷文，自是寶應二年表進之舊；而蜀本第二以下全錯亂，故直齋以爲尤無倫也。」足供參證。

維詩清逸，追逼陶、謝。〈輞川別墅圖畫〉摹傳至今。嘗與裴迪同賦，各二十絕句。《集》中又有〈與迪書〉，略曰：「夜登華子岡，輞水淪漣，與月上下。寒山遠火，明滅林外。深巷寒犬，吠聲如豹。村墟夜舂，復與疎鐘相間。此時獨坐，僮僕靜默。每思曩昔，攜手賦詩。當待春中，卉木蔓發。輕鯈出水，白鷗矯翼。露濕青皐，麥雉朝雊。儻能從我遊乎？」余每讀之，使人有飄然獨往之興。迪詩亦佳，然他無聞於世，蓋亦高人也。輞川在藍田縣西南二十里，本宋之問別圃，維後表為清源寺，終墓其西。

案：《舊唐書》本傳載：「維弟兄俱奉佛，居常蔬食，不茹葷血，晚年長齋，不衣文綵。得宋之問藍田別墅，在輞口，輞水周於舍下，別漲竹洲花塢，與道友裴迪浮舟往來，彈琴賦詩，嘯詠終日。嘗聚其田園所爲詩，號《輞川集》。」《新唐書》本傳載：「兄弟皆篤志奉佛，食不葷，衣不文綵。別墅在輞川，地奇勝，有華子岡、欹湖、竹里館、柳浪、茱萸沜、辛夷塢，與裴迪游其中，賦詩相酬爲樂。喪妻不娶，孤居三十年。母亡，表輞川第爲寺，終葬其西。」足供參證。

龍筋鳳髓判十卷

《龍筋鳳髓判》十卷，唐司門員外郎陸澤張鷟文成撰。

廣棪案：《新唐書》卷六十、〈志〉第五十、〈藝文〉四、〈別集類〉著錄：「張文成《龍筋鳳髓》十卷。」《郡齋讀書志》、《宋志》著錄同。

鷟，調露中進士，事跡見〈張薦傳〉。薦之祖也。

案：《舊唐書》卷一百四十九、〈列傳〉第九十九、〈張薦〉載：「張薦字孝舉，深州陸澤人。祖鷟字文成，聰警絕倫，書無不覽。爲兒童時，夢紫色大鳥，五彩成文，降于家庭。其祖謂之曰，『五色赤文，鳳也；紫文，鸑鷟也，爲鳳之佐，吾兒當以文章瑞於明廷。』因以爲名字。初登進士第，對策尤工，考功員外郎騫味道賞之曰：『如此生，天下無雙矣！』調授岐王府參軍。又應下筆成章及才高位下、詞標文苑等科。鷟凡應八舉，皆登甲科。再授長安尉，遷鴻臚丞。凡四參選，判策為銓府之最。員外郎員半千謂人曰：『張子之文如青錢，萬簡萬中，未聞退時。』時流重之，目為『青錢學士』。然性褊躁，不持士行，尤為端士所惡，姚崇甚薄之。開元初，澄正風俗，鷟為御史李全交所糾，言鷟語多譏刺時，坐貶嶺南。刑部尚書李日知奏論，乃追敕移於近處。開元中，入為司門員外郎卒。鷟下筆敏速，著述尤多，言頗詼諧。是時天下知名，無賢不肖，皆記誦其文。天后朝，中使馬仙童陷默啜，默啜謂仙童曰：『張文成在否？』曰：『近自御史貶官。』默啜曰：『國有此人而不用，漢無能為也。』新羅、日本東夷諸蕃，尤重其文，每遣使入朝，必重出金貝以購其文，其才名遠播如此。」《新唐書》卷一百六十一、〈列傳〉第八十六、〈張薦傳〉所載畧同。

唐以書判拔萃科選士，此《集》凡百題，自〈省臺〉、〈寺監〉、〈百司〉，下及〈州縣〉、〈類事〉、〈屬辭〉，蓋待選預備之具也。鷟自號浮休子。

案：《郡齋讀書志》卷第十七、〈別集類〉著錄：「《張鷟龍筋鳳髓判》十卷。右唐張鷟字文成。辭章藻麗，嘗八中制科。此乃其書判也，凡一百首。自號浮休子。」《玉海》卷第一百十七、〈選舉〉「唐吏部校辭判」條載：「《藝文志‧別集》：『張文成《龍筋鳳髓判》十卷。』《書目》：『《龍筋鳳髓判》十卷，張鷟撰。雜抄唐人判語，分門別類。』」足資參證。

李翰林集三十卷

《李翰林集》三十卷，館臣案：《解題》中所云，應作三十卷。原本脱「十」字，今校補。　廣棪案：《文獻通考》作「二十卷」。**唐翰林供奉廣漢李白撰。**廣棪案：元抄本「李白」作「李太白」，盧校本「李白」後有「太白」二字。《文獻通考》無此句。

廣棪案：《宋史》卷二百八、〈志〉第一百六十一、〈藝文〉七、〈別集類〉著錄：「《李白集》三十卷。」與此同。白字太白，山東人。玄宗天寶初任翰林。《舊唐書》卷一百九十下、〈列傳〉第一百四十下、〈文苑〉下，《新唐書》卷二百二、〈列傳〉第一百二十七、〈文藝〉中有傳。

《唐志》有《草堂集》二十卷者，李陽冰所錄也。

案：《新唐書》卷六十、〈志〉第五十、〈藝文〉四、〈別集類〉著錄：「《李白草堂集》二十卷，李陽冰錄。」與此同。

今案：陽冰〈序〉文但言十喪其九，而無卷數。

案：陽冰〈草堂集序〉曰：「陽冰試絃歌於當塗，心非所好，公遐不棄我，乘扁舟而相顧。臨當挂冠，公又疾亟，草稿萬卷，手集未修，枕上授簡，俾予爲〈序〉。論〈關雎〉之義，始愧卜商；明《春秋》之辭，終慚杜預。自中原有事，公避地八年，當時著述，十喪其九，今所存者，皆得之他人焉。時寶應元年十一月乙酉也。」《解題》殆據此。

又樂史〈序〉文稱《李翰林集》十卷，別收歌詩十卷，因校勘為二十卷，廣棪案：《文獻通考》脫「因」字。**又於館中得賦、序、表、書、**廣棪案：《文獻通考》作「書、表」。**贊、頌等，亦為十卷，號曰《別集》。**廣棪案：《文獻通考》「號曰」作「號為」。**然則三十卷者，樂史所定也。**

案：樂史〈李翰林別集序〉曰：「李翰林歌詩，李陽冰纂爲《草堂集》十卷。史又別收歌詩十卷，與《草堂集》互有得失，因校勘排爲二十卷，號曰《李翰林集》。今于三館中得李白賦、序、表、讚、書、頌等，亦排爲十卷，號曰《李翰林別集》。」直齋據此〈序〉，而謂三十卷者乃樂史所定。

家所藏本，廣棪案：《文獻通考》脫「所」字。**不知何處本，前二十卷為詩，後十卷為雜著，首載陽冰、史及、魏顥、曾鞏四〈序〉，李華、劉全白、范傳正、裴敬〈碑誌〉，卷末又載《新史》本傳，而〈姑孰十詠笑矣〉、〈悲來〉、〈草書〉三歌行亦附焉，復著東坡辨證之語，**廣棪案：《文獻通考》「辨證」作「辯證」。**其本最為完善。**

案：錢曾《讀書敏求記》卷四之上、〈集〉著錄：「《李翰林全集》三十卷。《太白集》，宋刻絕少，此是北宋鏤本，闕十六卷之二十二，十六卷之三十。予以善本補錄，遂成完書。前二十卷爲歌詩，後十卷爲雜著。卷下注〈別集〉，簡端冠以李陽冰〈序〉，蓋《通考》所載陳氏家藏不知何處本，或即此耶？」管庭芬《原校》：「直齋云：『家所藏本，不知何處本。前二十卷爲詩，後十卷爲雜著。首載陽冰、史及魏灝、曾鞏四〈序〉，李華、劉全白、范傳正、裴敬〈碑誌〉，卷末又載《新史》本傳，而〈姑孰十詠笑矣〉、〈悲來〉、〈草書〉三歌行亦附焉。復著東坡辨正之語，其本最爲完善。』云云。遵王此本分卷相同，然卷首止載陽冰一〈序〉，又不載〈碑誌〉及卷末所附等語，恐尚非完書。」考丁丙《善本書室藏書志》

卷二十四、〈集部〉三著錄：「《李翰林集》三十卷，宋咸淳刊本。翰林供奉李白。前二十卷詩，後十卷文。前有李陽冰、樂史、魏顥、曾鞏〈序〉，李華撰〈墓志〉，劉全白撰〈碣記〉，范傳正、裴敬撰〈墓碑〉。每卷有目錄連屬。正文每葉二十行，行二十字。後附《新唐書》本傳。又紹熙二年七月開封趙汝愚題云：『右李太白〈題司空山瀑布詩〉，得之東里周子中，附於卷末。』又咸淳己巳天台戴覺民希尹〈跋〉云：『是《集》多趙同舍崇鍳養大所校正，晏知止本歌吟在六、七兩卷，此則在第十七卷，餘亦前後參差。曾鞏〈序〉首數句與《元豐類稿》合，與晏殊元刊補注本異。或此爲南豐本，彼爲次道本歟？」此咸淳刊本應與直齋所藏本無甚異同，或以北宋鏤本爲其祖本也。

別有蜀刻大小二本，卷數亦同，而首卷專載碑、序，餘二十三卷歌詩，而雜著止六卷。有宋敏求〈後序〉，言舊《集》歌詩七百七十六篇，又得王溥及唐魏萬集本，廣棪案：《文獻通考》脫「集」字。**因裒《唐類詩》諸編洎石刻所傳，廣之無慮千篇。**廣棪案：《文獻通考》「因」作「同」。**以《別集》、雜著附其後。曾鞏蓋因宋本而次第之者也，以校舊藏本篇數，如其言。然則蜀本即宋本也耶？末又有元豐中毛漸題，云「以宋公編類之勤，曾公攷次之詳，而晏公又能鏤板以傳於世」，乃晏知止刻於蘇州者。然則蜀本蓋傳蘇本，而蘇本不復有矣。**廣棪案：《文獻通考》脫「本」字。

案：陸心源《皕宋樓藏書志》卷六十八、〈別集類〉二著錄：「《李太白文集》二十卷，北宋蜀刊本，王敬美舊藏。唐李白撰。李陽冰〈草堂集序〉、魏顥〈李翰林集序〉、樂史〈李翰林別集序〉、咸平元年。李華〈李君墓誌銘〉、范傳正〈李公新墓碑〉、裴儆〈李公墓碑〉。『唐李陽冰序《李白草堂集》十卷云：「當時著述十喪其九。咸平中，樂史別得白歌詩十卷，合爲《李翰林集》二十卷，凡七百七十六篇。史又纂雜著爲《別集》十卷。治平元年得王文獻公傳家藏《白詩集》上、中二帙，凡廣二百四篇，惜遺其下帙。熙甯元年，得唐魏萬所纂白詩集二卷，凡廣四十四篇，因裒《唐類詩》諸編，洎刻石所傳，別集所載首，又得七十七篇，無慮千篇，沿舊目而釐正。其彙次使各相從，以《別集》附於後。凡賦、表、書、序、碑、頌、記、銘、讚文六十五篇，合爲三十卷。同舍呂縉叔出〈漢東紫陽先生碑〉，而殘缺間莫能辨，不復收云。夏五日晦常山宋敏求題。」』『臨川晏公知止，字處善，守蘇之明年，政成。暇日出《李翰林詩》以授於漸，曰：「白之詩，歷世浸久，所傳之《集》，率多訛缺。予得此本，最爲完善，將欲鏤板以廣其傳。」漸竊謂李詩爲人所尚，以宋公編類之勤，而曾公考次之詳，世雖甚好，不可得而悉見。今晏公又能鏤板以傳，使李詩復顯於世，寔三公相與成始而成終也。元豐三年夏四月，信安毛漸校正謹題。』『案此北宋蜀刊本，每葉二十二行，每行二十字。』」據是則皕宋樓所藏者，正《解題》所謂之蜀本也。考曾鞏〈序〉曰：「《李白集》三十卷，舊歌詩七百七十六篇，今千有一篇，雜著六十五篇者，知制誥常山宋敏求字次道之所廣也。次道既以類廣白詩，自爲〈序〉，而未考次其作之先後。余得其書，乃考其先後而次第之。」是鞏確據宋本而次第此《集》，直齋謂蜀本即宋本，又謂蜀本蓋傳蘇本，均不誤也。

杜工部集二十卷

《杜工部集》二十卷，唐左拾遺檢校工部員外郎劍南節度參謀襄陽杜甫子美撰。 廣棪案：《文獻通考》無此句。

廣棪案：《崇文總目》卷五、〈別集類〉著錄：「《杜甫集》二十卷。」錢東垣輯釋本。《郡齋讀書志》著錄同。甫字子美，本襄陽人，後徙河南鞏縣。《舊唐書》卷一百九十下、〈列傳〉第一百四十下、〈文苑〉下，《新唐書》卷二百一、〈列傳〉第一百二十六、〈文藝〉上有傳。《舊唐書》本傳載：「（肅宗）上元二年冬，黃門侍郎、鄭國公嚴武鎮成都，奏爲節度參謀、檢校尚書工部員外郎，賜緋魚袋。」

案：《唐志》六十卷，《小集》六卷。

案：《新唐書》卷六十、〈志〉第五十、〈藝文〉四、〈別集類〉著錄：「《杜甫集》六十卷，《小集》六卷，潤州刺史樊晃集。」

王洙原叔哀中外書九十九卷， 廣棪案：《文獻通考》「王洙」作「王朱」，誤。「哀」作「蒐哀」。**除其重複，定取千四百五篇，古詩三百九十九，近體千有六。起太平時，終湖南所作，視居行之次若歲時為先後。別錄雜著為二卷，合二十卷，寶元二年記，遂為定本。王琪君玉嘉祐中刻之姑蘇，且為〈後記〉。元稹〈墓銘〉亦附第二十卷之末。**

案：《錢遵王讀書敏求記》卷四之上、〈集〉著錄：「《杜工部集》二十卷。

王洙原叔蒐裒老杜中外書凡九十九種，除其重複，定取千四百有五篇，凡古詩三百九十有九，近體千有六。起太平時，終湖南所作，視居行之次若歲時爲先後，分十八卷。又別錄賦筆、雜著二十九篇，爲二卷，合二十卷。寶元二年十月爲之〈記〉。嘉祐四年四月，太原王淇取原叔本參考之，鏤板姑蘇郡齋，又爲〈後記〉附於卷終，而遷原叔之文於卷首。」是《讀書敏求記》著錄之本，亦即直齋所得之本。

又有遺文九篇，治平中太守裴集刊，附《集》外。蜀本大略同。而以遺文入正集中，則非其舊也。

案：《皕宋樓藏書志》卷六十八、〈集部・別集類〉二著錄：「《杜工部集》二十卷，附補遺。影寫宋刊本。汲古閣舊藏。唐前劍南節度參謀、宣議郎、檢校尚書工部員外郎，賜緋魚袋，京兆杜甫撰。宋王洙編。案凡詩十八卷、雜著二卷、後附遺文九篇，爲補遺。元稹〈墓銘〉附二十卷末。均與《直齋書錄解題》合，蓋即王原叔編定本也。《杜集》以吳若本爲最善，此又若本之祖。中遇宋諱皆缺筆，板心有刻工姓名，如張逢、史彥、余青、吳圭等名，蓋從宋雕本影寫。」考皕宋樓著錄此本，乃治平中太守叢集刊之影寫本，其後附遺文九篇，自是確證。心源以爲「即王原叔編定本」，實爲纖芥之誤也。至《解題》之「治平中太守裴」，則爲裴煜。今人萬曼《唐集敘錄・杜工部集》條曰：「裴煜字如晦，見歐陽修文集。《歐陽文忠公文集・書簡》卷第八有〈嘉祐五年與裴如晦〉，續添又有〈與裴學士〉，注云：『裴煜字如晦，嘉祐八年以秘閣校理知潤州。』又《集古錄》：『雁足蹬云云。』歐陽修〈跋〉云：『後三年，余出守亳社，而裴如晦以疾卒于京師。』即裴煜卒於治平四年（1067），襄助王琪刻《杜甫集》，當即其守丹陽日也。」可供參考。

世言子美詩集大成，而無韻者幾不可讀。然開、天以前文體大略皆如此。

案：《舊唐書》本傳引元稹論李、杜優劣，曰：「唐興，官學大振，歷世之文，能者互出。而又沈、宋之流，研練精切，穩順聲勢，謂之爲律詩。由是之後，文體之變極焉。然而莫不好古者遺近，務華者去實，效齊、梁則不迨於魏、晉，工樂府則力屈於五言，律切則骨格不存，閑暇則纖穠莫備。至於子美，蓋所謂上薄〈風〉、〈騷〉，下該沈、宋，言奪蘇、李，氣呑曹、劉，掩顏、謝之孤高，雜徐、庾之流麗，盡得古今之體勢，而兼人人之所獨專矣。使仲尼考鍛其旨要，尙不知貴其多乎哉！苟以爲能所不能，無可無不可，則詩人已來未有如子美者。」《新唐書》本傳贊曰：「唐興，詩人承陳、隋風流，浮靡相矜。至宋之問、沈佺期等，研揣聲音，浮切不差，而號『律詩』，競相襲沿。逮開元間，稍裁以雅正，然恃華者質反，好麗者壯違，人得一槩，皆自名所長。至甫，渾涵汪茫，千彙萬狀，兼古今而有之，它人不足，甫乃厭餘，殘膏賸馥，沾丐後人多矣。故元稹謂：『詩人以來，未有如子美者。』甫又善陳時事，律切精深，至千言不少衰，世號『詩史』。昌黎韓愈於文章愼許可，至歌詩，獨推曰：『李、杜文章在，光燄萬丈長。』誠可信云。」足資參考。

若〈三大禮賦〉，辭氣壯偉，又非唐初餘子所能及也。

案：李調元《雨村賦話》卷二、〈新話〉二載：「唐人中作賦者，杜少陵直接張平子，陸魯望追步庾子山。〈三大禮賦〉高古奇橫，三唐無與抗手。魯望刻意生新，芊眠蒨麗。句調之奇變，音韻之妍靡，評書家所云『行間茂密，實亦難過』者，移以品題，殆非溢美之辭也。」仇兆鰲《杜詩詳注》卷二四評云：「按歷代賦體，如班、馬之〈兩都〉、〈西京〉，乃古賦也。若賈、揚之〈弔屈〉、〈甘泉〉，乃騷賦也。唐帶駢偶之句，變爲律賦，宋參議論成章，又變爲文賦。少陵廓清漢人之堆垛，開闢宋世之空靈，蓋詞意兼優，虛實並運，是以超前軼後矣。」足供參證。

校定杜工部集二十二卷

《校定杜工部集》二十二卷，祕書郎黃伯思長睿所校。既正其差誤，參攷歲月出處異同，廣棪案：原作「參歲攷月」，元抄本、《文獻通考》、盧校本作「參攷歲月」，今據改。**古、律相間，凡一千四百十七首**，館臣案：《文獻通攷》作一千四百四十七首。　廣棪案：元抄本，盧校本同。**雜著二十九首**，廣棪案：盧校本『雜著』作「雜筆」。校注曰：「筆者文也。故謂杜詩韓筆。長睿好古，宜用此。今館本作「雜著」，《通攷》亦同，取人易知耳。」**別為二卷。**

廣棪案：伯思字長睿，邵武人。元符間任秘書郎。《宋史》卷四百四十三、〈列傳〉第二百二、〈文苑〉五有傳。《宋史》本傳載：「未幾，遷祕書郎。縱觀冊府藏書，至忘寢食，自《六經》及歷代史書、諸子百家、天官地理、律曆卜筮之說，無不精詣。凡詔講明前世典章文物、集古器考定眞贋，以素學與聞，議論發明居多，館閣諸公自以爲不及也。……伯思頗好道家，自號雲林子，別字霄賓。及至京，夢人告曰：『子非久人間，上帝有命典司文翰。』覺而書之。不踰月，以政和八年卒，年四十。伯思學問慕揚雄，詩慕李白，文慕柳宗元。有《文集》五十卷、《翼騷》一卷。二子：詔，右宣教郎、荊湖南路安撫司書寫機宜文字；訒，右從事郎、福州懷安尉，裒伯思平日議論、題跋爲《東觀餘論》三卷。」而未著錄有此書。此書亦不見《宋史·藝文志》，王士禎《帶經堂詩話》曰：「雲林博擅宋代，編校必精，今其書不知尙傳否？」又曰：「胡仔所見八本，有長睿《校定杜工部集》，記之，俟訪於藏書者。」是士禎知有此書，而終未之見。

李丞相伯紀為序之。

案：綱字伯紀，號梁谿，邵武人。《宋史》卷三百五十八、〈列傳〉第一百一十七、一百一十八有傳。綱〈序〉撰於紹興六年，載《東觀餘論》，時戎馬倥偬，故其文多感喟之言。其〈序〉曰：「杜詩舊集，古律異卷，編次失序。余嘗有意參訂之，特病多事，未能也。故校書郎武陽黃長睿父，博雅好古，工文詞，尤篤好公之詩，乃用東坡之說，隨年編纂，以古律相參，先後始末，皆有次第，然後子美之出處及少壯老成之作，粲然可觀。蓋自開元、天寶太平全盛之時，迄於至德、大曆干戈亂離之際，子美之詩，凡千四百四十餘篇，其忠義氣節，羈旅艱難，悲憤無聊，一寓於此。句法理致，老而益精，時平讀之未見其工，迨親更兵火喪亂，誦其詞如出乎其時，犁然有當於人心，然後知爲古今絕唱也。公之述作，行於世者既不多，遭亂亡逸，加以傳寫謬誤，浸失舊文，烏三轉而爲舄者，不可勝數。長睿父官洛下，與名士大夫游，裒集諸家所藏，是正訛舛，又得逸詩數十篇，參於卷中，及在秘閣，得御府定本，校讐益號精密，非行世者之比。長睿父歿十七年，予始見其親校《集》二十二卷於其家。朱黃塗改，手迹如新，爲之愴然，竊嘆其博學淵識，有功於子美之多也。方肅宗之怒房琯，人無敢言，獨子美抗疏救之，由是廢斥，終身不悔。與陽城之救陸贄何異，然世所罕稱者，殆爲詩所掩故耳。因序其《集》而及之，使觀者知公遇事不苟，非特言語文章妙天下而已。」可供參證

賈幼幾集十卷

《賈幼幾集》十卷，廣棪案：《文獻通考》作「《賈至集》」。**唐起居舍人河南賈至幼幾撰**。廣棪案：《文獻通考》無此句。

廣棪案：《崇文總目》卷五、〈別集類〉一著錄：「《賈至文集》十卷。」錢東垣輯釋本。《郡齋讀書志》卷第十七、〈別集類〉著錄：「《賈至集》十卷。」《宋史》卷二百八、〈志〉第一百六十一、〈藝文〉七、〈別集類〉著錄：「《賈至集》十卷，又《詩》一卷。」疑此十卷本之《賈至集》乃其文集，而另有《詩》一卷。至，《新唐書》本傳作字幼鄰，與《解題》異。從玄宗幸蜀，拜起居舍人。《舊唐書》卷一百九十中、〈列傳〉第一百四十中、〈文苑〉中，《新唐書》卷一百一十九、〈列傳〉第四十四均附其父〈賈曾〉。

《唐志》二十卷，別十五卷。

案：《新唐書》卷六十、〈志〉第五十、〈藝文〉四、〈別集類〉著錄：「《賈至集》二十卷，別十五卷。蘇冕編。」是二十卷本，另別本作十五卷者，皆蘇冕所編。

李淑《書目》云：至《集》有三本，又有十卷者，有〈序〉。

案：《郡齋讀書志》卷第十七、〈別集類〉著錄：「《賈至集》十卷。右唐賈至幼幾也。洛陽人。天寶十年，明經擢第。累官起居舍人、知制誥。從幸西川，當撰傳位冊，既進藁，上曰：『先天誥命，乃父爲之。今茲冊命，又爾爲之。兩朝大典，出卿父子，可謂繼美矣。』大曆中，終散騎常侍。《集》，李邯鄲淑家本二十卷，蘇弁編次，常仲孺爲〈序〉，以〈墓銘〉、〈敘碑〉列於後，今亡其半。」可供參證。是撰〈序〉者乃常仲孺。至此書二十卷本之編者，《郡齋讀書志》謂「蘇弁編次」。冕、弁兄弟，皆以孝弟儒學稱。惟《舊唐書》卷一百八十九下、〈列傳〉第一百三十九下〈儒學〉下、〈蘇弁〉載：「弁聚書至二萬卷，皆手自刊校，至今言蘇氏書，次於集賢、秘閣焉。」《新唐書》卷一百三、〈列傳〉第二十八、〈蘇世長〉附〈弁傳〉亦謂：「弁聚書至二萬卷，手自讎定，當時稱與秘府埒。」疑此二十卷書，弁編也，《新唐志》誤。

今本無〈序〉，《中興館閣》本亦同。

案：《中興館閣書目輯考・集部・別集類》著錄：「《賈至集》十卷。《書錄解題》卷十六。」趙士煒輯考本。應亦無〈序〉。

元次山集十卷

《元次山集》十卷，唐容管經略使河南元結次山撰。

廣棪案：《新唐書》卷六十、〈志〉第五十、〈藝文〉四、〈別集類〉著錄：「《元結文編》十卷。」《崇文總目》卷五、〈別集類〉一著錄：「《元子編》十卷，元結撰。」錢東垣輯釋本。《宋史》卷二百八、〈志〉第一百六十一、〈藝文〉七、〈別集類〉著錄：「《元結集》十卷。」均與此同。結字次山，《新唐書》卷一百四十三、〈列傳〉第六十八有傳。天寶間授容管經略使。

蜀本但載〈自序〉，江州本以李商隱所作〈序〉冠其首。

案：結〈自序〉曰：「天寶十二年，漫叟以進士獲薦，名在禮部。會有司考校舊文，作《文編》納於有司。當時叟方年少，在顯名跡，切恥時人諂邪以取進，姦亂以致身，徑欲塡陷穽於方正之路，推時人於禮讓之庭，不能得之。故優游於林壑，怏恨於當世。是以所爲之文，可戒可勸，可安可順。侍郎楊公見《文編》，歎曰：『以上第污元子耳，有司得元子是賴。』叟少師友仲行公，公聞之諭叟曰：『於戲！吾嘗恐直道絕而不續，不虞楊公於子相續如縷。』明年，有司於都堂策問羣士，叟竟在上第，爾來十五年矣。更經喪亂，所望全活，豈欲跡參戎旅，苟在冠冕，觸踐危機，以爲榮利。蓋辭謝不免，未能逃命，故所爲之文，多退讓者，多激發者，多嗟恨者，多傷閔者，其意必欲勸之忠孝，誘以仁惠，急於公直，守其節分。如此，非救時勸俗之所須者歟？叟在此州今五年矣，地偏事簡，得以文史自娛，乃次第近作，合於舊編，凡二百三首，分爲十卷。復命曰《文編》，示門人子弟，可傳之於筐篋耳。叟之命稱，則著於〈自釋〉云，不錄。時大歷二年丁未中冬也。」李商隱有〈後序〉，曰：「次山有《文編》、有《書集》、有《元子》，三書皆自爲之〈序〉。次山見譽於公弱夫蘇氏始有名，見取於公浚楊公始得進士第，見憎於第五琦、元載，故其將兵不得授、作官不至達、母老不得盡其養、母喪不得終其哀，間二十年。其文危苦激切、悲憂酸傷於性命之際。《自占心經》已下若干篇，是外曾孫遼東李惲辭收得之，聚爲《元文後編》。次山之作，其綿遠長大，以自然爲祖、元氣爲根，變化移易之。太虛無狀，大賁無色，寒暑攸出，鬼神有職。南斗北斗，東龍西虎，方嚮物色，欻何從生？啞鍾復鳴，黃雉變雄，山相朝捧，水信潮汐。若大壓然，不覺其興，若大醉然，不覺其醒。其疾怒急擊，快利勁果，出行萬里，不見其敵。高歌酣顏，入飲於朝，斷章摘句，如娠始生。狼子豽孫，競於跳走，翦餘斬殘，程露血咮。其詳緩柔潤，壓抑趨儒，如以一國買人一笑，如以萬世換人一朝。重屋深宮，但見其脊，牽綍長河，不知其載？死而更生，夜而更明，衣裳鍾石，雅在宮藏。其正聽嚴毅，不滓不濁，如坐正人，照彼佞者。子從其翁，婦從其姑，豎麾爲門，懸木爲牙。張蓋乘車，屹不敢入，將刑斷死，帝不得赦。其碎細分擘，切截纖顆，如墜地碎，若大咽餘。鋸取朽蠹，櫟蟒出毒，刺眼楚去齒，不見可視。顧顛踣錯雜，汙瀦傷損，如在危處，如出夢中。其總旨會源，條綱正目，若國大治，若年大熟。君君堯舜，人人羲皇，上之視下，不知有尊，下之望上，不知有篡。辮頭鑿齒，扶服臣僕，融風彩露，飄零委落。耋老者在，童齔者蕃，邪人佞夫，指之觸之，薰薰熙熙，不識其故。吁！不得盡其極也，而論者徒曰：『次山不師孔氏爲非。』嗚呼！孔氏於道德仁義外有何物？百千萬年，聖賢相隨於塗中耳。次山之書曰：『三皇用眞而恥聖，五帝用聖而恥明，三王用明而恥察。』嗟嗟！此書可以無書？孔氏固聖矣，次山安在其必師之邪？李商隱。」可供參考。

蜀本《拾遺》一卷，〈中興頌〉、〈五規〉、〈二惡〉之屬皆在焉。江本分置十卷。

案：〈中興頌〉即〈大唐中興頌〉，有〈序〉；〈五規〉即〈出規〉、〈處規〉、〈戲規〉、〈心規〉、〈時規〉；〈二惡〉即〈惡圓〉、〈惡曲〉。均收錄於《全唐文》卷三百八十至三百八十三中。《鐵琴銅劍樓藏書目錄》卷十九、〈集部〉一、〈別集類〉著錄：「《漫叟文集》十卷、《拾遺》、《續拾遺》一卷，明刊本。唐元結撰。案陳直齋謂《次山集》有蜀本、江本。蜀本有〈自序〉及《拾遺》。江本《拾遺》文分載十卷，中有李商隱〈序〉。又戴剡源謂永州本刪去〈浪翁觀化〉、〈惡圜〉、〈惡曲〉、〈出規〉、〈處規〉、〈訂司樂氏〉等十四篇。此明初刻本，疑出自蜀本。惟〈中興頌〉不列《拾遺》，與直齋所言微有不合。卷四〈朝陽巖下歌〉『朝陽洞口寒泉清』句下，正德時湛甘泉刻本脫去『零陵城郭夾湘岸，巖洞幽奇當郡城，荒蕪自古人不見』三句，此本有之。」可供參證。

結自號漫叟。

案：《新唐書》本傳載結〈自釋書〉曰：「河南，元氏望也。結，元子名也。次山，結字也。世業載國史，世系在家諜。少居商餘山，著《元子》十篇，故以元子爲稱。天下兵興，逃亂入猗玗洞，始稱猗玗子。後家瀼濱，乃自稱浪士。及有官，人以爲浪者亦漫爲官乎，呼爲漫郎。既客樊上，漫遂顯。樊左右皆漁者，少長相戲，更曰聱叟。彼誚以聱者，爲其不相從聽，不相鉤加，帶笭箵而盡船，獨聱齖而揮車。酒徒得此，又曰：『公之漫其猶聱乎？公守著作，不帶笭箵乎？又漫浪於人間，得非聱齖乎？公漫久矣，可以漫爲叟。』於戲！吾不從聽於時俗，不鉤加於當世，誰是聱者，吾欲從之！彼聱叟不慚帶乎笭箵，吾又安能薄乎著作？彼聱叟不羞聱齖於隣里，吾又安能慚漫浪於人閒？取而醉人議，當以漫叟爲稱。直荒浪其情性，誕漫其所爲，使人知無所存有，無所將待。乃爲語曰：『能帶笭箵，全獨而保生；能學聱齖，保宗而全家。聱也如此，漫乎非邪！』」可知其自號漫叟之所由。

顏魯公集十五卷、補遺一卷、附錄一卷

《顏魯公集》十五卷、《補遺》一卷、《附錄》一卷，唐太子太師京兆顏真卿清臣撰。廣棪案：《文獻通考》闕此句。**之推五世孫，師古曾侄孫。**

廣棪案：《舊唐書》卷一百二十八、〈列傳〉第七十八載：「顏眞卿，字清臣，琅邪臨沂人也。五代祖之推，北齊黃門侍郎。」《新唐書》卷一百五十三、〈列傳〉第七十八載：「顏眞卿字清臣，秘書監師古五世從孫。」考《新唐書》卷一百九十八、〈列傳〉第一百二十三、〈儒學〉上、〈顏師古〉載：「顏師古字籀，其先琅邪人。祖之推，自高齊入周，終隋黃門郎，遂居關中，爲京兆萬年人。」《解題》謂眞卿京兆人，殆據《新唐書・顏師古傳》。《解題》著錄此《集》，乃據劉元剛刻本。《四庫全書總目》卷一百四十九、〈集部〉二、〈別集類〉二著錄：「《顏魯公集》十五卷、《補遺》一卷、《年譜》一卷、《附錄》一卷，副都御史黃登賢家藏本。唐顏眞卿撰。眞卿事蹟具《唐書》本傳。其《集》見於〈藝文志〉者有《吳興集》十卷、又《廬州集》十卷、《臨川集》十卷。至北宋皆亡。有吳興沈氏者，採掇遺佚，編爲十五卷，劉敞爲之〈序〉。但稱沈侯而不著名字。嘉祐中，

又有宋敏求編本，亦十五卷，見《館閣書目》。江休復《嘉祐雜志》極稱其採錄之博。至南宋時，又多漫漶不完。嘉定間，留元剛守永嘉，得敏求殘本十二卷，失其三卷。乃以所見眞卿文別爲《補遺》，併撰次《年譜》附之，自爲〈後序〉。」可供參證。

案《館閣書目》：嘉祐中宋敏求惜其文不傳，乃集其刊於金石者，廣棪案：《文獻通考》「刊」作「刻」，元抄本、盧校本同。**為十五卷。**

案：《宋史》卷二百八、〈志〉第一百六十一、〈藝文〉七、〈別集類〉著錄：「《顏眞卿集》十五卷。」或即此本。《中興館閣書目輯考・集部・別集類》著錄：「《顏眞卿集》十五卷。《書錄解題》十六。」趙士煒輯考本。趙氏所輯考者即據《解題》。

今本〈序〉文，劉敞所作，乃云吳興沈侯編輯，而不著沈之名。

廣棪案：劉敞〈序〉曰：「魯公極忠不避難，臨難不違義，是其塵垢糠粃，猶祇飾而誦習之，將以勸事君，況其所自造之文乎！然魯公沒且三百年，未有祖述其書者。其在舊史施之行事，蓋僅有存焉。而雜出傳記，流於簡牘，則百而一二，銘載功業，藏於山川，則十而一二，非好學不倦，周流天下，則不能徧知而盡見。彼簡牘者有盡，而山川者有壞，不幸而不傳，則又至於千萬而一二，未可知也。吳興沈侯哀魯公之忠，而又佳其文。懼久而有不傳，與雖傳而不廣也，於採掇遺逸，輯而編之。得詩、賦、銘、記，凡若干篇，爲十五卷，學者可觀焉。蓋君子多見則守之以約，沈侯好學，喜聚書。聚書至三萬卷，若是多矣，然猶常汲汲如不足者。至其集魯公之文，使必傳於天下，必信於後世，可謂守之以約而尚友者乎？予是以序其意。」可供參考。

劉元剛刻於永嘉，廣棪案：《文獻通考》「劉元剛」作「留元剛」，元抄本、盧校本同。**為〈後序〉，則云「劉原父所序，即宋次道集其刻於金石者也」，又不知何據？元剛復為之〈年譜〉，益以《拾遺》一卷，多世所傳帖語，且以〈行狀〉、〈碑傳〉為《附錄》。魯公之裔孫裕，自五代時官溫州，與其弟倫祥皆徙居永嘉樂清。**館臣案：《文獻通攷》「倫」作「綸」。　廣棪案：元抄本、盧校本同。**本朝世復其家，且時褒錄，其子孫亦有登科者。**

案：留元剛〈後序〉曰：「予後公三百九十四年而生，又三十五年而守東嘉，訪公之來孫，自五代徙居于此。本朝皇祐、紹興間，嘗錄其後官者六人，忠義之澤，滲漉悠久，有自來矣。求公文而刊之，將以砥礪生民，而家無藏本，得劉原父所序十二卷，即嘉祐中宋次道集其刻于金石者也。篇簡漫漶，字義舛譌，乃以史傳諸書、碑蹟、雜記，銓次〈年譜〉，繫以見聞，參異訂疑，搜亡補失。其涉於公之筆，缺而無攷，則不敢及焉。故書遺亡，網羅未備，尙俟後人。按〈藝文志〉、〈行狀〉、〈神道碑〉，公佐吉州，有《廬陵集》十卷；刺撫州，有《臨川集》十卷；刺湖州，有《吳興集》十卷，《韻海鏡源》三百六十卷；爲禮儀使，有《禮儀集》十卷；今並逸而不傳。」足供參證。顏裕、顏倫祥，生平不可考。

蕭功曹集十卷

《蕭功曹集》十卷，廣棪案：《文獻通考》「《蕭功曹集》」作「《蕭穎士集》」。**唐揚州功曹參軍蕭穎士茂挺撰。**廣棪案：《文獻通考》無此句。

廣棪案：《新唐書》卷六十、〈志〉第五十、〈藝文〉四、〈別集類〉著錄：「蕭穎士《游梁新集》三卷，又《集》十卷。」《崇文總目》卷五、〈別集類〉一著錄：「《蕭穎士文集》十卷。」錢東垣輯釋本。《郡齋讀書志》、《宋志》著錄同。穎士字茂挺，肅宗時任揚州功曹參軍。《舊唐書》卷一百九十下、〈列傳〉第一百四十下、〈文苑〉下，《新唐書》卷二百二、〈列傳〉第一百二十七、〈文藝〉中有傳。

門人柳并為〈序〉。

案：《四庫全書總目》卷一百五十、〈集部〉三、〈別集類〉三著錄：「《蕭茂挺文集》一卷，江蘇巡撫採進本。唐蕭穎士撰。……《直齋解題》所云柳并〈序〉，今亦佚之。」考《新唐書》卷二百二、〈列傳〉第一百二十七、〈文藝〉中、〈蕭穎士〉附〈柳并〉載：「柳并者，字伯存。大曆中，辟河東府掌書記，遷殿中侍御史。喪明，終於家。初，并與劉太眞、尹徵、閻士和受業於穎士，而并好黃、老。穎士常曰：『太眞，吾入室者也，斯文不墜，寄是子云。徵博聞彊識，士和鉤深致遠，吾弗逮已。并不受命而尙黃、老，予亦何誅？』」可知其生平。惟今見之《蕭茂挺文集》一卷本，其卷首則有李華〈序〉。丁丙《善本書室藏書志》卷二十四、〈集部〉三著錄：「《蕭茂挺文集》一卷，舊鈔本。唐蕭穎士撰。前載《新》、《舊唐書》本傳，次載李華撰〈序〉曰：『開元、天寶間，以文行著者，曰蘭陵蕭穎士，字茂挺，梁國鄱陽忠烈王之後。七歲能誦數經，十歲以文章知名，十五譽滿天下，十九進士擢第。歷金壇尉、揚州參軍、書正字、河南參軍，辭官避地江左。永王修書請君，君遁逃不與。江淮南節度使表君爲功曹參軍，相國第五琦請君爲介。君以先世寄殯嵩條，因之遷祔終事，至汝南而歿，天下儒林爲之顣頞云云。《唐志》載《文集》十卷、《游梁新集》三卷。《宋志》止《集》十卷，而無《游梁新集》。此本爲後人鈔撮而成，非復十卷之舊矣。」可供參考。

穎士，梁鄱陽王之裔，敏悟夙成，負才尚氣，見惡於李林甫，其後卒不遇以死，廣棪案：《文獻通考》無「其後」二字。**壽亦不逮中年。**廣棪案：《文獻通考》無「不」字。

案：《舊唐書》本傳載：「蕭穎士者，字茂挺。與華同年登進士第。當開元中，天下承平，人物駢集，如賈曾、席豫、張垍、韋述輩，皆有盛名，而穎士皆與之遊，由是縉紳多譽之。李林甫採其名，欲拔用之，乃召見。時穎士寓居廣陵，母喪，即縗麻而詣京師，徑謁林甫於政事省。林甫素不識，遽見縗麻，大惡之，即令斥去。穎士大忿，乃爲〈伐櫻桃賦〉以刺林甫云：『擢無庸之瑣質，因本枝而自庇。洎枝幹而非據，專廟廷之右地。雖先寢而或薦，豈和羹之正味。』其狂率不遜，皆此類也。然而聰警絕倫，嘗與李華、陸據同遊洛南龍門，三人共讀路側古碑，穎士一閱，即能誦之，華再閱，據三閱，方能記之。議者以三人才格高下亦如此。……終以誕傲褊忿，困躓而卒。」《新唐書》本傳亦載：「蕭穎士字茂挺，梁鄱陽王恢七世孫。……天寶初，穎士補秘書正字。于時裴耀卿、席豫、張均、宋遙、韋述皆先進，器其材，與鈞禮，由是名播天下。奉使括遺書趙、衛間，淹久不報，爲有司劾免，留客濮陽。於是尹徵、王恆、盧異、盧士式、賈邕、趙匡、閻士和、柳并等皆執弟子禮，以次授業，號蕭夫子。召爲集賢校理。宰相李林甫欲見之，穎士方父喪，不詣。林甫嘗至故人舍邀穎士，穎士前往，哭門內以待，林甫不得已，前弔乃去。怒其不下己，調廣陵參軍事，穎士急中不能堪，作〈伐櫻桃樹賦〉曰：『擢無庸之瑣質，蒙本枝以自庇。雖先寢而或薦，非和羹之正味。』以譏林甫云。君子恨其褊。會母喪免，流播吳、越。史官韋述薦穎士自代，召詣史館待制，穎士乘傳詣京師。而林甫方威福自擅，穎士遂不屈，愈見疾，俄免官，往來鄠、杜間。林甫死，更調河南府參軍事。……授揚州功曹參軍。至官，信宿去。後客死汝南逆旅，年五十二。」足供參證。是穎士之壽亦逮中年。

毛欽一集二卷

《毛欽一集》二卷，唐荊州長林毛欽一撰。

廣棪案：《新唐書》卷六十、〈志〉第五十、〈藝文〉四、〈別集類〉著錄：「《毛欽一集》三卷，字傑，荊州長林人。」《崇文總目》錢東垣輯釋本。著錄同。《宋史》卷二百八、〈志〉第一百六十一、〈藝文〉七、〈別集類〉著錄：「《毛欽一文》二卷。」與此同。欽一，兩《唐書》無傳。

長林，荊門軍屬縣。廣棪案：《文獻通考》此句作「今荊門屬縣」，元抄本，盧校本同

案：臧勵龢等《中國古今地名大辭典》載：「長林縣，晉置。以其有櫟林長坂，故名。隋省，故城在今湖北荊門縣北。」可供參證。

欽一上諸公書，自稱毛欽一，字傑。或時又以傑為名。廣棪案：《文獻通考》「或時」作「而或」，元抄本、盧校本同。《文獻通考》且無「又」字。**唐人以字行者多矣。自號雲夢子。開元中人。**

案：《全唐文》卷二百三十九「毛傑」條載：「傑一名欽，又號雲夢子。荊州長林縣人。」其謂「傑一名欽」，誤；應更作「傑名欽一」。《全唐文》僅收錄欽一〈與盧藏用書〉，曰：「月日。雲夢子毛傑謹致書于盧公足下。傑聞君所貴者道也，所好者才也，故才高則披襟而論翰墨，道狎則言事而致談笑。何必雞鳴狗盜，始資僥倖之能；簞食瓢飲，不顧清虛之用。自公立名休代，博物多能，帝曰爾諧，擢爲近侍。所以從容禁省，出入瑣闈，忠弼在躬，優柔薦及。傑時在草莽，運厄窮愁，思折俎而無因，嗟掃門而不逮。豈知羣邪遘逆，聯聲嗷嗷，紫奪我朱，遠謫惡土。賴公神色自若，心行不逾。餌芝朮以養閑，坐烟篁而收思。傑梁鴻遠旅，閔仲未歸。留連德音，徘徊失路。互鄉童子，當願接於宣尼，蘇門先生，竟未言於阮籍。公於傑者如彼，僕於公者若此。百年朝夕，何事惜於交遊；四海兄弟，何必輕於行路。賈生不云乎：『達人大觀，物無不可。小智自私，賤彼貴我。況公披衣高尚，習靜閑局，世事都捐，尤精道意。

豈有自私而已，無大觀者哉！倘能憐雲獎無知，愍張良小子。說鴻濛之偈，遺黃石之書。虛往實歸，霑霧露之微潤；裒多益寡，落邱山之一毫。則知足下之眷深焉，小人之慶畢矣。』」惟書函不自稱毛欽一，僅稱毛傑，《解題》所述未允。

吳筠集十卷

《吳筠集》十卷，廣棪案：《文獻通考》「《吳筠集》」作「《吳筠宗元先生集》」。**唐嵩陽觀道士華陰吳筠貞節撰。**廣棪案：《文獻通考》闕此句。

廣棪案：《新唐書》卷六十、〈志〉第五十、〈藝文〉四、〈別集類〉著錄：「道士《吳筠集》十卷。」《郡齋讀書志》著錄同。《崇文總目》卷五、〈別集類〉一著錄：「《吳筠集》五卷。」錢東垣輯釋本。《宋史》卷二百八、〈志〉第一百六十一、〈藝文〉七、〈別集類〉著錄：「《吳筠一作均。集》十一卷。」則與《解題》著錄卷數不同。筠字貞節，華州華陰人。《舊唐書》卷一百九十二、〈列傳〉第一百四十二、〈隱逸〉，《新唐書》卷一百九十六、〈列傳〉第一百二十一、〈隱逸〉有傳。

筠舉進士不中第，天寶初召至京師，廣棪案：《文獻通考》闕此句。**為道士，**廣棪案：《文獻通考》此句下有「居嵩陽觀」四字。**待詔翰林，為高力士所惡而斥，後入剡中天台卒，弟子謚為宗元先生。**廣棪案：《文獻通考》無「後入剡中天台卒，弟子謚為宗元先生」二句。**事見〈隱逸傳〉。〈傳〉稱筠所善孔巢父、李白，**廣棪案：《文獻通考》作「李白、孔巢父」。**歌詩相甲乙。巢父詩未之見也。筠詩固不碌碌，豈能與太白相甲乙哉！**廣棪案：《文獻通考》「豈」上有「然」字，盧校本同。

案：《新唐書・吳筠傳》載：「吳筠字貞節，華州華陰人。通經誼，美文辭，舉進士不中。性高鯁，不耐沈浮於時，去居南陽倚帝山。天寶初，召至京師，請隸道士籍，乃入嵩山依潘師正，究其術。南游天台，觀滄海，與有名士相娛樂，文辭傳京師。玄宗遣使召見大同殿，與語甚悅，敕待詔翰林，獻〈玄綱〉三篇。帝嘗問道，對曰：『深於道者，無如《老子》五千文，其餘徒喪紙札耳。』復問神仙治鍊法，對曰：『此野人事，積歲月求之，非人主宜留意。』筠每開陳，皆名教世務，以微言諷天子，天子重之。羣沙門嫉其見遇，而高力士素事浮屠，共短筠於帝，筠亦知天下將亂，懇求還嵩山。詔爲立道館。安祿山欲稱兵，乃還茅山。而兩京陷，江、淮盜賊起，因東入會稽剡中。大歷十三年卒，弟子私謚爲宗元先生。始，筠見惡於力士而斥，故文章深詆釋氏。筠所善孔巢父、李白，歌詩略相甲乙云。」《解題》據《新唐書》本傳檃括，而評吳、李詩，與《新唐書》相左。

獨孤常州集二十卷

《獨孤常州集》二十卷，廣棪案：《文獻通考》「《獨孤常州集》」作「《獨孤及毗陵集》」。**唐常州刺史洛陽獨孤及至之撰。**

廣棪案：《新唐書》卷六十、〈志〉第五十、〈藝文〉四、〈別集類〉著錄：「獨孤及《毗陵集》二十卷。」《郡齋讀書志》、《通志略》、《宋志》著錄同。及字至之，河南洛陽人。肅宗時位終常州刺史。《新唐書》卷一百六十二、〈列傳〉第八十七有傳，《舊唐書》卷一百六十八、〈列傳〉第一百一十八附其子〈獨孤郁〉。《新唐書》本傳載：「及喜鑒拔後進，如梁肅、高參、崔元翰、陳京、唐次、齊抗皆師事之。」

其門人梁肅編集，為〈後序〉。

案：肅字敬之，一字寬中，《新唐書》卷二百二、〈列傳〉第一百二十七、〈文藝〉中附〈蘇源明〉。所撰〈常州刺史獨孤及集後序〉曰：「大歷丁巳歲夏四月，有唐文宗常州刺史獨孤公薨於位。秋九月既葬，門下士安定梁肅。咨謀先達，稽覽故志，以公茂德映乎當世，美化加乎百姓，若發揚秀氣，磅礴古訓，則在乎斯文，斯文之盛，不可以莫之紀也。於是綴其遺草三百篇，爲二十卷，以示後嗣。乃繫其辭曰：『夫大者天道，其次人文，在昔聖王以之經緯百度，臣下以之弼成五教。德又下衰，則怨刺形於歌詠，諷議彰乎史冊。故道德仁義，非文不明；禮樂刑政，非文不立。文之興廢，視世之治亂；文之高下，視才之厚薄。唐興，接前代澆醨之後，承文章顛墜之運。王風下扇，舊俗稍革。不及百年，文體反正。其後時寖和溢，而文亦隨之。天寶中，作者數人，頗節之以禮。洎公爲之，於是操道德爲根本，總禮樂爲冠帶，以《易》之精義，《詩》之雅興，《春秋》之褒貶，屬之於辭。故其文寬而簡，直而婉，辯而不華，博厚而高明。論人無虛美，比事爲實錄，天下凜然復覩兩漢之遺風。

善乎中書舍人崔公祐甫之言也，曰：『常州之文，以立憲、誡世、褒賢、遏惡爲用，故議論最長。其或列於碑頌，流於詠歌，峻如嵩華，浩如江河，若贊堯、舜、禹、湯之命，爲誥爲典，爲謨爲訓，人皆許之。而不吾試，論道之位，宜而不陟誠哉！公諱及，字至之，祕書監府君之中子。道與之粹，天授之德，聰明博達，剛毅正直，中行獨復，動靜可則，孝弟積爲行本，文藝成乎餘力。凡立言必忠孝大倫，王霸大畧，權正大義，古今大體。其中雖波騰雷動，起伏萬變，而殊流會歸，同志於道。故於賦〈遠遊〉，頌〈嘯臺〉，見公放懷大觀，超邁流俗；於〈仙掌〉、〈函谷〉二銘，〈延陵論〉、〈八陣圖記〉，見公識探神化，智合權道；於〈議郊祀配天之禮〉，〈吕諲〉、〈盧弈〉之謚，見公闡明典訓，綜覈名實。若夫述聖道以揚儒風，則〈陳留郡文宣王廟碑〉、〈福州新學碑〉；美成功以旌善人，則〈張平原頌〉、〈李常侍、姚尙書、嚴庶子、韋給事、韋穎叔墓銘〉、〈鄭氏孝行記〉、〈李睢陽、楊懷州碑〉；纂世德以貽後昆，則〈先祕書監靈表〉。陳黃老之義，於是有〈對策文〉；演釋氏之奧，於是有〈鏡智禪師碑〉；論文變之損益，於是有〈李遐叔集序〉；稱物狀以怡情性，於是有〈瑯琊溪述盧氏竹亭記〉；抒久要於存歿之間，則〈祭賈尙書、相里侍郎、元郎中、李叔子文〉。其餘紀物敘事，一篇一詠，皆足以追蹤往烈，裁正狂簡。噫！天其以述作之柄授夫子乎？不然，則吾黨安得遭遇乎斯文也。初公視肅以友，肅仰公猶師，每申之話言，必先道德而後文學。且曰：『後世雖有作者，六籍其不可及已。荀、孟樸而少文，屈、宋華而無根，有以取正，其賈生、史遷、班孟堅云爾。唯子可與共學，當視斯文，庶乎成名。』肅承其言，大發蒙惑，今則已矣，知我者其誰哉！遂銜涕爲敘，俾來者於是觀夫子之志。若立身行道，始終出處，皆載易名之狀，故不備之此篇。」

而李舟為〈序〉於篇首。

案：舟，兩《唐書》無傳。《全唐文》卷四百四十三「李舟」條云：「舟字公受，水部員外郎岑之子。以尙書郎奉使，出爲虔州刺史，封隴西縣男。」所撰〈獨孤常州集序〉曰：「〈傳〉曰：『物生而後有象，象而後有滋，滋而後有數，數成而文見矣。』始自天地，終於草木，不能無文也，而況於人乎？且夫日月星辰，天之文也；邱陵川瀆，地之文也；羽毛彪炳，鳥獸之文也；華葉彩錯，草木之文也。天無文，四時不行矣！地無文，九州不別矣，鳥獸草木之無文，則混然而無名，而人不能用之矣。人無文，則禮無以辨其數，樂無以成其章，有國者無以行其刑政，立言者無以存其勸誡，文之時用大矣哉！在人，賢者得其大者，禮樂刑政，勸誡是也；不肖者得其細者，或附會小說以立異端，或雕斲成言以裨對句，或志近物而玩童心，或順庸聲以諧俚耳。其甚者，則矯誣盛德，汙衊風教，為蠱為蠹，為妖為孽。噫！文之弊有至是者，可無痛乎！天后朝，廣漢陳子昂，獨泝頹波，以趣清源。自茲作者，稍稍而出。先大夫嘗因講文，謂小子曰：『吾友蘭陵蕭茂挺、趙郡李遐叔、長樂賈幼幾，洎所知河南獨孤至之，皆憲章六藝，能探古人述作之旨。賈為元宗巡蜀分命之詔，歷歷如西漢時文，若使三賢繼司王言，或載史筆，則典謨、訓誥、誓命之書，可彷彿於將來矣。嗚呼！三公皆不處此地，而運蹇多故，惟獨孤至常州刺史，享年亦促，豈天之未欲振斯文耶！小子所不能知也已矣！』常州諱及，有遺文三百篇，安定梁肅編為上下帙，分二十卷，作為〈後序〉。常州愛士，而肅最為所重，討論居多，故其為文之意，肅能言之。比葬，博陵崔貽孫又為〈神道碑〉，悉載行事，而痛其不登論道之位。崔公剛而好直，其詞不黨，君子謂之知言。昔班孟堅美漢得人之盛，曰：『文章則司馬遷、相如。』又曰：『劉向、王褒以文章顯。』是則四君子者，有漢之文雄歟！然而遷無鄉曲之譽，虧〈大雅〉明哲保身之美；相如薄於貞操，有滌器受金之累；向無威儀，遺文以繆，而身幾不免；褒多為歌頌，當時議者以為淫靡不急，其他無聞焉。大較詞人多陷輕躁，否則懦狹迂僻，於事放弛，其能蹈履中道，可為物主者寡矣！孰與常州發論措詞，皆王霸大略；孝悌之至，達於神明；善與人交，久而敬之；當官正色，不畏強禦；加之以仁惠愛物，吏民敬畏，而文又如是乎！其餘則二君既言之矣。今亶錄崔氏之作，綴於篇末云爾。朝議大夫、前守虔州刺史、隴西李舟述。」

且刻崔祐甫所為〈墓志〉。廣棪案：《文獻通考》此句以上全闕。

案：祐甫字貽孫，《舊唐書》卷一百一十九、〈列傳〉第六十九，《新唐書》卷一百四十二、〈列傳〉第六十七有傳。所撰者乃〈故常州刺史獨孤公神道碑銘并序〉，曰：「昔劉向稱賈誼言三代與秦亂之意，其論甚美，達於國體，雖古之伊、呂。未能遠過。又稱董仲舒有王佐之才，雖伊、呂無以加，管、晏之屬，殆不及也。於戲！二君以偉才當盛漢之祟，而位止於下國二千石，祐甫聞於先君僕射曰：『主恩非臣下之所圖，天命豈生人之所制。』有唐碩量深識之士曰獨孤常州，諱及字至之，河南洛陽人，皇朝左千牛元慶之曾孫，蔡州長史思暕之孫，殿中侍御史贈祕書監通理之第四子。仕而遭時，鵠立於朝，建旟東夏，三著嘉績。嗚呼痛乎！奄忽捐館。其時也，大歷十二年夏四月二十九日；其地也，常州之路寢；其壽也，五十有三年。中朝名公素見知者，後進之士聞義嚮風者，洎濠、舒、常三州之百姓，莫不塡膺流眥，不宴不相，浹辰彌月，厚而惜之者，往往失聲，出涕沱若。公有子朗、郁等，年未齠齔；厥兄檢校水部員外郎兼侍御史氾，方佐浙河東帥，聞喪來奔，半旬而至，惋毒之甚，如不欲生。既受吏人賓客之弔，乃忍哀謀事，以六月六日，引使君之柩去常州歸洛陽，其年歲次丁巳十月朔七日，葬我使君於河南府壽安縣某原先祕監之塋，以夫人博陵縣君崔氏祔焉，禮也。水部曰：『天之降割於我家，仲、叔、季盡矣，吾將老矣，吾弟常州之子未立，今不刻石表墓，則常州之令名何以傳於後，乃託我故人敘而銘之。』常州稟元和以生，幼有成人之量，祕監府君親授以《孝經》，常州一覽成誦。祕監問曰：『汝志於何句？』對曰：『立身行道，揚名於後世，是所尚也。』自是徧覽《五經》，觀其大義，不爲章句學。成童，丁祕監憂，勺飲不入口者累日。先夫人同郡長孫氏，諭以不可滅性之義，由是微進饘粥，杖而後起。既免喪，加於人一等，鄉族稱其孝焉。長孫夫人高行明識，訓導甚至，常州漸教成器，卓然有立。著〈延陵論〉，君子謂其評議之精，在古人右。天寶末，以洞曉《元經》，對策上第，詔拜華陰縣尉。著〈古函谷關〉、〈仙掌〉二銘，格高理精，當代詞人，無不畏服。俄屬中原兵亂，避地於越。丁太夫人憂，毀瘠過禮。既外除，江淮都督使、戶部尚書李峘奏爲掌書記，授左金吾衛兵曹參軍。軍旅之事，非其所好，未幾，返初服。今上即位，下詔收俊茂，舉淹滯，政之大者，以公爲左拾遺。凡所諫諍，直而不訐，婉而不撓，削藁詭辭，不傳於外。遷太常博士。時新平大長公主之子裴倣尚永清公主，初以太子少傅裴遵慶爲婚主，將行五禮，公實相焉。中使口宣詔旨，易以大長公主後夫姜慶初。常州曰：『婚姻之禮，王化之階，以異姓之人主之，不可甚矣，某不奉詔。』中書令汾陽王時爲五禮使，從焉。又百官薨卒定諡之際，綜覈名實，皆居其當。與嚴河南郢〈詶答吕荆州諲諡議〉，博而正，當時韙之。遷尚書禮部員外郎，受詔考第吏部選人詞翰，旌別淑慝，朝廷稱正。上方大卹黎庶，精選牧守，以公爲濠州刺史。平其徭賦，恤其冤弱，課績聞上，加朝散大夫，遷舒州刺史。舒境瀕江傍山，羣盜所聚，或蟠結林藪，或趑趄城市，公惠以柔之，武以讋之，釋矛服耒，盡爲良俗。其他如在濠之政，居一年，璽書勞問，就加尚書司封郎中，錫以金章紫綬。屬淮南旱歉，比境之人，流移甚眾，公悉心以撫，舒獨完安。天子聞而休之，擢拜常州刺史。常州當全吳之中，據名城沃土，兵興之後，中華蕩覆，吳中州府，此焉稱大。故朝之選牧，恒屬意焉。公宣中和平易之教，務振人毓德之體，百姓蒙化遷善，不知所以安而安之。吏不忍欺，路不拾遺，餘糧棲畝，膏露降庭。公平生聞人之善，必揄揚之，氣盡與之，不啻若身得之。後進有才而業未就者，教誨誘掖之，惟日不足。公之文章，大抵以立憲誡世，褒賢遏惡爲用，故論議最長。其或列於碑頌，流於歌咏，峻如嵩華，盛如江河，清如秋風過物，邈不可逮。公有《集》二十卷，行於代。若夫贊堯、舜、禹、湯、文、武之命，爲誥爲典，爲謨爲訓，人皆許之，而不吾試。論道之位，宜而不陟。前是，公之仲兄、季弟、伯姊，三年之間繼歿，執天倫之喪，如荼如蓼，竟以無祿。天何不仁，然則賈與董名位不盡其才，吾先君之歎主恩天命，斯見矣。其銘曰：『常州之德，孝行爲大。烝烝翼翼，以敬以愛。友於兄弟，如捧如戴。常州之義，篤於朋友。用之有恒，行之可久。扶危拯溺，爾身我手。常州之才，施於有政。撫柔三部，謙以爲柄。龔遂國僑，千古迭映。常州之文，究其元本。質取其深，艷從其損。在星之緯，在衣之袞。常州之年，止於中身。去昭昭之盛世，與萬鬼而爲鄰。白馬江上，青烏洛濱。脊鴒在原，嗟爾元昆。縗絰霑血，長號訴冤。纂述遺美，謂子不諼。我見之子，將二十年。相投藥石，胡疹不痊。譬我於池，子爲之泉。譬我於桐，子爲之絃。榮不獨遂，難不隻全。如何淑明，摧馥碎堅。歛衣楚挽，徘徊墓田。望之不見，赴之無緣。貍首班如，女手拳拳。如天如天，泣涕漣漣。』」《解題》謂崔所爲乃〈墓志〉，誤也。前引子舟〈序〉已謂「崔貽孫又爲〈神道碑〉」，知非墓志也。

其子曰郁字古風者，廣棪案：《文獻通考》「其子」作「及子」，又無「者」字。**亦有名，韓退之志其墓。**廣棪案：《文獻通考》「志」作「誌」。

案：郁，《舊唐書》卷一百六十八、〈列傳〉第一百一十八，《新唐書》

卷一百六十二、〈列傳〉第八十七有傳。《新唐書》本傳載：「郁字古風，始生而孤，與朗育於伯父汜。擢進士第，最爲權德輿所稱，以女妻之。元和初，舉制科高等，拜右拾遺，俄兼史館脩撰，進右補闕。吐突承璀討王承宗，郁執不可，挺議鯁固，號稱職。擢翰林學士。德輿輔政，以嫌去內職，拜考功員外郎，仍兼脩撰。憲宗歎德輿乃有佳壻，詔宰相高選世族，故杜悰尚岐陽公主，然帝猶謂不如德輿之得郁也。俄知制誥。德輿去位，還爲學士。九年，以疾辭禁近，徙祕書少監，屛居鄠，卒，年四十，贈絳州刺史。郁有雅名，帝遇之厚，議者亦謂當宰相，共以早世惜之。」至韓愈所志者乃〈祕書少監贈絳州刺史獨孤府君墓誌銘〉，其文曰：「君諱郁，字古風，河南人，常州刺史、贈禮部侍郎，憲公諱及之第二子。憲公躬孝，踐行篤實，而辨於文。勸飭指誨，以進後生。名聲垂延，紹德惟克。君生之年，憲公沒世。與其兄朗，畜於伯父氏。始微有知，則好學問。咨稟教飭，不顧提諭。月開日益，卓然早成。年二十四，登進士第。時故相太常權公掌出詔文，望臨一時，登君於門。歸以其子，選授奉禮郎。楊於陵爲華州，署君鎭國軍判官，奏授協律郎。朋遊益附，華問彌大。元和元年對詔策，拜右拾遺。二年，兼職史館。四年，遷右補闕。詔中貴人承璀將兵誅王承宗河北，君奏疏諫，召見問狀，有言動聽。其後上將有所相，不可於眾，君與起居舍人李約交章指摘，事以不行。五年，遷起居郎，爲翰林學士。愈被親信，有所補助。權公既相，君以嫌自列，改尚書考功員外郎，復史館職。七年，以考功知制誥，入謝，因賜五品服。八年，遷駕部郎中，職如初。權公去相，復入翰林。九年，以疾罷，尋遷祕書少監，即閒於郊。十年正月，病遂殆。甲午輿歸，卒於其家，贈絳州刺史，年四十。男子二人，長曰某，早死；次曰天官，始十歲。有至性，聞呼父官與聞弔客至，輒號泣以絕。女子一人。夫人天水權氏，贈太子太保貞孝公皋之承孫，故相今太常德輿之女，允慶配良，是似是宜。四月己酉，其兄右拾遺朗，以喪東葬河南壽安之甘泉鄉家塋憲公墓側，將以五月壬申窆。謂愈曰：『子知吾弟久，敢屬以銘。』銘曰：『於古風，襮順而裏方。不耀其章，其剛不傷。戴美世令，而年再不贏，惟後之成。』」韓愈於郁之爲人亦頗推崇。

高常侍集十卷

《高常侍集》十卷，唐左散騎常侍渤海高適達夫撰。

廣棪案：《新唐書》卷六十、〈志〉第五十、〈藝文〉四、〈別集類〉著錄：「《高適集》二十卷。」《通志略》同。《崇文總目》卷五、〈別集類〉一著錄：「《高適文集》十卷。」錢東垣輯釋本。《郡齋讀書志》同。《宋史》卷二百八、〈志〉第一百六十一、〈藝文〉七、〈別集類〉著錄：「《高適詩集》十二卷。」是此書分二十卷、十二卷、十卷各種。適字達夫，滄州渤海人。代宗時任左散騎常侍，封渤海縣侯。《舊唐書》卷一百一十一、〈列傳〉第六十一，《新唐書》卷一百四十三、〈列傳〉第六十八有傳。

適年五十始為詩，即工部子美所善也。廣棪案：元抄本、盧本校「部」作「杜」。如依元抄、盧本，則句當作：「適年五十，始為詩即工，杜子美所善也。」**豪傑之士，亦何所往而不能哉！**

案：《舊唐書》本傳載：「適年過五十，始留意詩什，數年之間，體格漸變，以氣質自高，每吟一篇，已爲好事者稱誦。」《新唐書》本傳載：「年五十始爲詩，即工，以氣質自高，每一篇已，好事者輒傳布。」《郡齋讀書志》卷第十七、〈別集類〉著錄：「《高適集》十卷、《集外文》一卷、《別詩》一卷。右唐高適達夫也。渤海人。天寶八年，舉有道科中第。永泰初，終散騎常侍。五十始爲詩，即工，以氣質自高。每一篇出，好事者輒傳布云。」足供參證。

劉隨州集十卷

《劉隨州集》十卷，唐隨州刺史宣城劉長卿文房撰。詩九卷，末一卷雜著數篇而已。建昌本十卷，別一卷為雜著。長卿，開元二十一年進士。

廣棪案：《新唐書》卷六十、〈志〉第五十、〈藝文〉四、〈別集類〉著錄：「《劉長卿集》十卷，字文房。至德監察御史，以檢校祠部員外郎爲轉運使判官，知淮西鄂岳轉運留後、鄂岳觀察使。吳仲孺誣奏，貶潘州南巴尉。會有爲辨之者，除睦州司馬，終隨州刺史。」《郡齋讀書志》、《通志略》著錄同。《宋史》卷二百八、〈志〉第一百六十一、〈藝文〉七、〈別集類〉則著錄：「《劉長卿集》二十卷。」《郡齋讀書志》卷第十七、〈別集類〉上著錄：「《劉長卿集》十卷。右唐劉長卿字文房。開元末中進士第。至德中，監察御史，以檢校祠部員外郎爲轉運使判官，知淮西、岳鄂轉運留後，觀察使吳仲孺誣奏，貶潘州南巴縣尉。會有爲之辨者，除睦州司馬，終隨州刺史。長卿剛而犯上，故兩逢斥廢。詩雖窘於才，而能鍛鍊。權德輿嘗謂爲『五言長城』。今《集》詩九卷，雜文一卷。」元辛文房《唐才子傳》卷二「劉長卿」條載：「長卿，字文房，河間人。少居嵩山讀書，後移家來鄱陽最久。開元二十一年徐徵榜及第。至德中，歷監察御史，以檢校祠部員外郎出爲轉運使判官，知淮西岳鄂轉運留後觀察使。吳仲孺誣奏非罪，繫姑蘇獄，久之，貶潘州南巴尉。會有爲辯之者，量移睦州司馬。終隨州刺史。長卿清才冠世，頗凌浮俗。性剛，多忤權門，故兩逢遷斥，人悉冤之。詩調雅暢，甚能煉飾。其自賦傷而不怨，足以發揮風雅，權德輿稱爲『五言長城』。長卿嘗謂：『今人稱前有沈、宋、王、杜，後有錢、郎、劉、李。李嘉祐、郎士元何得與余並驅？』每題詩不言姓，但書長卿，以天下無不知其名者云。灞陵碧澗有別業。今集詩賦文等傳世。淮南李穆有清才，公之壻也。」均足資參證。

劉虞部集十卷

《劉虞部集》十卷，唐虞部郎中劉商子夏撰。

廣棪案：《新唐書》卷六十、〈志〉第五十、〈藝文〉四、〈別集類〉著錄：「《劉商詩集》十卷，貞元比部郎中。」《宋志》同。商，兩《唐書》無傳。《唐才子傳》卷四「劉商」條載：「商字子夏，徐州彭城人。擢進士第。貞元中，累官比部員外郎，改虞部員外郎。」故《新唐志》稱「貞元比部郎中」，《解題》稱「虞部郎中」也。

武元衡為之〈序〉。

案：元衡字伯蒼，河南緱氏人。《舊唐書》卷一百五十七、〈列傳〉第一百八，《新唐書》卷一百五十二、〈列傳〉第七十七有傳。元衡有〈劉商郎中集序〉曰：「天運地轉，剛柔生焉。禮辯樂形，文章出焉。天之文莫麗乎日月，地之文莫秀乎山川。聖人觀象立言，用稽述作，發乎情性，形於咏歌。大則明天下政途，彌綸王化；小則舒一時幽憤，刺見〈國風〉。

故子夏云：『在心爲志，發言爲詩，聲成文謂之音也。』固可動天地，感鬼神，則正始之道存焉。有唐文士彭城劉公諱商，字子夏。眷予一先後之輩，睦予兩中外之親。緣情所鍾，愛亦加等。顧惟遭幸，秉國樞重。燮贊台衡之務，統臨井絡之人。其孤乃緘鐍遺文，提捧萬里，猥期序引，將佐詞林。予感悼故知，惻覽華藻，珠玉綴錯，清泠自飄，皆素所狎聞也。泫然涕下，不能自收。矧公遐情浩然，酷尚山水，著文之外，妙極丹青。好事君子，或持冰素，越淮湖，求一松一石。片雲孤鶴，獲者寶之。雖楚璧南金，不之過也。晚歲擺落塵滓，割棄親愛，夢寐靈仙之境，逍遙玄牝之門，又安知不攀附雲霓，蛻迹巖壑，超然懸解，與漫汗游乎無閒邪！著歌行等篇，皆思入窅冥，勢含飛動。滋液瓊瓌之朗潤，濬發綺繡之濃華。觸境成文，隨文變象。是謂折繁音於孤韻，貫清濟於洪流者也。今所編錄凡二百七十七篇，及早歲著〈胡笳詞十八拍〉，出入沙塞之勤，崎嶇驚畏之患，亦云至矣。有若太原王緒，河東裴茂，茂弟薦，河南豆盧峯，馮翊嚴紳，紳弟綬，及余伯舅洎於子夏，咸以儒業相資，冠冑羣族，雄詞麗句，遍在人閒。予與司空嚴公親結義深，相與編葺，恨不得繼采詩之末，播於樂章，且傳諸名士，庶幾不朽。忝以宿姻舊好，撫事追書，故言之不讓也。

《集》中有〈送弟歸懷州舊業序〉言：「高祖當武德經綸，勳在王府。」廣棪案：《文獻通考》作「三府」。**案：武德功臣，有劉文靜、**廣棪案：《文獻通考》作「劉文靖」。下同。**宏基、**廣棪案：《文獻通考》作「弘基」，下同。**政會，史皆有傳。文靜之後誅絕，宏基、政會傳，後無所攷，未詳何人之後也。**

案：宋計有功《唐詩紀事》卷第三十二「劉商」條載：「商，彭城人，居長安。劉禹錫作〈高陵令劉仁師遺愛碑〉云：『武德名臣刑部尚書德威五代孫，大曆中詩人商之猶子。其名重如此。』商終于檢校禮部郎中、汴州觀察判官。」是商乃劉德威之後。考《新唐書》卷第七十一上、〈表〉第十一上、〈宰相世系〉一上載：「德威字尚重，刑部尚書。」其子「審禮，工部尚書、彭城公。」其孫「瓌，國子祭酒。」瓌子「爲輔」，即商之父。「商，檢校虞部郎中。」是則商爲德威之四世孫。德威，《舊唐書》卷七十七、〈列傳〉第二十七，《新唐書》卷一百六，〈列傳〉第三十一有傳。《舊唐書》本傳載：「武德元年，(李) 密與王世充戰敗入朝，德威亦率所部隨密歸款。高祖嘉之，授左武候將軍，封滕縣公。及劉武周南侵，詔德威統兵擊之，又判并州總管府司馬。俄而裴寂失律於介州，齊王元吉棄并州還朝，德威總知留府事。元吉纔出，武周已至城下，百姓相率投賊。武周獲德威，令率其本兵往浩州招慰。德威自拔歸朝，高祖親勞問之，兼陳賊中虛實及晉、絳諸部利害，高祖皆嘉納之。改封彭城縣公。未幾，檢校大理少卿。從擒建德，平世充，皆有功，轉刑部侍郎，加散騎常侍，妻以平壽縣主。」是則德威固武德功臣，商〈送弟歸懷州舊業序〉謂「高祖當武德經綸，勳在王府」，實符史實。

〈胡笳十八拍〉行於世。

案：《郡齋讀書志》卷第十八、〈別集類〉中著錄：「《胡笳十八拍》一卷。右唐劉商撰。漢蔡邕女琰爲胡騎所掠，因胡人吹蘆葉以爲歌，遂翻爲琴曲，其辭古淡。商因擬之以敘琰事，盛行一時。商，彭城人。擢進士第，歷臺省爲郎。好道術，隱義興胡父渚，世傳其仙去。」足供參證。

戎昱集五卷

《戎昱集》五卷，館臣案：《文獻通攷》作三卷。**唐虔州刺史扶風戎昱撰。其姪孫為〈序〉言：「弱冠謁杜甫於渚宮，一見禮遇。」《集》中有哭甫詩，世所傳「在家貧亦好」之句，昱詩也。**

廣棪案：《新唐書》卷六十、〈志〉第五十、〈藝文〉四、〈別集類〉著錄：「《戎昱集》五卷，衛伯玉鎮荊南從事，後為辰州、虔州二刺史。」《通志略》、《宋志》著錄同。惟《郡齋讀書志》則作三卷，其書卷第十八〈別集類〉中著錄：「《戎昱集》三卷。右唐戎昱撰。初，李夔廉察桂林，月夜聞鄰居吟詠之音清暢，遲明訪之，乃昱也，即延爲幕賓。後因飲席調其侍兒，夔微知其故，即贈之，昱感怍賦詩，有『因合死前酬』之句。又爲衛伯玉荆南從事。後歷辰、虔二州刺史。」可供參證。昱，兩《唐書》無傳，其姪孫無可考。《唐才子傳》卷三「戎昱」條載：「昱，荆南人。美風度，能談。少舉進士，不上，乃放遊名都。雖貧士，而軒昂，氣不消沮。愛湖、湘山水，來客。時李夔廉察桂林，寓官舍，月夜，聞鄰居行吟之音清麗，遲明訪之，乃昱也，即延爲幕賓，待之甚厚。崔中丞亦在湖南，愛之，有女國色，欲以妻昱，而不喜其姓戎，能改則訂議。昱聞之，以詩謝云：『千金未必能移姓，一諾從來許殺身。』自謂李大夫恩私至深，無任感激。初事顏平原，嘗佐其征南幕，亦累薦之。衛伯玉鎮荊南，辟爲從事。歷虔州刺史。至德中，以罪謫爲辰州刺史。後客劍南，寄家隴西數載。憲宗時，邊烽累急，大臣議和親。上曰：『比聞一詩人姓名稍僻者爲誰？』宰相對以冷朝陽、包子虛，皆非。帝舉其詩，對曰：『戎昱也。』上曰：『嘗記其〈詠史〉云：「漢家青史上，拙計是和親。社稷依明主，安危託婦人。豈能將玉貌，便擬淨沙塵？地下千年骨，誰爲輔佐臣！」』因笑曰：『魏絳何其懦也！此人如在，可與武陵，桃花源足稱其清詠。』士林榮之。昱詩在盛唐格氣稍劣，中間有絕似晚作。然風流綺麗，不虧政化，當時賞音，喧傳翰苑，固不誣矣。有《集》今傳。」《解題》謂昱扶風人，《唐才子傳》謂荊南人，未知孰是。

梁補闕集二十卷

《梁補闕集》二十卷，唐右補闕翰林學士安定梁肅敬之撰。

廣棪案：《新唐書》卷六十、〈志〉第五十、〈藝文〉四、〈別集類〉著錄：「《梁肅集》二十卷。」《宋志》同。肅字敬之，德宗時任右補闕，翰林學士。

崔恭為之〈序〉，首稱其從釋氏，為天台大師元浩之弟子。

案：恭，兩《唐書》無傳。《全唐文》卷四百八十「崔恭」條載：「恭，官太原節度副使，檢校右散騎常侍，汾州刺史。」恭所撰〈唐右補闕梁肅文集序〉，〈序〉曰：「皇甫士安志好閒放，不榮軒冕，導情適志，作〈高士傳〉。贊記遺韻，風猷尚在。而公早從釋氏，義理生知，結意爲文，志在於此。言談語笑，常所切劘；心在一乘，故敘釋氏最爲精博，與皇甫士安之所素尚，亦相放焉。則今天台大師元浩之門弟子也。摳衣捧席，與余同焉。故能知其景行，收其製作，編成二十軸，以爲儒林之綱紀云。若夫明是非，探得失，乃作〈西伯稱王議〉，宗道德，美功成，作〈磻溪銘〉、〈四皓贊〉、〈釣臺碑〉、〈圯橋碑〉；絜當世，激清風，作〈先賢贊〉、〈獨孤常州集序〉、〈觀講論語序〉；美藝文，善章句，作〈李補闕集序〉、〈隱士李君遺文序〉；備教化，彰諷詠，作〈中書侍郎贈太子太傅李公集序〉、〈開國公包君集序〉；總名實，樹遺風，作〈常州獨孤公遺愛頌〉、〈太常卿常山郡開國公崔公神道碑〉；惡戎醜，思康濟，作〈兵箴〉；敘宗系，思祖德，作〈述初賦〉；病流濫，悅故居，作〈過舊園賦〉；明大道，宗有德，作〈受命寶賦〉。其餘言志導情，記會敘別，總存〈諸集錄〉；歸根復命，一以貫之，作〈心印銘〉；住一乘，明法體，作〈三如來畫贊〉。知法要，識權實，作〈天台山禪林寺碑〉；達教源，周境智，作〈荆溪大師碑〉。大教之所由，佛日之未忘，蓋盡於此矣。若以神道設教，化源旁濟，作〈泗州開元寺僧伽和尚塔銘〉；言僧事，齊律儀，作〈過海和尚塔銘〉、〈幽公碑銘〉。釋氏制作，無以抗敵，大法將滅，人鮮知之，唱和之者或寡矣。故公之文章，粹美深遠，無人能到。此事可以俟於知音，不可與薄俗者同世而論也。余之仰止，未盡其善，蓋釋氏之鼓吹歟？諸佛之影響歟？余所不者，道其窮歟？常懷不言之歎，杳冥之恨。爾後之人，識達希夷，意通響象，知我之言之不怍耳。若以敘人倫，正褒貶，則人皆知之，非獨情至而稱其製作也。大約公之習尚，敦古風，閱傳記，硜硜然以此導引於人，以為其常。米鹽細碎，未常挂口，故鮮通人事，亦賢者之一病也。夫子所謂君子多乎哉，不多也。故無適時之用，任使之勤，余故以皇甫士安比之。若管夷吾、諸葛亮留心濟世，自謂棟梁，則非公之所尚也。所謂善古而不善今，知賢而不知俗，故論贊碑頌，能言賢者人事，不能言小人之稱。享年若干，以某年月日，終于長安某里。朝廷尚德，故以公為太子侍讀；國尚實錄，故以公為史館修撰；發誥令，敷王猷，故以公為翰林學士。三職齊署，則公之處朝廷，不為不達矣。年過四十，士林歸崇，比夫顏子、黃叔度，不為不壽矣。其碌碌者，老於郎署，白首人世，又何補哉！於達者不可以夭壽之歎，而病於促數焉。公遺孤歿後而生，今已成立，則友朋之知臧孫之後，存於此也。」是恭之此〈序〉，稱肅「早從釋氏」，為「天台大師元浩之門弟子」也。

今案〈獨孤及集後序〉，稱「門下生」，頗述師承之意。韓愈亦言其佐助陸相貢士，廣棪案：盧校本「陸」作「宰」。**所與及第者，**廣棪案：元抄本、盧校本無「者」字。**皆赫然有聞。然則梁固名儒善士也，而獨以為師從釋氏者，何哉？**

案：肅撰〈常州刺史獨孤及集後序〉，自稱「門下士安定梁肅」；又於〈序〉末云：「初公視肅以友，肅仰公猶師」，則肅於〈序〉中，頗述師承之意。又《新唐書》卷二百二、〈列傳〉第一百二十七、〈文藝〉中〈蘇源明〉

附〈梁肅〉曰：「肅字敬之，一字寬中，隋刑部尚書毗五世孫，世居陸渾。建中初，中文辭清麗科，擢太子校書郎。蕭復薦其材，授右拾遺，脩史，以母羸老不赴。杜佑辟淮南掌書記，召爲監察御史，轉右補闕、翰林學士、皇太子諸王侍讀。卒，年四十一，贈禮部郎中。」則肅固乃名儒善士，而非僅師從釋氏者。直齋所見甚是。

陸宣公集二十二卷

《陸宣公集》二十二卷，廣棪案：《文獻通考》作「《陸宣公奏議》十二卷」，下疑脫「《翰苑集》十卷」一句。**唐宰相嘉興陸贄敬輿撰**。廣棪案：《文獻通考》無此句。

廣棪案：《新唐書》卷六十、〈志〉第五十、〈藝文〉四、〈別集類〉著錄：「陸贄《論議表疏集》十二卷，又《翰苑集》十卷，韋處厚纂。」《郡齋讀書志》卷第十七、〈別集類〉上著錄：「陸贄《奏議》十二卷、《翰苑集》十卷。」合共均爲二十二卷。惟《宋史》卷二百八、〈志〉一百六十一、〈藝文〉七、〈別集類〉著錄：「《陸贄集》二十卷。」疑《宋志》之「二十」乃「二十二」之譌也。贄字敬輿，蘇州嘉興人。德宗朝爲宰相，年五十二卒，贈兵部尚書，諡曰宣。《舊唐書》卷一百三十九、〈列傳〉第八十九，《新唐書》卷一百五十七、〈列傳〉第八十二有傳。

權德輿為〈序〉，廣棪案：「《文獻通考》作「為之〈序〉」。**稱《制誥集》十三卷、《奏草》七卷、《中書奏議》七卷**。

案：德輿字載之，天水略陽人。《舊唐書》卷一百四十八、〈列傳〉第九十八，《新唐書》卷一百六十五、〈列傳〉第九十有傳。德輿撰有〈唐贈兵部尚書宣公陸贄翰苑集序〉，中云：「公之秉筆內署也，搉古揚今，雄文藻思，敷之爲文誥，伸之爲典謨，俾慓狡向風，懦夫增氣，則有《制誥集》一十卷。覽公之作，則知公之爲文也。潤色之餘，論思獻納，軍國利害，巨細必陳，則有《奏草》七卷。覽公之奏，則知公之爲臣也。其在相位也，推賢與能，舉直錯枉，將斡璿衡而揭日月，清氛沴而平泰階。敷其道也，與伊，說爭衡；考其文也，與典、謨接軫，則有《中書奏議》七卷。覽公之奏議，則知公之事君也。」是德輿爲〈序〉，稱贄《制誥集》一十卷；《解題》謂十三卷，失愼也。

今所存者，《翰苑集》十卷，《牓子集》十二卷。

案：此即《新唐志》所載：「《論議表疏集》十二卷，又《翰苑集》十卷。」《論議表疏集》即《牓子集》也。

〈序〉又稱《別集》文、賦、表、狀十五卷。今不傳。

案：德輿所撰〈序〉又曰：「公之文集有詩、文、賦，集表、狀，爲《別集》十五卷。」《解題》據此櫽括言之，而有錯誤。

權丞相集五十卷

《權丞相集》五十卷，唐宰相略陽權德輿載之撰。

廣棪案：《新唐書》卷六十、〈志〉第五十、〈藝文〉四、〈別集類〉著錄：「權德輿《童蒙集》十卷，又《集》五十卷，《制集》五十卷。」《崇文總目》、錢東垣輯釋本。《通志略》、《宋志》均著錄同。德輿字載之，天水略陽人，憲宗朝爲宰相。《舊唐書》卷一百四十八、〈列傳〉第九十八，《新唐書》卷一百六十五、〈列傳〉第九十有傳。

楊嗣復為〈序〉。廣棪案：《文獻通考》闕以上兩句。

案：嗣復撰〈丞相禮部尙書文公權德輿文集序〉，曰：「唐有天下二百二十載，用文章顯於時，代有其人。然而自成童就傅，以及考終命，解巾筮仕，以及鈞衡師保，造次必於文，視聽必於文，采章皆正色而無駁雜，調韻皆正聲而無奇邪！滔滔然如河東注，不知其極，而又處命書綸綍之任，專考覈品藻之柄，參化成輔翊之勳，初中終全而有之，得之於相國文公矣。公諱德輿，字載之，天水人也。族望祖宗之遠，當官行己之道，語在國史，銘於壙而碑於途，此不敢詳。今所載者，因緣文業而已。蚤歲爲淮南江西從事掾，管記室之任，屬詞詣理，奏入報可，移文走檄，疆事迎解。登朝爲起居舍人，改駕部員外郎，換司勳郎中，遷中書舍人，凡四任九年。專掌詔誥，大則發德音，修典冊，灑朝廷之利澤，增盛德之形容；小則褒才能，敘官業，區分流品，申明誡勸，無誕詞，無巧語，誠直溫潤，眞王者之言。公昔自纂錄爲《制集》五十卷，託於友人湖南觀察使楊公憑爲之〈序〉，故今不在編次之內。其他千名萬狀，隨意所屬，牢籠今古，窮極微細。周流於親愛情理之間，磅礴於勳賢久大之業，不爲利疚，不以菲廢，本乎道以行乎文，故能獨步當時，人人心伏，非以德爵齒挾而致之。貞元中，奉詔考定賢良草澤之士，升名者十七人。及爲禮部侍郎，擢進士第者七十有餘。鸞凰杞梓，舉集其門，登輔相之位者，前後凡十人。其他征鎭岳牧，文昌掖垣之選，不可悉數。繼居其任者，今猶森然，非精識洞鑒其詞而知其人，何以臻此耶？憲宗皇帝紹開中興，始以英明，申威提法，武功既愈，文教是圖。元和五年冬，執政暴疾，既瘖且痺，未旬日而公作相。憲章儒術，潤色王度，使和聲順氣，發自廊廟，而㕈浹於幽遐。我之所長，時以推戴，玉立冰潔，無緇磷遷染之譏。以文德自終，豈徒然哉！嗣復不佞，發跡門館，儀曹台席，皆忝前躅。公之元子中書舍人璩，不幸短命。其嗣憲孫，泣奉文集，求鄙詞以冠篇首。雖覩於巨海，難挹波濤，而藉用白茅，所資誠敬。其五十卷次第具在《集》目，謹序。」

德輿父皐，以不汙祿山，見〈卓行傳〉。

案：《新唐書》卷一百九十四、〈列傳〉第一百一十九、〈卓行〉載：「權皐字士繇，秦州略陽人，徙潤州丹徒，晉安丘公翼十二世孫。……皐擢進士第，爲臨清尉，安祿山藉其名，表爲薊尉，署幕府。皐度祿山且叛，以其猜虐不可諫，欲行，慮禍及親。天寶十四載，使獻俘京師，還過福昌尉仲謩。謩妻，皐妹也。密約以疾召之，謩來，皐陽喑，直視謩而瞑。謩爲盡哀，自含斂之。皐逸去，人無知者。吏以詔書還皐母，母謂實死，慟哭感行路，故祿山不之虞，歸其母。皐潛候於淇門，奉侍晝夜南奔，客臨淮，爲驛亭保以詗北方。既度江而祿山反，天下聞其名，爭取以爲屬。」是皐以不汙祿山，名重天下。

其子璩，為中書舍人，劾李訓傾覆，廣棪案：《文獻通考》無「傾覆」二字。**亦能世其家。性寬和，**廣棪案：元抄本「性」作「權」，筆誤。**有大體，文亦純雅宏贍。三世名迹，可謂德門矣！**廣棪案：《文獻通考》「德門」作「名門」。

案：《新唐書》德輿本傳載：「子璩，字大圭，元和初，擢進士。歷監察御史，有美稱。宰相李宗閔乃父門生，故薦爲中書舍人。時李訓挾寵，以《周易》博士在翰林，璩與舍人高元裕、給事中鄭肅、韓佽等連章劾訓傾覆陰巧，且亂國，不宜出入禁中。不聽。及宗閔貶，璩屢表辨解，貶閬州刺史。文宗憐其母病，徙鄭州。訓誅，時人多璩明禍福大體，能世其家。」

〈墓碑〉，韓昌黎所為也。

案：昌黎撰〈唐故相權公墓碑〉曰：「上之元和六年，其相曰權公，諱德輿，字載之。其本出自殷帝武丁，武丁之子降封於權。權，江漢閒國也。周衰，入楚爲權氏。楚滅徙秦，而居天水略陽。符秦之王中國，其臣有安邱公翼者，有大臣之言，後六世至平涼公文誕，爲唐上庸太守荆州大都督長史，焯有聲烈。平涼曾孫諱倕，贈尙書禮部郎中，以藝學與蘇源明相善，卒官羽林軍錄事參軍，於公爲王父。郎中生贈太子太保諱皋，以忠孝致大名，去官，累以官徵不起，追謚貞孝，是實生公。公在相位三年，其後以吏部尙書授節鎭山南，年六十以薨，贈尙書左僕射，謚文公。公生三歲，知變四聲，四歲能爲詩。七歲而貞孝公卒，來弔哭者，見其顏色聲容，皆相謂權氏世有其人。及長好學，孝敬祥順。貞元八年，以前江西府監察御史徵拜博士，朝士以得人相慶。改左補闕，章奏不絕，譏排姦倖，與陽城爲助，轉起居舍人，遂知制誥。凡撰命詞九年，以類集爲五十卷，天下稱其能。十八年，以中書舍人典貢士，拜尙書禮部侍郎，薦士於公者，其言可信。不以其人布衣不用；即不可信，雖大官勢人交言，一不以綴意。奏廣歲所取進士明經，在得人，不以員拘。轉戶兵吏三曹侍郎、太子賓客，復爲兵部，遷太常卿，天下愈推爲鉅人長德。時天子以爲宰相宜參用道德人，因拜禮部尙書、同中書門下平章事。公既謝辭，不許。其所設張舉措，必本於寬大，以幾教化。多所助與，維匡調娛，不失其正，中於和節，不爲聲章，因善與賢，不矜主己。以吏部尙書留守東都。東方諸帥有利病不能自請者，公嘗與疏陳，不以露布。復拜太常，轉刑部尙書，考定新舊令式爲三十編，舉可長用。其在山南河南，勤於選付，治以和簡，人以寧便，以疾求還。十三年某月甲子，道薨於洋之白草。奏至，天子痌傷，爲之不御朝。郎官致贈錫，官居野處，上下弔哭，皆曰善人死矣。其年某月日，葬河南北山，在貞孝東五里。公由陪屬升列，年除歲遷，以至公宰，人皆喜聞，若己與有，無忌嫉者。于頔坐子殺人，失位自囚，親戚莫敢過門省顧，朝莫敢言者。公將留守東都，爲上言曰：『頔之罪既貰不竟，宜因賜寬詔。』上曰：『然公爲吾行諭之。』頔以不憂死。前後考第進士，及廷所策試士，踵相躡爲宰相達官，與公相先後。其餘布處臺閣外府，凡百餘人。自始學至疾病，未嘗一日去書不觀。公既以能爲文辭擅聲於朝，多銘卿大夫功德，然其爲家，不視簿書，未嘗問有亡，費不徬餘。公娶清河崔氏女。其父造，嘗相德宗，號爲名臣。既葬，其子監察御史璩，纍然服喪來有請，乃作銘。文曰：『權在商周，世次不存。滅楚徙秦，嬴、劉之間。甘泉始侯，以及安邱。詆訶浮屠，皇極之扶。貞孝之生，鳳鳥不至。爵位豈多，半塗以稅。壽考豈多，四十而逝。惟其不有，以惠厥後。是生相君，爲朝德首。行世祖之，文世師之。流連六官，出入屛毗。無黨無讎，舉世莫疵。人所憚爲，公勇爲之。其所競馳，公絕不窺。孰克知之，德將在斯。刻詩墓碑，以永厥垂。』」

〈序〉又言九年掌誥，自纂錄為五十卷。不在此《集》內，今未之見。

案：楊嗣復此〈集序〉曰：「公昔自纂錄爲《制集》五十卷，託於友人湖南觀察使楊公憑爲之〈序〉，故今不在編次之內。」即指此事。《郡齋讀書志》卷第十八、〈別集類〉中著錄：「《權德輿集》五十卷。右唐權德輿載之也。秦州人。未冠，以文章稱諸儒間。貞元十年，知制誥，累官中書舍人。元和五年，以禮部尚書、平章事。德輿三歲知變四聲，四歲能賦詩，積思經術，無不貫綜。自始學至老，未曾一日去書。其文雅正贍縟，當時公卿功德卓異者，皆所銘記。雖動止無外飾，其醞藉風流，自然可慕。貞元、元和間，爲縉紳羽儀。其〈兩漢辨亡論〉、〈世祖封不義侯議〉，世多稱之云。嘗自纂《制誥集》五十卷，楊憑爲〈序〉，今亡逸。《文集》孫憲孫編次，楊嗣復爲〈序〉。」可供參證。

裴晉公集二卷

《裴晉公集》二卷，唐宰相河東裴度中立撰。

廣棪案：《新唐書》卷六十、〈志〉第五十、〈藝文〉四、〈別集類〉著錄：「《汝洛集》一卷，裴度、劉禹錫唱和。」與此非同一書。《宋史》卷二百八、〈志〉第一百六十一、〈藝文〉七、〈別集類〉著錄：「《裴度集》二卷。」則與此同。度字中立，河東聞喜人，封晉國公，唐穆宗時爲宰相。《舊唐書》卷一百七十、〈列傳〉第一百二十，《新唐書》卷一百七十三、〈列傳〉第九十八有傳。

昌黎集四十卷、外集十卷

《昌黎集》四十卷、《外集》十卷，唐吏部侍郎南陽韓愈退之撰。

廣棪案：《新唐書》卷六十、〈志〉第五十、〈藝文〉四、〈別集類〉著錄：「《韓愈集》四十卷。」《崇文總目》、錢東垣輯釋本。《通志略》著錄同，然均無著錄《外集》十卷。《宋史》卷二百八、〈志〉第一百六十一、〈藝文〉七、〈別集類〉著錄：「《韓愈集》五十卷，又《遺文》一卷。」《宋志》謂《集》五十卷者，蓋合《集》與《外集》言之也。惟《郡齋讀書志》卷第十七、〈別集類〉上則著錄：「《韓愈集》四十卷、《集外文》一卷。」其所謂《集外文》者，即《宋志》之《遺文》，晁氏獨未收有《外集》十卷耳。考《玉海》卷第五十五、〈藝文・別集〉「唐《韓愈集》」條載：「〈志〉：『四十卷。』《書目》：『五十卷。』李漢〈序〉：『凡七百一十六首，合《目錄》爲四十一卷；又《外集》、《雜著》、《實錄》等十卷；又《遺文》一卷、十二篇，其傳始於曾鞏。《音義》五十卷，祝充進于朝。』是直齋未著錄者，《遺文》一卷也。愈字退之，昌黎人，或曰鄧州南陽人。《舊唐書》卷一百六十、〈列傳〉卷第一百一十，《新唐書》卷一百七十六、〈列傳〉第一百一有傳。

李漢序。漢，文公婿也。其言「辱知最厚且親，收拾遺文，無所失墜」者，廣棪案：《文獻通考》省作「李漢序公文言」。**性後之人僞妄，**廣棪案：《文獻通考》「性」作「懼」。元抄本、盧校本同。盧校注：「館本及《通考》皆作『性』。」誤。**輒附益其中也。**

案：《舊唐書》韓愈本傳載：「時謂愈有史筆，及撰《順宗實錄》繁簡不當，敘事拙於取捨，頗爲當代所非。穆宗、文宗嘗詔史臣添改，時愈壻李漢、蔣係在顯位，諸公難之。……有《文集》四十卷，李漢爲之〈序〉。」漢字南紀，宗室淮陽王道明之後。《舊唐書》卷一百七十一、〈列傳〉第一百二十一，《新唐書》卷七十八、〈列傳〉第三、〈宗室〉有傳。漢撰〈唐吏部侍郎昌黎先生諱愈文集序〉曰：「文者貫道之器也，不深於斯道，有至焉者不也。《易》繇爻象，《春秋》書事，《詩》詠歌，《書》、《禮》剔其僞，皆深矣乎！秦漢以前，其氣渾然，迨乎司馬遷、相如、董生、揚雄、劉向之徒，尤所謂傑然者也。至後漢曹魏，氣象萎薾；司馬氏已來，規模蕩盡，悉謂易已下爲古文，剽掠僭竊爲工耳。文與道蓁塞，固然莫知也。先生生於大歷戊申，幼孤，隨兄播遷韶嶺。兄卒，鞠於嫂氏，辛勤來歸，自知讀書爲文，日記數千百言。比壯，經書通念曉析，酷排釋氏，諸史百子，皆搜抉無隱。汗瀾卓踔，奫泫澄深。詭然而蛟龍翔，蔚然而虎鳳躍，鏘然而韶鈞鳴。日光玉潔，周情孔思，千態萬貌，卒澤於道德仁義，炳如也。洞視萬古，愍惻當世，遂大拯頹風，教人自爲。時人始而驚，中而笑且排，先生志益堅；其終人亦翕然而隨以定。嗚呼！先生於文，摧陷廓清之功，比於武事，可謂雄偉不常者矣。長慶四年冬，先生歿，門人隴西李漢，辱知最厚且親，遂收拾遺文，無所失墜。得賦四，古詩二百五，聯句十，律詩一百七十三，雜著六十四，書啓序八十六，哀辭祭文三十八，碑誌七十六，筆硯〈鱷魚文〉三，表狀四十七，總七百，并《目錄》合爲四十一卷，目爲《昌黎先生集》，傳於代。又有《注論語》十卷，傳學者；《順宗實錄》五卷，列於史書，不在《集》中。先生諱愈，字退之，官至吏部侍郎，餘在國史本傳。」是「辱知最厚且親，收拾遺文，無所失墜」，皆〈序〉中語也。

外有《註論語》十卷傳學者。廣棪案：盧校本「學」下脫「者」字。

案：《新唐書》卷五十七、〈志〉第四十七、〈藝文〉一、〈論語類〉著錄：「韓愈《注論語》十卷。」朱彝尊《經義考》卷二百十三、〈論語〉三著錄：「韓子愈《論語注》，《唐志》十卷，佚。」是此書宋後已佚。

《順宗實錄》五卷列於史館，不在《集》中。今《實錄》在《外集》。然則世所謂《外集》者，自《實錄》外皆僞妄，或韓公及其婿所刪去也。

案：《新唐書》卷五十八、〈志〉第四十八、〈藝文〉二、〈實錄類〉著錄：「《順宗實錄》五卷，韓愈、沈傳師、宇文籍撰，李吉甫監脩。」《解題》卷四、〈起居注類〉著錄：「《唐順宗實錄》五卷，唐史館修撰韓愈撰。見愈《外集》。案〈志〉稱韓愈、沈傳師、宇文籍撰，李吉父監修。《新史》謂議者鬨然不息，卒竄定無完篇，以閹官惡其書禁中事切直故也。」可供參證。至《外集》多僞妄，直齋於《解題》卷十六、〈別集類〉上「《校定韓昌黎集》四十卷、《外集》十卷」條仍辨之，曰：「晦庵朱侍講喜以方氏本校定。凡異同定歸于一，多所發明，有益後學。《外集》皆如舊本，獨用方本益〈大顛三書〉。愚案：方氏用力於此《集》勤矣，《外集》刪削甚嚴，而存此〈書〉以見其邀速常語，初無崇信之說，但欲明世間問答之僞，而不悟此〈書〉爲僞之尤也，蓋由歐陽公〈跋〉語之故。不知歐陽公自以《易大傳》之名與己意合，從而實之，此自通人之一蔽。東坡固嘗深辨之，然其謬妄，三尺童子所共識，不待坡公也。今朱公決以爲韓筆無疑，方氏未足責，晦翁識高一世，而其所定者迺爾，殆不可解。今案《外鈔》第七卷曰「疑誤」者，韓郁注云，潮州靈山寺所刻，末云吏部侍郎潮州刺史者，非也。退之自刑部侍郎貶潮，晚乃由兵部爲吏部，流俗但稱韓吏部爾。其書蓋國初所刻，故其謬如此。又潮本《韓集》不見有此書，使靈山舊有此刻，集時何不編入？可見此書妄也。然其妄甚白，亦不待此而明。」可供參證。

「南陽」者，唐東都之河陽，《春秋傳》「晉於是始啟南陽」者也。《新書》以為鄧州，非是。方崧卿《年譜》辨之詳矣。

案：朱熹《原本韓集考異》卷十載：「《新書》本傳，今以李翺所撰〈行狀〉、皇甫湜所撰〈墓誌〉、〈神道碑〉、《舊史》本傳、《資治通鑑》、洪興祖所撰《年譜》、程俱所撰〈歷官記〉、方崧卿〈增攷年譜〉，考其同異詳畧，附注本文之下，以見公之行事本末。而文之已見於《集》者，不復載云。」韓愈字退之，鄧州南陽人。七世祖茂，有功於後魏，封安定。王父仲卿，爲武昌令，有美政，既去，縣人刻石頌德，終祕書郎。李翺作〈文公父仲卿去思碑〉云：『南陽人。』而公常自稱昌黎，李翺作公〈行狀〉亦云：『昌黎某人。』皇甫湜作〈墓志〉，不言鄉里，又作〈神道碑〉乃云：『上世嘗居南陽，又隸延州之武陽，而《舊史》亦但云昌黎。』今按《新史》蓋因李〈碑〉而加鄧州二字也。然考《漢書・地理志》有兩南陽，其一河南修武，即《左傳》所謂『晉啓南陽也。』其一南陽堵陽，即實州之南陽郡，字與赭同，在唐屬鄧州者也。《元和姓纂》、《唐書・世系表》有兩韓氏，其一漢弓高侯頹，當玄孫騫避亂，居南陽郡之赭陽，九世孫河東太守術，生河東太守純，純四世孫安之晉，員外郎二子：潛恬隨司馬休之入後魏，爲玄菟太守。二子都偃，偃生後魏中郎穎，穎生播，徙昌黎棘城。其一則頹當裔孫尋，爲後漢隴西太守，世居穎川，生司空稜，後徙安定武安，至後魏有常山太守武安成侯耆，徙居九門，生尙書令征南大將軍安定栢王茂，茂生均，均生晙，晙生仁泰，仁奉生叡素，叡素生仲卿，仲卿生會、愈，而中間嘗徙陳留，以此而推，則公固穎川之族，尋、稜之後，而不得承騫之系矣。而洪與祖所撰《年譜》，但以騫之後世嘗徙昌黎，遂附《新史》之訛，獨以赭陽爲均州，小有不同耳。及其再考二書，而見公世系之實，則遂諱匿不復著仲卿、會、愈之名，而直以爲不可考，今固不得而據也。唯方崧卿增攷引董逌說，以爲騫乃韓瑗、韓休之祖，而公自出於尋、稜，與二書合。其論南陽則又云：『今孟、懷州，皆《春秋》南陽之地，自漢至隋，二州皆屬河內郡。唐顯慶中，始以孟州隸河南府。建中中，乃以河南之四縣入河陽三城使，其後又改爲孟州。今河內有河陽縣韓氏世居之故。公每自言歸河陽省墳墓，而女拏之〈銘〉亦曰：「歸骨于河南之河陽韓氏墓。」張籍〈祭公詩〉亦云：「舊塋盟津北。」則知公爲河內之南陽人。』其說獨爲得之。公詩所謂『舊籍在東都，我家本瀍穀。』則必以地近而復嘗徙居耳！但據此，則公與昌黎之韓異家，而每以自稱，則又有不可曉者。豈是時昌黎之族頗盛，故隨稱之，亦若所謂言劉悉出彭城，言李悉出隴西者邪？然設使公派果出昌黎也，則其去赭陽已歷數世，其後又屢遷徙，不應舍其近世所居之土，而遠指鄧州爲鄉里也。方又引孔武仲之說，亦同董氏。而王銍以爲公生於河中之永樂。今永樂猶有韓文鄉，則其說爲已詳，蓋其世系雖有不可知者；然南陽之爲河內脩武，則無可疑者；而《新史》、洪《譜》之誤，斷可識矣。」直齋殆據朱子以考之也。

韓文公志五卷

《韓文公志》五卷，金堂樊汝霖澤之撰。汝霖嘗為《韓集譜注》四十五卷，又集其碑誌、祭文、序譜之屬為一編，此是也。《譜注》未之見。汝霖，宣和六年進士，仕至瀘帥以卒，玉山汪端明志其墓。

案：此書及《韓集譜注》均不可考。汝霖，《宋史》無傳。《宋人傳記資料索引》載：「樊汝霖，字澤霖，溫州永嘉人。善法書，年四十二登寶祐四年三甲第九名進士。」所記籍貫、別字與登第年歲均不相同，殊非一人。玉山汪端明即汪應辰，曾以端明殿學士出知平江府，《宋史》卷三百八十七、〈列傳〉第一百四十六有傳。應辰有《文定集》，其書卷二十二、〈誌銘〉有〈吏部郎樊茂實墓誌銘〉，然非誌汝霖墓者，疑直齋誤記。

昌黎集四十卷、外集一卷、附錄五卷、年譜一卷、舉正十卷、外鈔八卷

《昌黎集》四十卷、《外集》一卷、《附錄》五卷、《年譜》一卷、《舉正》十卷、《外鈔》八卷，《年譜》，洪興祖撰，莆田方崧卿增攷，且撰《舉正》以校其同異，而刻之南安軍。廣棪案：《文獻通考》無「軍」字。**《外集》但據嘉祐蜀本劉煜所錄二十五篇，**廣棪案：《文獻通考》「劉煜」作「劉燁」，元抄本、盧校本同。是。**而附以石刻聯句、詩文之遺見於他集者。及葛嶠刻柳文，則又以大庾丞韓郁所編注諸本號《外集》者，**館臣案：《文獻通攷》作「韓都」。廣棪案：《文獻通考》作「韓郁」，館臣案語誤。**并攷校疑誤，**廣棪案：《文獻通考》「攷」下無「校」字，元抄本、盧按本同。**輯遺事，共為《外鈔》刻之。**

廣棪案：《鐵琴銅劍樓藏書目錄》卷第十九、〈集部〉一、〈別集類〉著錄：「《韓集舉正》十卷、《外集舉正》一卷、《敘錄》一卷，影鈔宋本。宋方崧卿撰。前有〈自序〉云：『韓文自校本盛行，世無全書。歐公謂：「韓文印本初未必誤，多爲校讎者妄改。」僕嘗得祥符中所刊杭本四十卷，其時猶未有《外集》，今諸集之所謂舊本者此也。既而得蜀人蘇溥所校劉、柳、歐、尹四家本，此本嘉祐中嘗刊於蜀，故傳於世。繼又得李左丞漢老、謝參政任伯所校祕閣本，李本之校閣本最爲詳密，字之疑者皆標同異於其上，故可得以爲據。大抵以公文石本之存者校之，閣本常得十九，杭本得十七，而蜀本得十五六焉。今只以三本爲定。其詩十卷，則校之唐令狐氏本；碑誌、祭文，則以南唐保大本兼訂焉。其趙德文錄《文苑英華》、姚寶臣《文粹》，字之與舊本合者亦以參校；諸本所不具，而理猶未通者，然後取之校本焉。韓文舊本皆無一作，蜀本間有一二，亦只附見篇末，今皆一遵舊本，而別出此書。字之當刊正者，以白字識之；當刪削者，以圈毀之；當增者，位而入之；當乙者，乙而倒之；字須兩存而或當旁見者，則姑註於其下，不復標出。閣與杭、蜀皆同，則合三本而言之。同異不齊，則誌其長者。其他如汝多作女，互多作𠀧，預作與，傲作敖，叢作藂，缺作鈌，二十、三十之爲廿、卅，此類非一，亦不敢盡從刊改。今之監本已非舊集，然校之潮、袁諸本，猶爲近古。如〈送牛堪序〉，閣本、杭本皆繫於十九卷之末，惟此本尚然，今用以爲正，而錄諸本異同於其下。此本已正者，亦不復盡出，庶幾後學猶得以考韓氏之舊也。』又有〈後跋〉云：『右昌黎先生《集》四十卷、《目錄》一

卷、《外集》一卷、《附錄》五卷、《增考年譜》一卷，崧卿試郡嶺麓，閑日居多，課其餘力，獲從事於斯。常念韓氏舊集，世已罕傳，歲月既久，則散逸殆盡，摭拾其僅存者，稽而正之，以還舊觀，亦討古之一助也。第惟淺識謏聞，管窺自信，源流不白，何以傳諸人？因復次其異同，記其訛舛之自，爲《舉正》十卷，使人開卷知所自擇，而韓氏義例亦粗見於綱領中。噫！一代文宗，膾炙人口，相傳以熟，莫覺其訛。陋學苦心，儻識者補其遺繆。淳熙己酉二月朔日，莆陽方崧卿書。』案此書作後，朱子因之爲《考異》。《考異》行，而此書幾晦，幸有影宋本流傳，尙可考見。每半葉十一行，行二十字，注字同。桓字闕筆，敦字不避，猶出淳熙舊刻也。」足供參證。方崧卿，字季伸，福建莆田人，淳熙十二年春選知南安軍。《宋史翼》卷二十一、〈列傳〉第二十一、〈循吏〉四有傳。《宋人傳記資料索引》載：「方崧卿（1135～1194）字季申，莆田人，憲子。隆興元年進士。知信州上饒縣，累官至京西轉運判官，所至皆有惠政。所得祿賜，半爲抄書之費，家藏書四萬卷，皆手自校讐。嘗校正《韓昌黎文集》，又爲《韓詩編年》十五卷、《韓集舉正》十卷。紹熙五年卒，年六十。」可供參考。《外鈔》無可考。至劉燁，字耀卿，通判益州。《宋史》卷二百六十二、〈列傳〉第二十一有傳。葛嶠、韓郁，均不可考。《四庫全書總目》卷一百五十、〈集部〉三、〈別集類〉三著錄：「《韓集舉正》十卷、《外集舉正》一卷，編修朱筠家藏本。宋方崧卿撰。崧卿，莆田人。孝宗時嘗知台州軍事。是書後有淳熙己酉崧卿自〈跋〉，稱：『右《昌黎先生集》四十卷、《外集》一卷、《附錄》五卷、《增考年譜》一卷、復次其異同爲《舉正》十卷。陳振孫《書錄解題》所載同，而多《外鈔》八卷。其註稱『《年譜》，洪興祖撰，莆田方崧卿增考，且撰《舉正》以校其同異，而刻之南安。《外集》但據嘉祐劉煜所錄二十五篇，而附以石刻聯句、詩文之遺見於他集者。及葛嶠刻柳文，又以大庾韓郁所編註諸本號《外集》者，併考疑誤，輯遺事共爲《外鈔》刻之。』然則《外鈔》非方氏書，特葛氏刻《柳集》以配韓，因而增入，故崧卿〈跋〉不之及也。據〈自跋〉與陳氏所錄，則此書蓋與《文集》、《外集》、《附錄》、《年譜》竝刻。此本惟有《舉正》，蓋所存止此也。十卷之末，又有《外集舉正》一卷，而〈跋〉中不及。陳氏亦不及核其原刻，不標卷第，殆即附之十卷中歟？』可供參考。

校定韓昌黎集四十卷、外集十卷

《校定韓昌黎集》四十卷、《外集》十卷，晦庵朱侍講熹以方氏本校定。廣棪案：盧校注：「趙敬夫云：『《考異》出朱子者不過數條，餘皆紕繆不堪，非朱子書也。』」凡異同定歸于一，多所發明，有益後學。《外集》皆如舊本，獨用方本益〈大顛三書〉。愚案：方氏用力於此《集》勤矣，《外集》刪削甚嚴，而存此〈書〉，以見其邀速常語，初無崇信之說，但欲明世間問答之偽，而不悟此〈書〉為偽之尤也，蓋由歐陽公〈跋語〉之故。不知歐陽公自以《易大傳》之名與己意合，從而實之，此自通人之一蔽，東坡固嘗深辨之，然其謬妄，三尺童子所共識，不待坡公也。今朱公決以為韓筆無疑，方氏未足責，晦翁識高一世，而其所定者迺爾，殆不可解。

廣棪案：愈〈與大顛師書〉，凡三通，《全唐文》卷五百五十四、〈韓愈〉八亦收之。其一曰：「愈啓；孟夏漸熱，惟道體安和，愈弊劣無謂，坐事貶官到此，久聞道德，切思見顏。緣昨到來，未獲參謁，倘能暫垂見過，實爲多幸。已帖縣令，具人船奉迎，日久佇瞻，不宣。愈白。」其二曰：「愈啓：海上窮處，無與話言，側承道高，思獲披接。專輒有此咨屈，儻惠能降諭，非所敢望也。至此一二日，却歸高居，亦無不可，旦夕渴望，不宣。愈白。」其三曰：「愈啓：惠匀至，辱答問，珍悚無已。所示廣大深迴，非造次可諭。《易大傳》曰：『書不盡言，言不盡意。』然則聖人之意，其終不可得而見耶？如此而論，讀來一百徧，不如親見顏色，隨問而對之易了。此旬來晴明，旦夕不甚熱，倘能乘閒一訪，幸甚，旦夕馳望。愈聞道無疑滯，行止繫縛，苟非所戀著，則山林閒寂，與城郭無異。大顛師論甚宏博，而必守山林，義不至城郭，自激修行，獨立空曠無累之地者，非通道也。勞於一來，安於所適。道故如是，不宣。愈頓首。」直齋力辨此三書爲「僞之尤」，而怪「晦翁識高一世，而其所定者迺爾，殆不可解」。是直齋所見之《外集》，其中亦收有此三〈書〉。惟《四庫全書總目》卷一百五十、〈集部〉三、〈別集類〉三「《韓集舉正》十卷、《外集舉正》一卷」條則曰：「《書錄解題》又曰：『《韓昌黎集》四十卷、《外集》十卷，朱侍講以方氏本校定。凡異同定歸於一，多所發明。《外集》皆如舊本，獨用方本益〈大顛三書〉。』今考《外集舉正》所列，自〈海水詩〉至〈明水賦〉，二十五篇之數俱全，無所謂〈大顛三書〉者，亦無所謂石刻聯句、詩文之遺於他集者。不知《考異》所據何本？此亦千古之大疑，姑闕所不知可矣。」是《四庫》館臣謂方氏《外集舉正》中並未收錄〈與大顛師書〉。

今案《外鈔》第七卷曰「疑誤」者，韓郁注云：「潮州靈山寺所刻，末云吏部侍郎潮州刺史者，非也。退之自刑部侍郎貶潮，晚乃由兵部為吏部，流俗但稱韓吏部爾。其書蓋國初所刻，故其謬如此。」

案：《舊唐書》卷一百六十、〈列傳〉第一百一十愈本傳載：元和十二年八月，宰臣裴度爲淮西宣慰處置使，兼彰義軍節度使，愈爲行軍司馬。淮、蔡平，隨度還朝，以功授刑部侍郎。十四年上疏諫迎佛骨，坐貶潮州刺史。十五年，轉兵部侍郎，後改吏部侍郎。《新唐書》本傳同。是潮本謂「吏部侍郎潮州刺史」者，非也。

又潮本《韓集》不見有此〈書〉，使靈山舊有此刻，集時何不編入？可見此〈書〉妄也。然其妄甚白，亦不待此而明。

案：以潮本《韓集》不見有此三〈書〉，以證此三〈書〉之妄。愈既以上疏諫迎佛骨，坐貶潮州，實無由抵潮未久，則上書大顛，其禮重若此也。

柳柳州集四十五卷、外集二卷

《柳柳州集》四十五卷、《外集》二卷，唐禮部員外郎柳州刺史河東柳宗元子厚撰。廣棪案：《文獻通考》闕此句。

廣棪案：《新唐書》卷六十、〈志〉第五十、〈藝文〉四、〈別集類〉著錄：「《柳宗元集》三十卷。」《崇文總目》、錢東垣輯釋本。《通志略》、《宋志》同。《郡齋讀書志》卷第十七、〈別集類〉上著錄：「《柳宗元集》三十卷、《集外文》一卷。」較多《集外文》一卷，其餘均與《解題》所著錄卷數有異。宗元字子厚，河東人。順宗時任尚書禮部員外郎，憲宗元和十年，例移柳州刺史。《舊唐書》卷一百六十、〈列傳〉第一百一十，《新唐書》卷一百六十八、〈列傳〉第九十三有傳。《舊唐書》本傳載有《文集》四十卷，亦與《解題》著錄不同。

劉禹錫作〈序〉，廣棪案：《文獻通考》無「作」字。**言編次其文為三十二通，退之之〈誌〉若〈祭文〉，附第一通之末。**

案：禹錫所撰〈序〉曰：「八音與政通，而文章與時高下。三代之文，至戰國而病，涉秦漢復起；漢之文，至列國而病，唐興復起。夫政痝而土裂，三光五嶽之氣分，大音不完，故必混一而後大振。初，貞元中，上方嚮文章，昭回之光，下飾萬物。天下文士，爭執所長，與時而奮，粲然如繁星麗天。而芒寒色正，人望而敬者，五行而已。河東柳子厚，斯人望而敬者歟？子厚始以童子有奇名於貞元初。至九年，為名進士。十有九年，為侍御史。二十有一年，以文章稱首，入尚書為禮部員外郎。是歲，以疎儁少檢獲訕，出牧邵州，又謫佐永州。居十年，詔書徵不用，遂為柳州刺史，五歲不得召歸。病且革，留書抵其友中山劉禹錫曰：『我不幸，卒以謫死，以遺草累故人。』禹錫執書以泣，遂編次為四十五通，行於世。子厚之喪，昌黎韓退之誌其墓，且以書來弔曰：『哀哉！若人之不淑。吾嘗評其文，雄深雅健似司馬子長，崔、蔡不足多也。』安定皇甫湜於文章少所推讓，亦以退之言為然。凡子厚名氏與仕與年暨行已之大方，有退之之〈誌〉若〈祭文〉在，今附于第一通之末云。夔州刺史劉禹錫纂。」可供參證。

今世所行本皆四十五卷，又不附〈誌〉、〈文〉，非當時本也，或云沈元用所傳穆伯長本。

案：直齋所藏者即沈元用所傳穆伯長本。伯長即穆修，嘗刻《柳集》，並撰〈舊本柳文後序〉，曰：「唐之文章，初未去周、隋、五代之氣。中間稱得李、杜，其才始用為勝，而號專雄歌詩，道未極其渾備。至韓、柳氏起，然後能大吐古人之文，其言與仁義相華實而不雜。如韓〈元和聖德〉、〈平淮西〉，柳〈雅章〉之類，皆辭嚴義偉，製述如經。能崒然聳唐德於盛漢之表，蔑愧讓者，非二先生之文則誰與？予少嗜觀二家之文，常病柳不全見於世，出人間者，殘落纔百餘篇；韓則雖目其全，至所缺墜，亡字失句，獨於集家為甚。志欲補得其正而傳之，多從好事訪善本，前後累數十，得所長，輒加注竄。遇行四方遠道，或他書不暇持，獨賫韓以自隨。幸會人所寶有，就假取正。凡用力於斯，已蹈二紀外，文始幾定。久惟柳之道，疑其未克光明於時，何故伏其文而不大耀也？求索之莫獲，則既已矣於懷。不圖晚節遂見其書，聯為八九大編，夔州前序其首，以卷別者凡四十有五。眞配韓之鉅文歟！書字甚樸，不類今跡，蓋往昔之藏書也。從考覽之，或卒卷莫迎其誤脫，有一二廢字，由其陳故劘滅，讀無甚害，更資研證就眞耳。因按其舊，錄為別本，與隴西李之才參讀累月，詳而後止。嗚呼！天厚予嗜多矣，始而饜我以韓，既而飫我以柳，謂天不吾厚，不誣也哉！世之學者，如不志於古則已，苟志於古，求踐立言之域，捨二先生而不由，雖曰能之，非予所敢知也。天聖元年秋九月，河南穆修伯長後序。」元用即沈晦，撰〈四明新本河東先生後序〉，曰：「學古文必自韓、柳始，兩家文字剝落，柳爲尤甚。國初文章承唐末五代之弊，卑弱不振。至天聖間，穆脩、鄭條之徒唱之，歐陽文忠、尹師魯和之，格力始回，天下乃知有韓、柳。韓文屢經名士手，頃余又爲讐勘，頗完悉。唯柳文簡古雅奧，不易刊削。年大來試爲紬繹，兩閱歲然後畢見。凡四本，大字四十五卷，所傳最遠，初出穆脩家，云是劉夢得本；小字三十三卷，元符間京師開行，顚倒章什，補易句讀，訛正相半；曰曾丞相家本，篇數不多於二本，而有邢郎中、楊常侍二〈行狀〉，〈冬日可愛〉、〈平權衡〉二賦，共四首有其目而亡其文；曰晏元獻家本，次序多與諸家不同，無〈非國語〉。四本中，晏本最爲精密。柳文出自穆家，又是劉連州舊物。今以四十五卷本爲正，而以諸本所餘作《外集》，參考互證，用私意補其闕，如皇室主宜加黃字，馮翊王公宜去王字，緊當作擘，玡當作狃，鮑勛當作鮑信，改規當作段規，疥癘宜爲痎瘧，狠倖宜爲狠悻。吳武陵初貶永州，貞符中宜如《唐書》去量移字。韓曄時猶未死，〈答元饒州書〉中宜於韓宣英上去亡友字。以《唐書・孝友傳》校〈復讐議〉，以《楚辭・天問》校〈天對〉，以《左傳》、《國語》校〈非國語〉，以唐宋類書、唐人牋表校〈天論〉等篇，其見於《唐書》者，悉改從宋景文，凡漫乙是正二千處而羸。又釐革〈京兆請復尊號表〉，增入〈請聽政第二表〉、〈賀皇太子牋〉、〈省試慶雲圖詩〉，總六百七十四篇。鋟木流行，購逸拾遺，猶俟後日。政和四年十二月望，胥山沈晦序。」《四庫全書總目》卷一百五十、〈集部〉三、〈別集類〉三著錄：「《詁訓柳先生文集》四十五卷、《外集》二卷、《新編外集》一卷，內府藏本。唐柳宗元撰。宋韓醇音釋。醇字仲韶，臨邛人。其始末未詳。《宗元集》爲劉禹錫所編。其後卷目增損，在宋時已有四本。一則三十三卷，爲元符間京師開行本；一則曾丞相家本；一則晏元獻家本；一則此四十五卷之本，出自穆修家，云即禹錫原本。案陳振孫《書錄解題》曰：『劉禹錫作〈序〉，稱編次其文爲三十二通。退之之〈誌〉若〈祭文〉附第一通之末。今世所行本皆四十五卷，又不附〈誌〉、〈文〉。非當時本也。』

考今本所載禹錫〈序〉，實作四十五通，不作三十二通。與振孫所說不符。或後人追改禹錫之〈序〉，以合見行之卷數，亦未可知。要之，刻韓、柳《集》者自穆修始。雖非禹錫之舊第，諸家之本亦無更古於是者矣。政和中，胥山沈晦取各本參校，獨據此本爲正，而以諸本所餘者別作《外集》二卷，附之於後，蓋以此也。」可供參考。

柳先生集四十五卷、外集二卷、別錄一卷、摭異一卷、音釋一卷、附錄二卷、事迹本末一卷

《柳先生集》四十五卷、《外集》二卷、《別錄》一卷、館臣案：《文獻通攷》作二卷。《摭異》一卷、《音釋》一卷、《附錄》二卷、《事迹本末》一卷，方崧卿既刻《韓集》於南安軍，其後，江陰葛嶠為守，復刊《柳集》以配之。《別錄》而下，皆嶠所裒集也。《別錄》者，《龍城錄》及《法言注》五則。

廣棪案：此書葛嶠守南安軍時所刊。嶠，《宋史》無傳。《宋會要輯稿》第一百三冊、〈職官〉七五載：「（嘉定六年）十二月二十七日，江東提刑葛嶠與宮觀，以臣僚言其行部之日，不務澄清，風采披靡。」是嶠又曾任江東提刑。

《龍城》，近世人偽作。廣棪案：《文獻通考》「偽」上有「之」字。盧校注：「《龍城》乃王性之偽撰。」

案：《解題》卷十一、〈小說家類〉著錄：「《龍城錄》一卷，稱柳宗元撰。龍城謂柳州也。羅浮梅花夢，事出其中。《唐志》無此書，蓋依託也。或云王銍性之作。」足供參證。

重校添注柳文四十五卷、外集二卷

《重校添注柳文》四十五卷、《外集》二卷，姑蘇鄭定刊於嘉興。以諸家所注輯為一編，曰〈集注〉，曰〈補注〉，曰章，曰孫，曰韓，曰張，曰董氏，而皆不著其名。廣棪案：《文獻通考》「著」作「註」。其曰「重校」，曰「添注」，則其所附益也。

廣棪案：此書已佚。鄭定，《宋史》無傳。《宋會要輯稿》第一百二冊、〈職官〉七三之四〇載：「（嘉定元年）三月六日，司農寺主簿徐達、主

管進奏院周庭藻、幹辦榷貨務都茶場張岷、大理評事鄭定並放罷，以監察御史余崇龜言達才術無長，資歷又淺；庭藻性資殘酷；岷貪鄙很戾；定行賄僥倖。」同書同冊、〈職官〉七三之五五載：「（嘉定十四年）十月三日，駕部郎官鄭定、屯田郎官謝周卿、新除秘書丞兼權右曹郎官陳畏、新除太府寺丞楊若並與在外，合入差遣，以右正言龔蓋卿言定昨守嘉興，繆政流傳；周卿持節淮東，政事貪暴；畏每事退縮，縱吏爲姦；若不度衰殘，昧然嗜進。」同書第一百十五冊、〈選舉〉二一之一五載：「（嘉定）十一年二月二十五日，監試公試類試，命監察御史盛章監試，吏部郎中康仲穎、著作郎張慮、大理寺丞鄭定考試，秘書省校書郎黃桂、宗正寺主簿黃涇、提轄文思院牛斗南、太社令陳畏、大理評事趙善璙、朱憲、葉岌、主管三省樞密院架閣文字淩次英、主管刑工部架閣文字盧祖皐考試。」同書第一百十六冊、〈選舉〉二二之二六載：「（嘉定）十年六月二十五日銓試，命秘書丞樓觀、大理寺丞沈繹考試，太學錄徐鳳、主管三省樞密院架閣文字何郯、大理評事蔣誼、鄭定、史改之考校。」是則鄭定先後出任大理評事、大理寺丞及駕部郎官等職；且曾於嘉定十四年任駕部郎官前一度出守嘉興，其《重校添注柳文》一書即刊於此時。

韓柳音辨二卷

《韓柳音辨》二卷，南劍州教授新安張敦頤撰。紹興八年進士也。

廣棪案：敦頤，《宋史翼》卷二十一、〈列傳〉第二十一、〈循吏〉四載：「張敦頤字養正，婺源人。紹興八年進士，爲南劍州教授，陞宣城倅，攝郡事。先是郡奉朝旨汰養老之卒七百人，一日以不給麥，羣譟廷下。敦頤好諭之，即敕吏曰：『州倉無麥，以常平麥代之。』眾謝而退，因密疏爲首者七人姓名，白之省，悉從軍令。歷守舒、衡二州致仕。所著有《韓柳文音注》、《編年六朝事蹟》、《衡陽圖志》。」足供參證。《宋史翼》所載之《韓柳文音注》，應爲《韓柳音辨》之誤。《宋史》卷二百八、〈志〉第一百六十一、〈藝文〉七、〈別集類〉著錄：「張敦頤《柳文音辨》一卷。」是敦頤作音辨，韓、柳文各一卷也。

李元賓集五卷

《李元賓集》五卷，廣棪案：《文獻通考》作「《李觀文編》三卷、《外集》二卷」。**唐太子校書江東李觀元賓撰。**廣棪案：《文獻通考》闕此句。**觀與韓退之貞元八年同年進士。**廣棪案：《文獻通考》「觀」作「元賓」。**明年試博學宏詞，觀中其科，而愈不在選，〈顏子不貳過論〉，其年所試文也。**廣棪案：元抄本無「文」字。**又一年，觀年二十九，卒，愈為之〈誌銘〉。使觀不死，可量也哉！**

廣棪案：《新唐書》卷六十、〈志〉第五十、〈藝文〉四、〈別集類〉著錄：「《李觀集》三卷，陸希聲纂。」《崇文總目》錢東垣輯釋本。著錄同。《通志》卷七十、〈藝文略〉八、〈別集〉四〈唐〉著錄：「《李觀集》三卷，陸希聲纂。又一卷。」《郡齋讀書志》卷第十七〈別集類〉上著錄：「《李觀文編》三卷、《外集》二卷。」《宋史》卷二百八、〈志〉第一百六十一、〈藝文〉七、〈別集類〉著錄：「《李觀集》五卷。」是作五卷者，乃合《文編》、《外集》而言也。觀，《新唐書》卷二百三、〈列傳〉第一百二十八、〈文藝〉下附〈李華〉，載：「觀字元賓。貞元中，舉進士、宏辭，連中，授太子校書郎。卒，年二十九。觀屬文，不旁沿前人，時謂與韓愈相上下。及觀少夭，而愈後文益工，議者以觀文未極，愈老不休，故卒擅名。陸希聲以爲『觀尚辭，故辭勝理；愈尚質，故理勝辭。雖愈窮老，終不能加觀之辭；觀後愈死，亦不能逮愈之質』云。」足供參證。至韓愈所撰〈李元賓墓銘〉曰：「李觀字元賓，其先隴西人也。始來自江之東，年二十四，舉進士。三年登上第，又舉博學宏詞，得太子校書。又一年，年二十九，客死於京師。既斂之三日，友人博陵崔宏禮葬之於國東門之外七里，鄉曰慶義，原曰嵩原。友人韓愈書石以誌之。辭曰：『已虖元賓，壽也者，吾不知其所慕。夭也者，吾不知其所惡。生而不淑，孰謂其壽。死而不朽，孰謂之夭。已虖元賓，才高乎當世，而行出乎古人。已虖元賓，竟何爲哉！竟何爲哉！』」

陸希聲得其文二十九篇，為之〈序〉。廣棪案：《文獻通考》脱此句。

案：希聲，《新唐書》卷一百一十六、〈列傳〉第四十一附〈陸元方〉。所撰〈唐太子校書李觀文集序〉曰：「貞元中，天子以文化天下，天下翕然興於文，文之尤高者李元賓觀、韓退之愈。始元賓舉進士，其文稱居退之之右；及元賓死，退之之文日益高。今之言文章，元賓反出退之之下，論者以元賓早世，其文未極，退之窮老不休，故能卒擅其名。予以爲不然。要之所得不同，不可以相上下者。文以理爲本，而辭、質在所尚。元賓尚於辭，故辭勝其理；退之尚於質，故理勝其辭。退之雖窮老不休，終不能爲元賓之辭，假使元賓後退之之死，亦不能及退之之質。此所以不相見也。夫文興於唐、虞，而隆於周、漢。自明帝後，文體寖弱，以至於魏、晉、宋、齊、梁、隋，嫣然華媚，無復筋骨。唐興，猶襲隋故態。至天后朝，陳伯玉始復古制，當世高之。雖博雅典實，猶未能全去諧靡。至退之乃大革流弊，落落有老成之風。而元賓則不古不今，卓然自作一體，激揚發越，若絲竹中有金石聲。每篇得意處，如健馬在御，蹀蹀不能止。其所長如此，得不謂之雄文哉！自廣明喪亂，天下文集畧盡，予得元賓文於漢上，惜其恐復磨滅，因條次爲三編，論其意以冠於首。大順元年十月日，給事中陸希聲序。」可供參證。

慶曆中，章詧又得十四首於楚人趙昂，通為五卷。廣棪案：《文獻通考》脱此句。

案：章詧字隱之，成都雙流人。《宋史》卷四百五十八、〈列傳〉第二百一十七、〈隱逸〉中有傳。趙昂，《宋史》卷二百七十一、〈列傳〉第三十附其父〈趙延進〉。《宋史》載：「趙延進，澶州頓丘人。……子昂，太平興國二年登進士第，至戶部郎中，直昭文館。」澶州，治頓丘，在今河北清豐縣。故《宋史》所載之趙昂，與《解題》之「楚人趙昂」，殊非一人。《郡齋讀書志》卷第十七、〈別集類〉上著錄：「《李觀文編》三卷、《外集》二卷。右唐李觀元賓也。華之從子。貞元八年進士，中宏詞科，終太子校書郎。觀爲文不襲前人，時謂與韓愈相上下。觀少夭，文故未極，愈得中壽，故獨擅名。大順中，陸希聲編觀文，爲之〈序〉，有謂『觀尚辭，故辭勝理；愈尚質，故理勝辭。雖愈窮老，終不能加觀之辭；觀後愈死，亦不能逮愈之質』云。其後蜀人趙昂又得其〈安邊書〉至〈晁錯論〉一十四首，爲《後集》二卷。頃年，從父詹事公掌誥命，以『四之日』爲『四日』，不學者鬨然以爲非。觀《集》中亦云爾，乃知本於此。」至亦謂「蜀人趙昂」，考之章詧爲成都雙流人，則昂或亦爲蜀人，則晁氏所記不誤，而直齋反誤矣。

歐陽行周集五卷

《歐陽行周集》五卷，廣棪案：《文獻通考》作「《歐陽集》十卷」，疑脫「詹」字。**唐國子四門助教莆田歐陽詹行周撰。**廣棪案：《文獻通考》無此句。

廣棪案：《新唐書》卷六十、〈志〉第五十、〈藝文〉四、〈別集類〉著錄：「《歐陽詹集》十卷。」《郡齋讀書志》、《通志略》著略同。疑直齋所藏者乃不全之本。而《宋史》卷二百八、〈志〉第一百六十一、〈藝文〉、七〈別集類〉著錄：「《歐陽詹集》一卷。」其「一」或「十」之譌也。詹字行周，泉州晉江人。《新唐書》卷二百三、〈列傳〉第一百二十八、〈文藝〉下載：「詹先爲國子監四門助教，率其徒伏闕下，舉（韓）愈博士。」足資參證。

詹亦韓愈同年進士，廣棪案：盧校本無「愈」字。**故其《集》中各有〈明水賦〉。**廣棪案：《文獻通考》「故」作「考」。

案：《新唐書》詹本傳載：「舉進士，與韓愈、李觀、李絳、崔群、王涯、馮宿、庾承宣聯第，皆天下選，時稱『龍虎榜』。」詹所撰〈明水賦〉以元化無宰至精感通為韻。曰：「智之不測，有明水焉。方諸在手，圓月居天。象質遐分，則迢遙而迥遠；英華潛合，遂滴瀝以流漣。可謂妙自斯妙，元之又元。此道也，自何而來；彼靈也，從何而借？越杳杳之蒼旻，阻溟溟之永夜。望蟾魄而光彩殊流，端蛤形而清泠忽下。等陽燧之通感，實柔祇之祕化。豈不以我惟陽德，伊乃陰徒。精靈合契，氣類相符。共稟坤而配坎，諒交津以有濡。此理焉自取之乎必有，斯水也遂生之於本無。精潔可嘉，清明斯在。湛玉壺以無垢，入犧罇而有待。處罍實爵，令則由於鬯人；置下升堂，已不關乎眞宰。稽乎所自，原夫所致。臨庭目擊，雖從陰鑒而來；向月心祈，又似上天而至。來莫我挈，至莫我精。弃本不仁，故存名而曰水；從宜酌號，遂表性而稱明。信可薦宗祏，祈上清。故得歸先歲享，告帝功成。冠三酒而首進，掩五齊以先行；招百神之景福，致萬姓之元禎。無益於人，鄙玉漿於夜漏；自求其益，哂珠露於金莖。遊原習坎，固有冥感；處陸浮空，不無元通。龍吟雲而致雨，虎嘯谷而來風。動無千里之效，潤纔百里之功。詎若以握中之瑣細，向天上之曈曨。精液下融，神人以崇，而福祿攸同者乎？」愈亦撰〈明水賦〉曰：「古者聖人之制祭祀也，必主忠敬，崇吉蠲，不貴其豐。乃或薦之以水，不可以黷，斯用致之於天，其事信美，其義惟元。月實水精，故求其本也。明爲君德，因取以名焉。於是命烜氏，候清夜，或將祀圓丘於元冬，或將祭方澤於朱夏。持鑑而精氣旁射，照月而陰靈潛下。視而不見，謂合道於希夷；挹之則盈，方同功於造化。應於有，生於無。形象未分，徒騁離婁之目；光華暗至，如還合浦之珠。既齊芳於酒醴，詎比賤於潢汙。明德惟馨，元功不宰。於以表誠潔，於以戒荒怠。苟失其道，殺牛之祭何爲；如得其宜，明水之薦斯在。不引而自致，不行而善至。雖辭麴糵之名，實處罇罍之器。降於圓魄，殊匪金莖之露；出自方諸，乍似鮫人之將以贊於陰德，配夫陽燧。夜寂天清，煙消氣明。桂華吐耀，兔影騰精。聊設監以取水，伊不注而能盈。霏然而象，的爾而呈。始漠漠而霜積，漸微微而浪生。豈不以德協於坎，同類則感；形藏在空，氣應則通。鶴鳴在陰之理不謬，武嘯於谷之義可崇。足以驗聖賢之無黨，知天地之至公。竊比太羹之遺味，幸希薦於廟中。」

詹亦早死，愈為之〈哀詞〉，尤拳拳焉。

案：《新唐書》詹本傳載：「卒，年四十餘。崔群哭之甚，愈爲詹〈哀辭〉，自書以遺群。」愈所撰〈歐陽生哀辭〉，曰：「歐陽詹世居閩越，自詹已上，皆爲閩越官，至州佐縣令者，累累有焉。閩越地肥衍，有山泉禽魚之樂，雖有長才秀民，通文書吏事，與上國齒者，未嘗肯出仕。今上初故宰相常袞爲福建諸州觀察使，治其地，袞以文辭進，有名於時，又作大官，臨莅其民，鄉縣小民有能誦書作文辭者，袞親與之爲客主之禮。觀游宴饗，必召與之時，未幾皆化翕然。詹於時獨秀出，袞加敬愛，諸生皆推服，閩越之人舉進士繇詹始。建中、貞元間，予就食江南，未接人事，往往聞詹名閭巷間。詹之稱於江南也久，貞元三年，予始至京師舉進士，聞詹名尤甚。八年春，遂與詹文辭同考試登第，始相識。自後詹歸閩中，予或在京師他處，不見詹久者，惟詹歸閩中時爲然，其他時與詹離，率不歷歲，移時則必合，合必兩忘其所趨，久然後去，故予與詹相知爲深。詹事父母盡孝道，仁於妻子，於朋友義以誠，氣醇以方，容貌嶷嶷然。其燕私善謔以和，其文章切深，喜往復，善自道，讀其書，知其於慈孝最隆也。十五年冬，予以徐州從事朝正於京師，詹爲國子監四門助教，將率其徒伏闕下，舉予爲博士。會監有獄，不果上，觀其心有益於予，將忘其身之賤而爲之也。嗚呼！詹今其死矣。詹，閩越人也，父母老矣，捨朝夕之養，以來京師，其心將以有得於是，而歸爲父母榮也。雖其父母之心亦皆然。詹在側，雖無離憂，其志不樂也。詹在京師，雖有離憂，其志樂也。若詹者，所謂以志養志者歟！詹雖未得位，其名聲流於人人，其德行信於朋友，雖詹與其父母，皆可無憾也。詹之事業文章，李翺既爲之〈傳〉，故作〈哀辭〉以舒予哀，以傳於後，以遺其父母，而解其悲哀，以卒詹志云。　求仕與友兮，遠違其鄉。父母之命兮，子奉以行。友則既獲兮，祿實不豐。以志爲養兮，何有牛羊。事實既修兮，名譽又光。父母忻忻兮，常若在旁。命雖云短兮，其存者長。終要必死兮，願不永傷。朋友親視兮，藥物甚良。飲食孔時兮，所欲無妨。壽命不齊兮，人道之常。在側與遠兮，非有不同。山川阻深兮，魂魄流行。祭祀則及兮，勿謂不通。哭泣無益兮，抑哀自彊。推生知死兮，以慰孝誠。嗚呼哀哉兮，是亦難忘。」愈又撰〈題哀辭後〉曰：「愈性不喜書，自爲此文，惟自書兩通，其一通遺清河崔羣。羣與予，皆歐陽生友也。哀生之不得位而死，哭之過時而悲。其一通今書以遺彭城劉君伉。君喜古文，以吾所爲合於古，詣吾廬而來請者，八九至而其色不怨，志益堅。凡愈之爲此文，蓋哀歐陽生之不顯榮於前，又懼其泯滅於後也。今劉君之請，未必知歐陽生，其志在古文耳。雖然，愈之爲古文，豈獨取其句讀不類於今者耶？思古人而不得見，學古道則欲兼通其辭。通其辭者，本志乎古道者也。古之道，不苟譽毀於人，劉君好其辭，則其知歐陽生也無惑焉。」足供參證。

李翺作〈傳〉，而李《集》不載。

案：翺字習之，涼武昭王之後，《舊唐書》卷一百六十、〈列傳〉第一百一十，《新唐書》卷一百七十七、〈列傳〉第一百二有傳。韓愈〈歐陽生哀辭〉亦有「李翺既爲之〈傳〉」之語，惟李《集》不載。

其〈序〉，福建廉使李貽孫所為也。廣棪案：《文獻通考》「福建」作「福唐」。盧校注：「『福建』，《通考》作『福唐』。」

案：貽孫，兩《唐書》無傳。《全唐文》卷五百四十四「李貽孫」條載：「貽孫，貞元時官夔州刺史，累擢至諫議大夫，充宏文館學士，出爲福建都團練觀察處置使，兼御史中丞。」是《解題》稱貽孫爲「福建廉使」，應不誤。貽孫撰〈故四門助教歐陽詹文集序〉曰：「歐陽君生於閩之里，幼爲兒孩時，即不與眾童親狎，行止多自處。年十許歲，里中無愛者。每見河濱山畔有片景可採，心獨娛之。常執卷一編，忘歸於其間。逮風月清暉，或暮而尙留，窅不能釋，不自知所由，蓋其性所多也。未甚識文字，隨人而問章句，忽有一言契於心，移日自得，長吟高嘯，不知其所止也。父母不識其志，每嘗謂里人曰：『此男子未知其指何如？要恐不爲汨沒之饑氓也。未知其爲吉耶？凶耶？』鄉人有覽事多而熟於聞見者，皆賀之曰：『此若家之寶也，奈何慮之過歟？』自此遂日知書，服聖人之教，慕愷悌之化，達君臣父子之節、忠孝之際，惟恐不及。操筆屬詞，其言秀而多思，率人所未言者，君道之甚易。由是振發於鄉里之間。建中、貞元時，文詞崛興，遂大振耀甌閩之鄉，不知有他人也。會故相常衮來爲福之觀察使，有文章高名，又性頗嗜誘進後生，推拔於寒素中，惟恐不及。至之日，比君爲芝英，每有一作，屢加賞進，遊娛燕饗，必召同席。君加以謙德，動不踰節，常公之知，日又加深矣。君之聲漸騰於江淮，且達於京師矣，時人謂常公能識眞。尋而陸相贄知貢舉，搜羅天下文章，得士之盛，前無倫比。故君名在榜中，常與君同道而相上下者，有韓侍郎愈、李校書觀。洎君並數百歲傑出，人到於今伏之。君之文新無所襲，才未嘗困，精於理故言多周詳，切於情故敘事重復，宜其司當代文柄以變風雅。一命而卒，天其絕耶！君於貽孫言故舊之分，於外氏爲一家，故其屬文之內多爲予伯舅所著者，有〈南陽孝子傳〉，有〈韓城縣尉廳壁記〉，有〈與鄭居方書〉，皆可徵於《集》。故予沖幼之歲，即拜君於外家之門。大和中，予爲福建團練副使日，其子價自南安抵福州，進君之舊文共十編，首尾凡若干首，泣拜請〈序〉。已諾其命矣，而詞竟未就，價微有文又早死。大中六年，予又爲觀察使，令訪其裔，因獲其孫曰澥，不可使歐陽氏之文遂絕其所傳也，爲題其〈序〉，亦以卒後嗣之願云。」可供參考。

詹之為人，有〈哀辭〉可信矣，廣棪案：《文獻通考》「矣」作「已」。**黃璞何人斯，乃有太原函髻之謗。好事者喜傳之，不信愈而信璞，異哉！「高城已不見」之句，**廣棪案：《文獻通考》作「高城不可見」，元抄本、盧校本同。**樂府此類多矣，不得以為實也。**廣棪案：《文獻通考》、元抄本、盧校本此條解題至「不得以為實也」止。盧校注：「館本此下不似陳氏語，《通攷》亦無此段。」**然「高城已不見」之詩，題云〈途中寄太原所思〉，蓋有以召其疑也。昔人以曖昧受謗，傳之千古，尚未能明，孰謂今人之行己而可不謹哉？**

案：《太平廣記》卷第二百七十四、〈情感〉「歐陽詹」條載：「歐陽詹字行周，泉州晉江人。弱冠能屬文，天縱浩汗。貞元年，登進士第。畢關試，薄遊太原，於樂籍中，因有所悅，情甚相得。及歸，乃與之盟曰：『至都，當相迎耳。』即灑泣而別，仍贈之詩曰：『驅馬漸覺遠，迴頭長路塵。高城已不見，況復城中人。去意既未甘，居情諒多辛。五原東北晉，千里西南秦。一屨不出門，一車無停輪。流萍與繫瓠，早晚期相親。』尋除國子四門助教，住京。籍中者思之不已，經年得疾且甚，乃危粧引髻，刃而匣之。顧謂女弟曰：『吾其死矣，苟歐陽生使至，可以是爲信。』又遺之詩曰：『自從別後減容光，半是思郎半恨郎。欲識舊時雲髻樣，爲奴開取縷金箱。』絕筆而逝。及詹使至，女弟如言，徑持歸京，具白其事。詹啓函閱之。又見其詩，一慟而卒。故孟簡賦詩哭之。〈序〉曰：『閩越之英，惟歐陽生。以能文擢第，爰始一命，食太學之祿，助成均之教，有庸績矣。我唐貞元年己卯歲，曾獻書相府，論大事，風韻清雅，詞旨切直。會東方軍興，府縣未暇慰薦。久之，倦遊太原，還來帝京，卒官靈臺。悲夫！生於單貧，以狥名故，心專勤儉，不識聲色。及茲筮仕，未知洞房纖腰之爲蠱惑。初抵太原，居大將軍宴。席上有妓，北方之尤者，屨目於生，生感悅之。留賞累月，以爲燕婉之樂，盡在是矣。既而南轅，妓請同行。生曰：「十目所視，不可不畏。」辭焉。請待至都而來迎，許之，乃去。生竟以蹇連，不克如約。過期，命甲遣乘，密往迎妓。妓因積望成疾，不可爲也。先夭之夕，剪其雲髻，謂侍兒曰：「所歡應訪我，當以髻爲貺。」甲至得之，以乘空歸，授髻於生。生爲之慟怨，涉旬而生亦歿。則韓退之作何蕃書，所謂歐陽詹生者也。河南穆玄道訪予，常歎息其事。嗚呼！鍾愛於男女，素其效死，夫亦不蔽也。大凡以時斷割，不爲麗色所汨，豈若是乎？古樂府詩有〈華山畿〉，《玉臺新詠》有〈廬江小吏〉，更相死，或類於此。暇日。偶作詩以繼之云：「有客非北逐，驅馬次太原。太原有佳人，神艷照行雲。座上轉橫波，流光注夫君。夫君意蕩漾，即日相交歡。定情非一詞，結念誓青山。生死不變易，中誠無間言。此爲太學徒，彼屬北府官。中夜欲相從，嚴城限軍門。白日欲同居，君畏仁人聞。忽如隴頭水，坐作東西分。驚離腸千結，滴淚眼雙昏。本達京師迴，駕期相追攀。宿約始乖阻，彼憂已纏綿。高髻若黃鸝，危鬢如玉蟬。纖手自整理，剪刀斷其根。柔情託侍兒，爲我遺所歡。所歡使者來，侍兒因復前。收淚取遺寄，深誠祈爲傳。封來贈君子，願言慰窮泉。使者迴復命，遲遲蓄悲酸。詹生喜言施，倒屣走迎門。長跪聽未畢，驚傷涕漣漣。不飲亦不食，哀心百千端。襟情一夕空，精爽旦日殘。哀哉浩然氣，潰散歸化元。短生雖別離，長夜無阻難。雙魂終會合，兩劍遂蜿蜒。大夫早通脫，巧笑安能干。防身本苦節，一去何由還。後生莫沈迷。沈迷喪其眞。」』出《閩川名士傳》。」《閩川名士傳》者，黃璞所撰也。然《郡齋讀書志》卷第十七、〈別集類〉上著錄：「《歐陽詹集》十卷。右唐歐陽詹行周也。泉州人。貞元八年進士，終國子四門助教。初，閩人不肯北宦。及常袞爲觀察使，興學勸士，詹始以進士舉。其聯第者如韓愈、李絳諸人，皆天下選，時稱『龍虎榜』云。此《集》李貽孫纂，退之作詹〈哀辭〉，稱詹甚美，大意謂詹覓舉京師，將以爲父母榮也。又云其德行信於朋友。而唐小說載詹惑太原一妓，爲賦『高城已不見，況復城中人』之詩，卒爲之死。今《集》中載焉。然則，詹之志豈僅在父母哉！有德行者乃爾耶？」所論與直齋不盡吻合。惟小說家之言，道聽塗說，聳人聽聞，疑亦不足取信也。

元氏長慶集六十卷

《元氏長慶集》六十卷，廣棪案：《文獻通考》作「《元稹長慶集》六十卷、《外集》一卷」。**唐宰相河南元稹微之撰。**廣棪案：《文獻通考》無此句。

廣棪案：《新唐書》卷六十、〈志〉第五十、〈藝文〉四、〈別集類〉著錄：「《元氏長慶集》一百卷，又《小集》十卷，元稹。」《通志略》著錄同。《郡齋讀書志》卷第十七、〈別集類〉上著錄：「《元稹長慶集》六十卷、《外集》一卷。」則多《外集》一卷。稹字微之，河南人，穆宗長慶二年拜平章事。《舊唐書》卷一百六十六、〈列傳〉第一百一十六，《新唐書》卷一百七十四、〈列傳〉第九十九有傳。《舊唐書》本傳亦載：「所著詩賦、詔冊、銘誄、論議等雜文一百卷，號曰《元氏長慶集》。」

《中興書目》止四十八卷，又有《逸詩》二卷。稹嘗自彙其詩為十體，其末為豔詩，暈眉約鬢，匹配色澤，劇婦人之怪豔者。今世所傳〈李娃〉、〈鶯鶯〉、〈夢遊春〉、〈古決絕句〉、〈贈雙文〉、〈示楊瓊〉諸詩，皆不見於六十卷中。意《館》中所謂「逸詩」者，即其豔體者耶？

案：《宋史》卷二百八、〈志〉第一百六十一、〈藝文〉七、〈別集類〉著錄：「《元稹集》四十八卷，又《元相逸詩》二卷。」所著錄當據《中興館閣書目》也。洪适〈元氏長慶集後跋〉曰：「微之嘗彙其詩爲十體，曰：旨意可觀，詞近古往者，爲古諷；流在樂府者，爲樂諷；詞雖近古，而止于吟寫性情者，爲古體；詞實樂流，而止于模象物色者，爲新題樂府；聲勢沿順，屬對穩切者，爲律詩；以七言、五言爲兩體，稍存寄興，與諷爲流者，爲律諷；撫存感往者，取潘子悼亡爲題；暈眉約鬢，匹配色澤，劇婦人之怪艷者，爲艷詩。今古兩體，其自敘如此。」《解題》據洪〈跋〉而有所闡發。

稹初與白樂天齊名，文章相上下，出處亦不相悖。晚而欲速化，廣棪案：《文獻通考》作「速比」。**依奄宦得相，卒為小人之歸，而居易終始全節。嗚呼！為士者可以鑒矣！**廣棪案：《文獻通考》「鑒」作「監」。

案：《舊唐書》本傳載：「稹聰警絕人，年少有才名，與太原白居易友善。工爲詩，善狀詠風態物色，當時言詩者稱元、白焉。自衣冠士子，至閭閻下俚，悉傳諷之，號爲『元和體』。既以俊爽不容於朝，流放荊蠻者僅十年。俄而白居易亦貶江州司馬，稹量移通州司馬。雖通、江懸邈，而二人來往贈答，凡所爲詩，有自三十、五十韻乃至百韻者。江南人士，傳道諷誦，流聞闕下，里巷相傳，爲之紙貴。觀其流離放逐之意，靡不悽惋。」《新唐書》本傳載：「稹始言事峭直，欲以立名，中見斥廢十年，信道不堅，乃喪所守。附宦貴得宰相，居位纔三月罷。晚彌沮喪，加廉節不飾云。」足供參證。

白氏長慶集七十一卷、年譜一卷、又新譜一卷

《白氏長慶集》七十一卷、《年譜》一卷、又《新譜》一卷，唐太子少傅太原白居易樂天撰。廣棪案：《文獻通考》闕「《年譜》一卷」以下各句。

廣棪案：《新唐書》卷六十、〈志〉第五十、〈藝文〉四、〈別集類〉著錄：「《白氏長慶集》七十卷，白居易。」《通志略》同。《郡齋讀書志》卷第十八、〈別集類〉中著錄：「《白居易長慶集》七十一卷。」《宋志》同。《崇文總目》卷五、〈別集類〉著錄：「《白氏文集》七十卷，白居易撰。」錢東垣輯釋本。是唐、宋間白《集》分七十、七十一、七十五三種。居易字樂天，太原人。文宗開成元年授太子少傅。《舊唐書》卷一百六十六、〈列傳〉第一百一十六，《新唐書》卷一百一十九、〈列傳〉第四十四有傳。

案：〈集後記〉稱前著《長慶集》五十卷，廣棪案：《文獻通考》闕「案：〈集後記〉稱前著」等字。**元微之為〈序〉；《後集》二十卷，自為〈序〉；今又《續後集》五卷，自為〈記〉：前後七十五卷。時會昌五年也。**

案：居易〈白氏長慶集後序〉曰：「白氏前著《長慶集》五十卷，元微之爲〈序〉；《後集》二十卷，自爲〈序〉；今又《續後集》五卷，自爲〈記〉；前、後七十五卷，詩筆大小凡三千八百四十首。《集》有五本：一本在廬山東林寺經藏院，一本在蘇州南禪寺經藏內，一本在東都勝善寺鉢塔院律庫樓，一本付姪龜郎，一本付外孫談閣童。各藏於家，傳於後。其日本、暹羅諸國及兩京人家傳寫者，不在此記。又有《元白唱和因繼集》共十七卷，《劉白唱和集》五卷，《洛下遊賞宴集》十卷，其文盡在大《集》內錄出，別行於時。若《集》內無而假名流傳者，皆謬爲耳。會昌五年夏五月一日，樂天重記。」可供參證。

〈墓志〉乃云「《集》前後七十卷」。當時預為〈誌〉，時未有《續後集》。

案：〈墓志〉者，指居易自撰之〈醉吟先生墓誌銘並序〉，中云：「樂天幼好學，長工文，累進士、拔萃、制策三科。始自校書郎，終以少傅致仕，前後歷官二十任，食祿四十年。外以儒行修其身，中以釋教治其心，旁以山水、風月、歌詩、琴酒樂其志。前後著《文集》七十卷，三千七百二十首，傳於家。」是撰此〈墓誌銘〉時，未有《續後集》五卷也。

今本七十一卷，蘇本、蜀本編次亦不同，蜀本又有《外集》一卷，往往皆非樂天自記之舊矣。

案：據《解題》，白《集》七十一卷本，宋時有蘇本、蜀本，編次不同，而蜀本又有《外集》一卷。考《愛日精廬藏書志》卷二十九、〈集部・別集類〉著錄：「《白氏文集》七十一卷，宋紹興刊本，玉蘭堂藏書。唐白居易撰。中遇『構』字，注犯御名；『桓』字，注淵聖御名。蓋紹興三十年以前刊本也。案《讀書敏求記》云：『宋刻《白集》從婁東王奉常購得，後歸之滄葦。』此本玉蘭堂、王煙客、季滄葦俱有印記，蓋文氏故物，後歸王氏，轉入錢氏、季氏者。闕卷三十一至三十三，又三十五、三十六，共闕五卷。抄補。元稹〈序〉長慶四年。」此一紹興刊本，其後未附《外集》一卷，未知乃蘇本否？

《年譜》，維揚李璜德劭所作，樓大防參政得之，以遺吳郡守李伯珍諫議刻之。余嘗病其疎略牴牾，且號為《年譜》而不繫年，乃別為《新譜》，刊附《集》首。

案：直齋於李璜後，別撰《白文公年譜》，號《新譜》。《譜》成，有〈跋〉曰：「白公《文集》行於世者，皆有《年譜》，與《集》並行，得以考其平生之出處、歲月之後先。吳門所刊《白氏長慶集》，首載李璜德劭所為《譜》，參政樓公稱之，以屬諫議李公訪求而刻焉。紹定庚寅，余始得其本而觀之，既曰『譜』矣，而不繫年，其疏略抵捂，有不可枚舉者；攻媿號博洽，不知何獨取此。定居無事，因取《新》、《舊史》、《實錄》等書，及諸家傳記所載，參稽互考，別為此《譜》。自其始生之年，以及考終之歲，次第審訂，粗得詳確。猶恨孤學謏聞，未必能逃目睫之譏，不敢傳之他人，惟以自備觀覽而已。孟夏十有二日《譜》成，直齋陳振孫伯玉父。」是直齋於理宗紹定三年（1230）庚寅四月十二日撰成《新譜》也。

白集年譜一卷

《白集年譜》一卷，知忠州漢嘉何友諒以居易舊治既刊其《文集》，廣棪案：盧校本「刊」作「列」，誤。**又作《年譜》，刊之《集》首。**

廣棪案：友諒，《宋史》無傳。《宋會要輯稿》第一百三冊、〈職官〉七四之一六載：「（嘉泰四年）八月二十六日，新知彭州何友諒罷、新任權發遣大寧監魏良忠放罷；以臣僚言友諒天資傾險，濟以貪黷；良忠受官不明，貪汙暴刻。」同書同冊、〈職官〉七四之三九載：「（嘉定四年）五月二日，新知南劍州沈埴、新知巴州何友諒並放罷；以臣僚言埴政無廉聲，友諒任吏橫歛。」同書同冊、〈職官〉七五之五載：「（嘉定七年）八月二日，知嘉定府洪偲與祠祿，新知重慶府劉光、新知隆慶府何友諒並罷新任，以監察御史黃序言偲性根貪鄙，前任重慶，凡事任情；光老益貪殘，比守忠州，贓汙狼籍；友諒心術傾儉，昨知忠州，政出一切。」同書同冊、〈職官〉七五之三四載：「（嘉定十六年八月）十九日，新知漢州何友諒與祠祿，以四川制置崔與之言黎州禁軍之變，已將知郡虞方簡按劾去訖，尋行體訪，緣前知黎州何友諒垂滿之際，給帖補排軍五、六十人，失之太濫；

方簡到官，悉拘收文帖，又失之太遽。此曹包羞懷忿，變所由生，故有是命。」可知友諒為官貪庸傾懶，殊無建樹。至其知忠州，約在寧宗嘉定四年（1211）五月罷巴州，至嘉定七年（1214）八月罷知隆慶府間，則其撰《白集年譜》，約在此時。

始余為《譜》既成，妹夫王棫叔永守忠錄寄之，則忠已有此《譜》，視余《譜》詳略互見，亦各有發明。

案：直齋妹夫王棫字叔永，自署晉陽人，寓居山陰，號求志老叟。《宋史》、《宋史翼》均無傳。拙著《陳振孫之生平及其著述研究》第四章、〈陳振孫之戚友與交游〉、第一節〈陳振孫之親戚〉中考之頗詳。《解題》卷八、〈地理類〉著錄：「《涇川志》十三卷，知涇縣濡須王棫叔永撰。嘉定癸酉趙南塘序之。初，縣歲有水患，庚午冬，叔永改卜於舊治之東二里，曰留村。」考庚午為嘉定三年（1210），癸酉為嘉定六年（1213）。是庚午至癸酉間，叔永知涇縣。至其守忠州錄寄《白集年譜》，則約在嘉定七年（1214）。

其辨〈李崖州三絕〉非樂天作，廣棪案：《文獻通考》「辨」作「辯」。**及載晁子止之語，謂與楊虞卿為姻家，與牛僧孺為師生，而不陷牛李黨中，與余暗合，因並存之。**

案：〈李德裕相公貶崖州〉三絕，其一曰：「樂天嘗任蘇州日，要勒須教用禮儀。從此結成千萬恨，今朝果中白家詩。」其二曰：「昨夜新生黃雀兒，飛來直上紫藤枝。擺頭撼腦花園裏，將謂春光總屬伊。」其三曰：「閑園不解栽桃李，滿地唯聞種蒺藜。萬里崖州君自去，臨行惆悵欲怨誰？」其詩之偽，何友諒《年譜》所辨已不可考，惟蘇轍《欒城後集》卷之二十一、〈雜文一十三首〉之〈書白樂天集後二首〉曰：「樂天少年知讀佛書，習禪定，既涉世，履憂患，胸中了然照諸幻之空也。故其還朝為從官，小不合即捨去，分司東洛，優游終老。蓋唐世士大夫，達者如樂天寡矣！予方流轉風浪，未知所止息，觀其遺文，中甚愧之。然樂天處世，不幸在牛李黨中，觀其平生，端而不倚，非有附麗者也，蓋勢有所至，而不能已耳。會昌之初，李文饒用事，樂天適已七十，遂求致仕，不一二年而沒。嗟夫！文饒尚不能置一樂天於分司中耶？然樂天每閑冷衰病，發於咏歎，輒以公卿投荒、僇死不獲其終者自解，予亦鄙之。至其聞文饒謫朱崖三絕句，刻覈尤甚，樂天雖陋，蓋不至此也。且樂天死於會昌末年，而文饒之竄，在大中之初，此決非樂天之詩。豈樂天之徒淺陋不學者附益之耶？樂天之賢，當爲辨之。」《郡齋讀書志》卷第十八、〈別集類〉中「《白居易長慶集》七十一卷」條亦曰：「予按樂天嘗與劉禹錫遊，人謂之『劉、白』，而不陷八司馬黨中，及與元稹遊，人謂之『元、白』，而不陷北司黨中；又與楊虞卿爲姻家，而不陷牛、李黨中：其風流高尙，進退以義，可想見矣。嗚呼！叔世有如斯人之髣髴者乎？獨《集》中載〈聞李崖州貶〉二絕句，其言淺俗，似幸其禍敗者，余固疑非樂天之語，及考之編年，崖州貶時，樂天沒將踰年，或曰浮屠某所作也。」此即《解題》所謂「載晁子止之語」者也。則此三絕之非樂天作，明矣。

詳見《新譜》末章。

案：直齋《白文公年譜》「（會昌）六年丙寅」條載：「八月，公薨，贈尙書左僕射，有自爲〈墓誌銘〉。……《舊譜》云：『李德裕貶崖州，公有詩三首。其一云：「樂天嘗任蘇州日，要勒須教用禮儀。從此結成千萬恨，這回果中白家詩。」六年四月，德裕貶崖，而公之卒，不記其月。』按：此蓋未嘗見〈神道碑〉，而此詩，《集》中無有，見於《漁隱叢話》，謂：『考之《元和錄》，居易年長於德裕，視德裕爲晚進。德裕爲浙西觀察使，居易刺蘇州。德裕以使職自居，不少假借；居易不得已，以軍禮見。及其貶也，故爲詩云。』《元和錄》者，世不見其書，不知漁隱從何得之也？德裕以四月罷相，爲江陵尹；其自潮貶崖，蓋在明年之冬，公薨固已久矣。審如詩意，則爲幸災快忿，非青山獨往之比；故穎濱蘇公力辨之，以爲刻核太甚，樂天不至此也。蓋不待考其年月，而可知其僞矣，況年月復甚明白，《舊譜》何其不深考耶！要之，小說所載自難盡信。公與德裕本無深怨，蓋自元和中，其父吉甫爲相，而牛僧孺、李宗閔對策切直，吉甫泣訴於憲宗，考官坐貶，而公嘗上書救之。李絳與吉甫叶，而公又與絳善。其後牛、李與德裕迭爲相，其黨亦迭爲軒輊，楊虞卿汝士與宗閔尤厚，號黨魁；而公夫人，虞卿從妹矣，故德裕惡公。武宗聞公名，欲召以爲相；德裕言居易衰病，其弟敏中，文詞不減居易，且有器識，遂以爲翰林學士。孫光憲《北夢瑣言》云：『劉禹錫大和中，與德裕同在東部分司，禹錫謁德裕曰：「曾得白居易《文集》否？」德裕曰：「累有相示，未嘗一披，今爲吾子覽之。」既啓，復卷曰：「吾於斯人不足久矣，其文章精絕，何必覽之！但恐回吾之心。」其見抑也如此。』楊虞卿、牛僧孺，公皆密友也，其不引翼，義在於斯。按：唐朋黨之禍，始於元和之初，而極於大和。開成、會昌之際，三十年間，士大夫無賢不肖，出此必入彼，未有能自脫者。權位逼軋，福禍伏倚，大則身死家滅，小亦不免萬里投荒，獨公超然利害之外，雖不登大位，而能以名節始終，惟其在朋黨之時，不累於朋黨故也。故元稹，裴度之深仇也；公雖厚於稹，而亦親於晉公。晉公在位，公爲丞郎。李宗閔，牛僧孺之死黨也；公雖厚於僧孺，而未嘗昵於宗閔。僧孺當國，公方自杭州求分司。李紳，德裕之至交也；公雖惡於德裕，而與紳唱酬往來，情分極不薄。公於交遊無適莫，可見於此矣。然則公之論牛、李，自是舉諫爭之職，而非以內私交；其與皋慕巢厚善；自是篤姻婭之好，而非以徇權勢。公能信於裴度、李紳，而不能信於德裕，何哉？晉公之德量，固非公垂之比，而文饒之忌刻，又在公垂之上；其進敏中，以抑居易，自以爲得策；及其失勢，擠之而下石焉者，乃其所謂有器識者也。自古朋黨，雖起於小人之傾危，而成於小人之剛褊。以文饒之才略，號稱賢相，而不免禍者，其心未能休休有容故也。然文饒雖惡公，不過使之不爲相，而公亦卒無他禍。《詩》云：『既明且哲，以保其身。』白公有焉。嗚呼！可不謂賢乎。」此即《新譜》末章所詳考者也。

劉賓客集三十卷、外集十卷

《劉賓客集》三十卷、《外集》十卷，唐檢校禮部尚書兼太子賓客中山劉禹錫夢得撰。廣棪案：《文獻通考》無此句。**《集》本四十卷，逸其十卷。**

廣棪案：《新唐書》卷六十、〈志〉第五十、〈藝文〉四、〈別集類〉著錄：「《劉禹錫集》四十卷。」《通志略》同。是此書原四十卷。《郡齋讀書志》卷第十七、〈別集類〉上著錄：「《劉禹錫集》三十卷、《外集》十卷。」《宋志》同。是此書其後佚十卷也。禹錫字夢得，彭城人，自言系出中山。文宗開成間任檢校禮部尚書、太子賓客分司。《舊唐書》卷一百六十〈列傳〉第一百一十，《新唐書》卷一百六十八〈列傳〉第九十三有傳。

常山宋次道裒輯其遺文，得詩四百七篇、雜文二十二篇，為《外集》。然未必皆十卷所逸也。

案：次道即敏求，《宋史》卷二百九十一、〈列傳〉第五十附其父〈宋綬〉。

《宋史》載：「敏求家藏書三萬卷，皆略誦習，熟於朝廷典故，士大夫疑議，必就正焉。補唐武宗以下《六世實錄》百四十八卷，它所著書甚多，學者多咨之。」此書《外集》十卷亦次道所裒輯。于敏中《天祿琳琅書目》卷四、〈影宋鈔集部〉著錄：「《劉賓客外集》，一函二冊。唐劉禹錫著，十卷。《唐書》：『劉禹錫字夢得，自言系出中山，世爲儒，擢進士第，登博學宏詞科，歷官太子右庶子。憲宗時貶連州刺史，未至，斥朗州司馬；久之召還，宰相欲任南省郎，以作詩譏忿，出爲播州刺史。裴度居相位，薦爲吏部郎中、集賢直學士。度罷，出爲蘇州刺史，徙汝、同二州，遷太子賓客，分司東都。會昌時，加檢校禮部尚書。』陳振孫《書錄解題》曰：『《禹錫集》本四十卷，逸其十卷。常山宋次道裒集其遺文，得詩四百七篇、雜文二十二篇，爲《外集》。然未必皆十卷所逸也。』是書雖無次道序跋，而卷數篇目相同，乃即振孫所指之本影鈔，分行布白，結構清朗，與《王維集》同出一手。琴川毛氏鈔本。宋本甲朱文、卷一。毛晉朱文、卷一之九。毛晉私印、汲古主人朱文、卷五。」足供參證。

李文公集十卷

《李文公集》十卷，館臣案：《文獻通攷》作十八卷。**唐山南東道節度使李翺習之撰**。廣棪案：《文獻通考》無此句。**蜀本分二十卷**。

廣棪案：《新唐書》卷六十、〈志〉第五十、〈藝文〉四、〈別集類〉著錄：「《李翺集》十卷。」與《解題》同。《崇文總目》卷五、〈別集類〉二著錄：「《李翺文集》一卷。」錢東垣輯釋本。疑爲十卷之筆誤，否則爲一最不完之本。《郡齋讀書志》卷第十七、〈別集類〉上著錄：「《李翺集》十八卷。」《文獻通考》同。《通志》卷七十、〈藝文略〉第八、〈別集〉四〈唐〉著錄：「《李翺集》二十卷。」此或即《解題》所指之蜀本也。《宋史》卷二百八、〈志〉第一百六十一、〈藝文〉七、〈別集類〉著錄：「《李翺集》十二卷。」疑爲二十卷之倒乙。翺，字習之，涼武昭王之後。文宗太和九年（835）七月充山南東道節度使。《舊唐書》卷一百六十、〈列傳〉第一百一十，《新唐書》卷一百七十七、〈列傳〉第一百二有傳。

《集》中無詩，獨有〈戲贈〉一篇，拙甚，決非其作也。然《韓集》〈遠遊聯句〉有習之一聯，云「前之詎灼灼，此去信悠悠」，亦殊不工。他無一語，意者於詩非所長而不作耶？廣棪案：《文獻通考》脫「然《韓集》」以下凡四十二字。**習之為文，源委於退之，可謂得其傳矣，**廣棪案：《文獻通考》無此句。**但其才氣不能及耳。**

案：《李文公集》十八卷，毛晉〈跋〉云：「習之，涼武昭王裔也。貞元間進士，調校書郎，知制誥，終爲山南東道節度使，檢校戶部尚書。其性鯁介，喜爲危言，仕不得顯。從昌黎公遊，與皇甫持正並推當時。葉石林評其文詞高古，可追配韓；蘇舜欽評其理過於柳。總《集》凡十有八卷，共一百三首，皆雜著，無歌詩。今逸其〈疏引見待制官〉及〈歐陽詹傳〉二首，惜無從考。邇來抄本末附〈戲贈〉詩一篇云：『縣君好塼渠，繞水恣行遊。鄙性樂疎野，鑿地便成溝。兩岸植芳草，中央漾清流。所尚既不同，塼鑿各自修。從他後人見，境趣誰爲幽。』鄙拙之甚。又《傳燈錄》載其〈贈藥山僧〉一篇云：『鍊得身形似鶴形，千秋松下兩函經。我來欲問西來意，雲在青天水在瓶。』風味亦不相類。又韓文公〈遠遊聯句〉亦載一聯云：『前之詎灼灼，此去信悠悠。』其詩句僅見此耳。或病其不長于作詩，信哉！湖南毛晉識。」《四庫全書總目》卷一百五十、〈集部〉三、〈別集類〉三著錄：「《李文公集》十八卷，浙江鮑士恭家藏本。唐李翺撰。……陳振孫謂《集》中無詩，獨載〈戲贈〉一篇，拙甚。葉適亦謂其不長於詩，故《集》中無傳。惟《傳燈錄》載其〈贈藥山僧〉一篇，韓退之〈遠遊聯句〉記其一聯。振孫所謂有一詩者，蓋蜀本；適所謂不載詩者，蓋即此本。毛晉〈跋〉謂：『邇來鈔本，始附〈戲贈〉一篇。』蓋未考振孫語也。然《傳燈錄》一詩，得於鄭州石刻。劉攽《中山詩話》云：『唐李習之不能詩，鄭州掘石刻，有鄭州刺史李翺詩云云。此別一李翺，非習之。《唐書・習之傳》不記爲鄭州，王深甫編《習之集》，乃收此詩，爲不可曉。』《苕溪漁隱叢話》所論亦同。惟王楙《野客叢書》獨據《僧錄》敘翺仕履，斷其實嘗知鄭州，諸人未考。考開元寺僧嘗請翺爲〈鐘銘〉，翺答以書曰：『翺學聖人之心焉，則不敢遜乎知聖人之道者也。吾之銘是鐘也，吾將明聖人之道焉，則於釋氏無益。吾將順釋氏之教而述焉，則紿乎下之人甚矣，何貴乎吾之先覺也。』觀其書語，豈肎向藥山問道者。此石刻亦如韓愈〈大顛三書〉，因其素不信佛，而緇徒務欲言其皈依，用彰彼教耳！楙乃以翺嘗爲鄭州信之。是知其一，不知其二也。至《金山志》載翺五言律詩一篇，全勦五代孫魴作。則尤近人所託，不足與辨。葉夢得《石林詩話》曰：『人之材力有限，李翺、皇甫湜皆韓退之高弟，而二人獨不傳其詩，不應散亡無一篇者。計或非其所長，故不作耳！二人以非所長而不作，賢於世之不能而強爲之者也。』斯言允矣。」是則〈戲贈〉一詩，及〈遠遊聯句〉一聯，皆非翺所撰也。

樊宗師集一卷、絳守園池記注一卷

《樊宗師集》一卷、《絳守園池記注》一卷，唐諫議大夫南陽樊宗師紹述撰。

廣棪案：《新唐書》卷六十、〈志〉第五十、〈藝文〉四、〈別集類〉著錄：「《樊宗師集》二百九十一卷。」《通志略》同。《宋史》卷二百八、〈志〉第一百六十一、〈藝文〉七、〈別集類〉著錄：「《樊宗師集》一卷。」與《解題》同，則直齋所得者乃至不完之本。《絳守園池記注》，《新唐志》等均未著錄，《全唐文》卷七百三十、「樊宗師」項下則見錄。其文曰：「絳即東雍，爲守理所。稟參實沈分，氣蓄兩河潤，有陶唐冀遺風餘思，晉韓魏之相剝剖。世說總其土田士人，令無磽雜擾，宜得地形勝，瀉水施法，豈新田又蕞猥不可居，州地或自有興廢，人因得附爲奢儉。將爲守說致平理與？益侈心耗物害時與？自將失敦窮華，終披夷不可知。陴緬孤顛，跒倔元武踞守居。割有北，自甲辛包太池泓橫，硤旁潭中。癸次木腔，瀑三丈餘，涎玉沫珠。子午梁貫亭曰洄漣，虹蜺雄雌，穹鞠覷蜃，礙俍島坻，淹淹委委。莎靡縵蘿薔，翠蔓紅刺相拂綴。南連軒井陣，中湧曰香，承守寢晬思。西南有門曰虎豹，左畫虎搏立，萬力千氣，底發彘匿地，努肩腦，口牙快，抗電火雷風，黑山震將合。右胡人鬅，黃帣累珠，丹碧錦襖，身刀，囊韡撾紹，白豹元斑，飫距掌胛，意相得。東南有亭曰新，前含曰槐，有槐，肩護霽鬱，蔭後頤，渠決決，緣池西直南折廡赴，可宴可衙。又東騫渠曰望月，又東騫窮角池。研雲曰柏，有柏蒼官青士擁列，與槐朋友，巉陰洽色。北俯渠，憧憧來刮級面西，巽隅間黃原玦天，汾水鉤帶，白言謁行旦艮間，遠岡青熒，近樓臺井閭點畫察，可四時合奇士，觀風雲霜露雨雪所爲發生收斂，賦歌詩。正東曰蒼塘，遵瀕西漭望，瑤翻碧瀲，光文切鏤，棃深撓撓收窮。正北曰風堤，乘攜左右，堤埶北迴，股努壧捩，蹴墉銜渠，歆池南楯，楹景怪燭，蛟龍鈎牽，寶龜靈蠯，文文章章，陰欱墊歔，烟潰靄聚，桃李蘭蕙。神君仙人，衣裳雅冶，可會脫赤熱。西北曰鼇蝚，原開咍儲，虛明茫茫，寬眼澒耳，可大客旅鐘鼓樂，提鷗挈鷺，傛池豪渠，增乖憐圍。正西曰白濱，薈深憐棃，素女雪舞百佾，水翠披瞮瞮千幅，迎西引東，土長崖挾橫埒。日卯酉，樵途塢徑幽委，蟲鳥聲無人，風日燈火之，晝夜漏刻，詭姽絇化，大小餖池渠間，走池堤上，亭後前障乘墉，如連山羣峯，擁地高下，如原隰堤谿，壑水引古，自源卅里，鑿高槽，絕竇墉，爲池溝沼，渠瀑潨潺，終出汩汩街巷畦町阡陌間。入汾，巨樹木資土悍水沮，宗族盛茂，旁蔭遠映，錦繡交果枝香畹，麗麗絕他郡。考其臺亭沼池之增，蓋豪王才侯，襲以奇意相勝，至今過客尚往往有指可創起處。余退常吁，後其能無果有不補建者，傛池由於煬，及者雅文安，發土築臺爲拒，幾附於污宮，水本於正平軌，病井滷生物瘠，引古沃浣人便，幾附於河渠。嗚呼！爲附於河渠則可，爲附於污宮亦可，書以薦後君子。長慶三年五月十七日記。」則此〈記〉固撰就於穆宗長慶三年（823）也。宗師字紹述，《新唐書》卷一百五十九、〈列傳〉第八十四附其父〈樊澤〉。其〈傳〉載：「子宗師，字紹述。始爲國子主簿，元和三年，擢軍謀宏遠科，授著作佐郎。歷金部郎中、綿州刺史。徙絳州，治有迹。進諫議大夫，未拜卒。始，宗師家饒于財，悉散施姻舊賓客，妻子告不給，宗師笑不答。然力學多通解，著《春秋傳》、《魁紀公》、《樊子》凡百餘篇，別集尚多。韓愈稱宗師論議平正有經據，嘗薦其材云。」〈絳守園池記〉即作於「徙絳州」時。「守」下疑脫「居」字。

韓文公為〈墓誌〉，稱《魁紀公》三十卷，《樊子》三十卷，詩文千餘篇，今所存纔數篇耳，讀之殆不可句。廣棪案：盧校本「句」作「注」。

案：韓愈〈南陽樊紹述墓誌銘〉曰：「樊紹述既卒且葬，愈將銘之。從其家求書，得書號《魁紀公》者三十卷，曰《樊子》者又三十卷，《春秋集傳》十五卷，表、牋、狀、策、書、序、傳、記、紀、誌、說、論、今文讚銘，凡二百九十一篇，道路所遇及器物門里雜銘二百二十，賦十，詩七百一十九，曰：多矣哉！古未嘗有也。然而必出於己，不襲蹈前人一言一句，又何其難也。」足供參證。惟證之前引之〈絳守園池記〉，宗師文雖多，而「讀之殆不可句」也。

有王晟者，天聖中為絳倅，取其〈園池記〉章解而句釋之，猶有不盡通者。孔子曰：「辭達而已矣。」為文而晦澁若此，其湮沒弗傳也宜哉！

廣棪案：《文獻通考》無「也」字。

案：王晟，生平不可詳考。天聖，宋仁宗年號。絳，宋時稱絳州、絳郡，是王晟於仁宗天聖間任絳州通判。晟此〈記〉之注已不傳。《四庫全書總目》卷一百五十、〈集部〉三、〈別集類〉三著錄：「《絳守居園池記註》一卷，浙江鄭大節家藏本。唐樊宗師撰。元趙仁舉、吳師道、許謙註。宗師始末具韓愈所作〈墓誌〉中。是文乃長慶三年宗師官絳州刺史，即守居構園池，自爲之〈記〉。文僻澀不可句讀。董逌《廣川書跋》稱：『嘗至絳州，得其舊碑。剔刮劘洗，見其後有宗師自釋。然僅略註亭榭之名，其文仍不盡可解。故好奇者多爲之註。』據李肇《國史補》稱，唐時有王晟、劉忱二家，今竝不傳。故趙仁舉補爲此註。皇慶癸丑，吳師道病其陳漏，爲補二十二處，正六十處。延祐庚申，許謙仍以爲未盡，又補正四十一條。至順三年，師道因謙之本，又重加刊定，復爲之〈跋〉。二十年屢經竄易，尚未得爲定稿。蓋其字句皆不師古，不可訓詁考證。不過據其文義推測，鉤貫以求通。一篇之文僅七百七十七字，而眾說糾紛，終無定論，固其宜也。以其相傳既久，如古器銘識，雖不可音釋，而不得不謂之舊物，賞鑒家亦存而不棄耳。宗師別有〈越王樓詩序〉，其僻澀與此文相類。計有功《唐詩紀事》尚載其文。諸家未註，蓋偶未及檢。國朝仁和孫之騄始合二篇而註之，題曰《樊紹述集》，今別著於錄云。」可供參考。惟《四庫全書總目》引《國史補》，謂王晟、劉忱爲唐人則誤也。《文獻通考》卷二百三十三、〈經籍考〉六十、〈集別集〉著錄此條後引陳氏曰：「《國史補》云：『元和之後，文章則學奇於韓愈，學澁於樊宗師。退之作〈樊墓志〉，稱其爲文不剽襲。觀〈絳守居園池記〉，誠亦太奇澁矣。』本朝王晟、劉忱皆爲之註解，如瑤翻碧瀲、嵬眼澒耳等語，皆前人所未道也。歐陽公〈跋絳守居〉：『偶來登覽周四隅，異哉樊子怪可吁。心欲獨去無古初，窮荒探幽入有無。一語詰曲百盤紆，孰云已出不剽襲。句斷欲學盤庚書。』」紀氏實錯讀《通考》此條「陳氏曰」也。陳氏，殆直齋耶？

書以「魁紀公」名，異甚，文之不可句，當亦類是。隨齋批注。

案：隨齋應未得讀〈絳守園池記〉，因而亦未深悉直齋所說「讀之殆不可句」之意，故有此疑。

皇甫持正集六卷

《皇甫持正集》六卷，唐工部郎中新定皇甫湜持正撰。廣棪案：《文獻通考》無此句。

廣棪案：《新唐書》卷六十、〈志〉第五十、〈藝文〉四、〈別集類〉著錄：「《皇甫湜集》三卷。」《通志略》同。《崇文總目》卷五、〈別集類〉二著錄：「《皇甫湜文集》一卷。」錢東垣輯釋本。《郡齋讀書志》卷第十八、〈別集類〉中著錄：「《皇甫湜文》六卷。」與《解題》同。《宋史》卷二百八、〈志〉第一百六十一、〈藝文〉七、〈別集類〉著錄：「《皇甫湜集》八卷。」湜字持正，睦州新安人。《新唐書》卷一百七十六、〈列傳〉第一百一附〈韓愈〉，仕至工部郎中。

東都修〈福先寺碑〉三千字，一字索三縑。館臣案：原本無「一字」二字，今據《文獻通攷》補正。　廣棪案：《文獻通考》闕以上二句，館臣所案者無據。又元抄本無「一」字。**其輕傲不羈，**廣棪案：《文獻通考》「其」作「湜」。**非裴晉公鉅德，殆不能容之也。**廣棪案：《文獻通考》「也」作「矣」。**今《集》纔數十篇，**廣棪案：《文獻通考》「纔」作「才至」。元抄本、盧校本「數十篇」作「三數十篇」。**〈碑〉不復存，意其多所亡逸。然湜之矜負如此，固不苟為人作，**廣棪案：《文獻通考》「人」作「人人」。**人亦未必敢求之也。**

案：《新唐書》本傳載：「皇甫湜字持正，睦州新安人。擢進士第，爲陸渾尉，仕至工部郎中，辨急使酒，數忤同省，求分司東都。留守裴度辟爲判官。度修福先寺，將立碑，求文於白居易。湜怒曰：『近捨湜而遠取居易，請從此辭。』度謝之。湜即請斗酒，飲酣，援筆立就。度贈以車馬繒綵甚厚，湜大怒曰：『自吾爲〈顧況集序〉，未常許人。今碑字三千，字三縑，何遇我薄邪？』度笑曰：『不羈之才也。』從而酬之。」《郡齋讀書志》卷四中、〈別集類〉中亦著錄：「《皇甫湜文》六卷。右唐皇甫湜持正也。睦州人。元和元年進士，仕至工部郎中。裴度辟東都判官。度修福先寺，欲求碑文於白居易。湜怒曰：『近舍湜而遠取居易，請從此辭。』

度謝之。湜即酣飲，援筆立就。度贈車馬繒綵甚厚，湜怒曰：『吾自爲〈顧況集序〉，未嘗許人，今碑字三千，一字三縑，何遇我薄邪？』度笑曰：『不羈之才也。』從而酬之。今《集》雜文三十八篇而已。況〈集序〉在焉，而碑已亡矣。」可供參證。

林藻集一卷

《林藻集》一卷，唐嶺南節度副使莆田林藻緯乾撰。藻，貞元七年進士，試〈珠還合浦賦〉，敘珠去來之意，人謂有神助焉。

廣棪案：《通志》卷七十、〈藝文略〉第八、〈別集〉四〈唐〉著錄：「《林藻集》一卷。」《宋史》卷二百八、〈志〉第一百六十一、〈藝文〉七、〈別集類〉著錄：「《林藻集》一卷。」與此同。藻，兩《唐書》無傳。《全唐文》卷五百四十六「林藻」條載：「藻字緯乾，莆田人。貞元七年進士，官嶺南節度副使。」蓋據《解題》也。藻所撰〈合浦還珠賦〉，陸心源《唐文拾遺》卷之二十五有節文，曰：「珠之去也，山無色兮。氛霧冥冥，海無光兮。空水浩浩。珠之來也，川有媚兮。祥風習習，地有潤兮。生物振振。《閩書》。」此正《解題》所評「敘珠去來之意，人謂有神助」意也。

林蘊集一卷

《林蘊集》一卷，唐邵州刺史林蘊復夢撰。藻之弟也，見〈儒學傳〉。蘊父披，蘇州別駕，有子九人，世號「九牧林氏」。其族至今衣冠詩禮，以蘊所為父〈墓碑〉攷之，其八子為刺史、司馬，其一號處士。而披之父為饒陽郡守，祖為瀛州刺史，蓋亦盛矣。

廣棪案：《通志》卷七十、〈藝文畧〉第八、〈別集〉四〈唐〉著錄：「《林蘊集》一卷。」與此同。蘊字復夢，泉州莆田人，曾以刑部侍郎劉伯芻薦，出爲邵州刺史。《新唐書》卷二百、〈列傳〉第一百二十五、〈儒學〉下有傳。其〈傳〉載：「父披，字茂彥，以臨汀多山鬼淫祠，民厭苦之，撰〈無鬼論〉。刺史樊晃奏署臨汀令，以治行遷別駕。」蘊之作品，《全唐文》卷四百八十二收錄有〈上安邑李相公安邊書〉與〈上宰相元衡宏靖論兵書〉；《唐文拾遺》卷之二十五收錄有〈對賢良方正策〉殘句。其餘無可考。

沈下賢集十二卷

《沈下賢集》十二卷，館臣案：《文獻通攷》作十卷。唐福建團練副使吳興沈亞之下賢撰。元和十年進士，仕不出藩府。長慶中為櫟陽尉，館臣案：《唐詩紀事》及《文獻通攷》俱作樂陽。太和中謫掾郢州，皆《集》中可見者也。吳興者著郡望，其實長安人。

廣棪案：《新唐書》卷六十、〈志〉第五十、〈藝文〉四、〈別集類〉著錄：「《沈亞之集》九卷。」《崇文總目》、錢東垣輯釋本。《通志略》同。《郡齋讀書志》卷第十八、〈別集類〉中著錄：「《沈亞之集》十卷。」《宋史》卷二百八、〈志〉第一百六十一、〈藝文〉七、〈別集類〉著錄：「《沈亞之詩》十二卷。」「詩」字疑乃「集」之誤。沈亞之，兩《唐書》無傳。辛文房《唐才子傳》卷六「沈亞之」條載：「亞之，字下賢，吳興人。初至長安，與李賀結交，舉不第，爲歌以送歸。元和十年，侍郎崔羣下進士。涇原李彙辟爲掌書記，爲秘書省正字。長慶中，補櫟陽令。四年，遷福建團練副使，事徐晦。後累遷殿中丞御史內供奉。大和三年，柏耆宣慰德州，取爲判官。耆罷，亞之貶南康尉。後終郢州掾。亞之以文詞得名，然狂躁貪冒，輔耆爲惡，頗憑陵晚達，故及於謫。常遊韓吏部門。杜牧、李商隱俱有擬沈下賢詩，蓋甚爲當時名輩器重云。有《集》九卷傳世。」考《郡齋讀書志》載：「《沈亞之集》十卷。右唐沈亞之字下賢，長安人。元和十年進士。涇原李彙辟掌書記，爲祕書省正字。長慶初，補櫟陽尉。四年，爲福建都團練副使，事徐晦。後累進殿中丞、御史內供奉。大和三年，栢耆宣慰德州，取爲判官。耆罷，亞之貶南康尉。後終郢州掾。亞之以文詞得名，狂躁貪汚，曾輔耆爲惡，故及於貶。嘗遊韓愈門，李賀、杜牧、李商隱俱有擬下賢詩，亦當時名輩所稱許云。此本之後有景文宋公題字，稱得之於端明李學士，編次無倫，蓋唐本也。予頗愛其能造語，然其本極舛誤，頗是正之。且裒其遺闕者數篇，及賀、牧、商隱三詩附於後。」《唐才子傳》所載多據《郡齋讀書志》。

孟東野集十卷

《孟東野集》十卷，唐溧陽尉武康孟郊東野撰。惟末卷有書二篇、贊一篇，餘皆詩也。郊，貞元十二年進士。

廣棪案：《新唐書》卷六十、〈志〉第五十、〈藝文〉四、〈別集類〉著錄：「《孟郊詩集》十卷。」《郡齋讀書志》、《宋志》同。郊字東野，湖州武康人。年五十，得進士第，調溧陽尉。《舊唐書》卷一百六十、〈列傳〉第一百一十，《新唐書》卷一百七十六、〈列傳〉第一百一有傳。《郡齋讀書志》卷第十七、〈別集類〉上著錄：「《孟郊詩集》十卷。右唐孟郊東野也。湖州人。貞元十二年進士，調溧陽尉，辟爲興元參謀，卒。郊少隱嵩山，性介寡合。韓愈一見爲忘年交。爲詩有理致，然思苦澁。李觀論其詩曰：『高處在古無上，平處下顧二謝』云。張籍諡爲貞曜先生。《集》，宋次道重編。先時，世傳汴吳鏤本，五卷、一百二十四篇。周安惠本，十卷、三百三十一篇。別本五卷、三百四十篇。蜀人蹇濬用退之贈郊句，纂成《咸池集》二卷，一百八十篇。自餘不爲編秩，雜錄之，家家自異。次道總拾遺逸，摘去重複，若體製不類者，得五百十一篇，而十聯句不與焉，一贊、二書附於後。郊《集》於是始有完書。」足供參證。

呂衡州集十卷

《呂衡州集》十卷，唐衡州刺史河中呂溫和叔撰。一字化光。廣棪案：《文獻通考》闕此二句。

廣棪案：《新唐書》卷六十、〈志〉第五十、〈藝文〉四、〈別集類〉著錄：「《呂溫集》十卷。」《崇文總目》、錢東垣輯釋本。《郡齋讀書志》、《通志略》、《宋志》著錄同。溫字和叔，一字化光，晚徙衡州。《舊唐書》卷一百三十七、〈列傳〉第八十七，《新書唐》卷一百六十、〈列傳〉第八十五均附其父〈呂渭〉。

劉禹錫為〈序〉。廣棪案：《文獻通考》闕此句。

案：禹錫〈唐故衡州刺史呂君集序〉曰：「五行秀氣，得之居多者爲雋人。其色瀲灩於顏間，其聲發而爲文章，天之所與，有物來相。彼由學而致者，如工人染夏以視羽畎，有生死之殊矣。初貞元中，天子之文章，煥乎垂光，慶霄在上，萬物五色。天下文人，爲氣所召，其生乃蕃，靈芝蓮莆，與百果齊坼。然煌煌翹翹，出乎其類，終爲偉人者幾希矣。東平呂和叔，實生是時，而絕人甚遠。始以文章振三川。三川守以爲貢士之冠，名聲四馳，速如羽檄。長安中諸生，咸避其鋒。兩科連中，鋩刃愈出。德宗聞其名，自集賢殿校書郎，擢爲左拾遺。明年，犬戎請和，上問能使絕域者，君以奇表有專對材膺選。轉殿內史，錫之銀章，還拜尚書戶部員外郎，轉司封，遷刑部郎中兼侍御史，副治書之職。會中執法左遷，緣坐出爲道州刺史，以善政聞，改衡州。年四十而歿。後十年，其子安衡，泣奉遺草來謁，咨余敘之，成一家言。凡二百篇，勒成十卷。和叔名溫，別字化光，祖考皆以文章至大官。早聞《詩》、《禮》於先侍郎，又師吳郡陸贄，通《春秋》。從安定梁肅學文章，勇於藝能，咸有所祖。年益壯，志益大，遂撥去文章，與雋賢交。重氣概，覈名實，歆然以致君及物爲大欲。每與其徒講疑考要，皇王富強之術、臣子忠孝之道，出入上下百千年間，詆訶角逐，疊發連中。得一善輒盱衡擊節，揚袂頓足，信容得色，舞於眉端。以爲按是言，循是理，合乎心而氣將之，昭昭然若揭日月而行，孰能閼其勢而爭夫光者乎？嗚呼！言可信而時異，道甚長而命窄，精氣爲物，其有所歸乎？古之爲書者，先立言而後體物，賈生之書首〈過秦〉，而荀卿亦後其賦。和叔年少遇君，而卒以謫似賈生，能明王道似荀卿，故余所先後視二書，斷自〈人文化成論〉至〈諸葛武侯廟記〉爲上篇，其他咸有爲而爲之。始學《左氏》書，故其文微爲富豔，夫羿之關弓，惟巴蛇九日乃能盡其彀，而迴注鶡爵，亦要失中於尋常之間，非羿之手弓有能有不能，所遇然也。後之達解者推而廣之，知余之素交，不相索於文字之內而已。」可參考。

溫本善韋執誼、王叔文，廣棪案：《文獻通考》作「溫本善韋、王」。**偶使絕域，得免在八司馬之數，而終以好利敗。**廣棪案：《文獻通考》作「好刻敗」，誤。**與竇羣、羊士諤昵比，傾誣宰相李吉甫，謫死。屨校不懲，**廣棪案：《文獻通考》作「屨校」。**至於滅耳，此其所以為小人歟！**

案：《舊唐書》溫本傳載：「溫字化光，貞元末登進士第，與翰林學士韋執誼善。順宗在東宮，侍書王叔文勸太子招納時之英俊以自輔，溫與執誼尤爲叔文所睠，起家再命拜左拾遺。二十年冬，副工部侍郎張薦爲入吐蕃使，行至鳳翔，轉侍御史，賜緋袍牙笏。明年，德宗晏駕，順宗即位，張薦卒於青海，吐蕃以中國喪禍，留溫經年。時王叔文用事，故與溫同遊東宮者，皆不次任用，溫在蕃中，悲歎久之。元和元年，使還，轉戶部員外郎。時柳宗元等九人坐叔文貶逐，唯溫以奉使免。溫天才俊拔，文彩贍逸，爲時流柳宗元、劉禹錫所稱。然性多險詐，好奇近利，與竇羣、羊士諤趣尚相狎。羣爲韋夏卿所薦，自處士不數年至御史中丞，李吉甫尤奇待之。三年，吉甫爲中官所惡，將出鎮揚州，溫欲乘其有間傾之。溫自司封員外郎轉刑部郎中，竇羣請爲知雜。吉甫以疾在第，召醫人陳登診視，夜宿于安邑里第。溫伺知之，詰旦，令吏捕登鞫問之，又奏劾吉甫交通術士。憲宗異之，召登面訊，其事皆虛，乃貶羣爲湖南觀察使，羊士諤資州刺史，溫均州刺史。朝議以所責太輕，羣再貶黔南，溫貶道州刺史。五年，轉衡州，秩滿歸京，不得意，發疾卒。」《新唐書》同。足資參證。

會昌一品集二十卷、別集十卷、外集四卷

《會昌一品集》二十卷、《別集》十卷、《外集》四卷，唐宰相趙郡李德裕文饒撰。廣棪案：《文獻通考》無此句。

廣棪案：《新唐書》卷六十、〈志〉第五十、〈藝文〉四、〈別集類〉著錄：「李德裕《會昌一品集》二十卷，又《姑臧集》五卷、《窮愁志》三卷、《雜賦》二卷。」《崇文總目》卷五、〈別集類〉二著錄：「《會昌一品集》二十卷，李德裕撰。《姑臧集》五卷，李德裕撰，段令緯集。」錢東垣輯釋本。《郡齋讀書志》卷第十八、〈別集類〉中著錄：「李德裕《會昌一品集》二十卷、《姑臧集》五卷、《平泉詩》一卷、《窮愁志》三卷、《別集》八卷。」《通志》卷七十、〈藝文略〉第八、〈別集〉四〈唐〉著錄：「李德裕《姑臧集》五卷，又《會昌一品集》二十卷，又《一品外集》十卷，又《窮愁志》三卷，又《別集》八卷。」《宋史》卷二百八、〈志〉第一百六十一、〈藝文〉七、〈別集類〉著錄：「《李德裕集》二十卷，又《別集》十卷、《記集》二卷、《姑臧集》五卷，德裕翰苑所作。」上述各書所著錄，與《解題》均有所異同。德裕字文饒，趙郡人。文宗、武宗時爲相。《舊唐書》卷一百七十四、〈列傳〉第一百二十四，《新唐書》卷一百八十、〈列傳〉第一百五有傳。

《一品集》者，皆會昌在相位制誥、詔冊、表疏之類也；《別集》，詩賦、雜著；《外集》則《窮愁志》也。德裕自穆宗時已掌內外制，累踐方鎮，遂相文宗，平生著述詎止此，此外有《姑臧集》五卷而已，廣棪案：《文獻通考》「五」作「四」。盧校本「五」作「四」，改「五」。校注曰：「『四』，館本作『五』，此下亦作『五』。《通考》四卷同，而下作五卷。」**其不傳於世者亦多矣。**

廣棪案：《郡齋讀書志》著錄：「《李德裕會昌一品集》二十卷、《姑臧集》五卷、《平泉詩》一卷、《窮愁志》三卷、《別集》八卷、又《賦》一卷。右唐李德裕文饒也。趙郡人。宰相吉甫之子。少力於學，既冠，卓犖有大節。不喜與諸生試有司，憲宗時，以廕補校書郎。穆宗初，擢翰林學士，號令大典皆出其手。進中書舍人，召兵部尚書、中書門下平章事。會昌初，復秉政。平澤潞，策功拜太尉，封衛公。大中貶崖州司戶參軍，三年，卒。德裕性孤峭，明辨有風采，善爲文章。雖在大位，手不去書。謀議援古，袞袞可喜，爲武宗所知。常以經綸天下爲己任，時王室幾中興焉。《一品集》，鄭亞爲之〈序〉，皆會昌制誥、表狀、外內冊質、碑序文也。賦詩四首。《窮愁志》乃在崖州時所撰。《姑臧集》題段全緯纂，上四卷亦制誥，第五乃〈戛黠斯朝貢傳〉與八詩。《別集》乃裒合古賦，〈平泉詩〉、集外雜著。又有《古賦》一卷，載〈金松〉等四賦。」可供參證。

《窮愁志》晚年遷謫後所作，凡四十九篇，其論精深，其詞峻潔，可見其英偉之氣。廣棪案：《文獻通考》「可」上有「猶」字。

案：文饒〈窮愁志序〉曰：「予頃歲吏道所拘，沈迷簿領。今則憂獨不樂，誰與晤言。偶思當世之所疑惑，前賢之所未及，各爲一論，庶乎箴而體要，謂之《窮愁志》。凡三卷，篇論四十九首，銷此永日，聊以解憂。地僻無書，心力久廢，每懷多聞之益，頗有闕疑之恨。貽於朋友，以俟箴規。」是此《志》凡三卷，四十九篇。《舊唐書》文饒本傳載：「初貶潮州，雖蒼黃顛沛之中，猶留心著述，雜序數十篇，號曰《窮愁志》。其〈論冥數〉曰：『仲尼罕言命，不語神，非謂無也。欲人嚴三綱之道，奉五常之教，修天爵而致人爵，不欲信富貴于天命，委福祿於冥數。昔衞卜協于沙丘，爲謚已久；秦塞屬於臨洮，名子不悟；朝歌未滅，而國流丹烏；白帝尙在，而漢斷素蛇。皆兆發於先，而符應於後，不可以智測也。周、孔與天地合德，與神明合契，將來之數，無所遁情。而狼跋於周，鳳衰于楚，豈親戚之義，不可去也，人倫之教，不可廢也。條侯之貴，鄧通之富，死於兵革可也，死于女室可也，唯不宜以餒終，此又不可以理得也。命偶時來，盜有名器者，謂禍福出於胸懷，榮枯生於口吻，沛然而安，溘然而笑，曾不知黃雀遊於茂樹，而挾彈者在其後也。乙丑歲，予自荆楚，保釐東周，路出方城間，有隱者困于泥塗，不知其所如，謂方城長曰：「此官人居守後二年，南行萬里。」則知憾予者必因天譴，譖予者乃自鬼謀。雖抱至冤，固不爲恨。予嘗三遇異人，非卜祝之流，皆遁世者。初掌記北門，管涔隱者謂予曰：「君明年當在人君左右，爲文翰之職，須値少主。」予聞之，愕然變色，隱者亦悔失言，避席求去。予問曰：「何爲事少主？」對曰：「君與少主已有宿緣。」其年秋登朝，至明年正月，穆宗纘緒，召入禁苑。及爲中丞，閩中隱者叩門請見，予下榻與語，曰：「時事非久，公不早去，冬必作相，禍將至矣。若亟請居外，則代公者受患。公後十年終當作相，自西而入。」是秋，出鎮吳門，時年三十六歲。經八稔，尋又仗鉞南燕。秋暮，有邑子于生引鄴郡道士至。纔升階，未及命席，謂予曰：「公當爲西南節制，孟冬望舒前，符節至矣。」三者皆與之協，不差歲月。自憲闈竟十年居相位，由西蜀而入，代予持憲者，俄亦竄逐。唯再謫南荒，未嘗有前知之士爲予言之。豈禍患不可移者，神道所祕，莫得預聞。』其自序如此。斯論可以警夫躁競者，故書於事末。」足供參證。

〈周秦行紀〉一篇，奇章怨家所為，而文饒遂信之爾。

案：奇章，本指牛弘，此處用以影射牛僧孺。《郡齋讀書記》卷第十三、〈小說類〉著錄：「《周秦行記》一卷。右唐牛僧孺自敘所遇異事。賈黃中以爲韋瓘所撰。瓘，李德裕門人，以此誣僧孺。」同書同卷、同類又著錄：「《玄怪錄》十卷。右唐牛僧孺撰。僧孺爲宰相，有聞於世，而著此等書，《周秦行紀》之謗，蓋有以致之也。」是公武亦不信《周秦行紀》爲僧孺撰。《祕書省續編到四庫闕書目》卷二、〈子類・小說〉亦著錄：「韋瓘撰《周秦行記》一卷。輝按：晁《志》同。」葉德輝考證本。惟《太平廣記》卷第四百八十九收錄《周秦行記》，正署牛僧孺譔。

李衛公備全集五十卷、年譜一卷、摭遺一卷

《李衛公備全集》五十卷、《年譜》一卷、《摭遺》一卷，比永嘉及蜀本三十四卷之外，廣棪案：《文獻通考》「比」作「此」，「嘉」下有「集」字。盧校本同。校注曰：「《通考》有『集』字。」**有《姑臧集》五卷，《獻替記》、《辨謗略》等諸書共十一卷。**廣棪案：此條疑作「此永嘉集及蜀本三十四卷之外，有《姑臧集》五卷，《獻替記》、《辨謗略》等諸書共十一卷」。如此方文從字順，內容得宜。**知鎮江府江陰耿秉直之所輯，**廣棪案：《文獻通考》「知」作「刺」。**并攷次為《年譜》、《摭遺》。**

廣棪案：《四庫全書總目》卷一百五十、〈集部〉三、〈別集類〉三著錄：「《會昌一品集》二十卷、《別集》十卷、《外集》四卷，江蘇巡撫採進本。唐李德裕撰。德裕有《次柳氏舊聞》，已著錄。是編凡分三集。《會昌一品集》，皆武宗時制誥。《外集》，皆賦詩雜文。《窮愁志》，則遷謫以後，閒居論史之文也。明代袁州有刊本，然僅《會昌一品集》十卷、《外集》四卷。此本《正集》二十卷、《別集》十卷，《外集》四卷，即《窮愁志》。與晁公武《讀書志》所載相合，意即蜀本之舊歟？陳振孫《書錄解題》稱《衞公備全集》五十卷、《年譜》一卷。又稱蜀本之外有《姑臧集》五卷，《獻替錄》、《辨謗略》諸書共十一卷。則其本不傳久矣。史言德裕在穆宗朝爲翰林學士，號令大典冊咸出其手，而文多不傳。意皆在五十卷內也。〈會昌一品集序〉，鄭亞所作，《李商隱集》所謂滎陽公者是也。其文亦見《商隱集・序》，稱代亞作。而兩本異同者不一。考尋文義，皆以此《集》所載爲長，蓋亞所改定之本云。」據是則蜀本三十四卷在，而耿秉所輯五十卷本已不傳矣。秉，《宋史》無傳。《宋人傳記資料索引》載：「耿秉字直之，江陰人。紹興三十年進士，累官兵部郎中，兼給事中，直徽猷閣，知平江軍府事，終煥章閣待制。秉律己清儉，兩爲浙漕，所至以利民爲事。著《春秋傳》，《五代會史》等書。」可知其生平、宦履。

《姑臧集》者，兵部員外郎段令緯所集，廣棪案：《文獻通考》「段令緯」作「段全緯」。**前四卷皆西掖、北門制草，末卷惟〈黠戛斯朝貢圖〉及歌詩數篇。其曰「姑臧」，未詳。**

案：段令緯，《崇文總目》著錄同。惟《郡齋讀書志》則作段全緯。孫猛《郡齋讀書志校證》曰：「段全緯，《崇文總目》卷五、《書錄解題》作『段令緯』。《新唐志》卷四著錄有《段全緯集》二十卷。又，《宋志》卷七《會昌一品集》之後著錄《段全緯集》五卷，疑乃《郡齋讀書志》所稱段全緯纂之德裕《姑臧集》。」是應作段全緯，孫氏所考不誤，《解題》所記誤矣。《全唐文》卷七百二十一「段全緯」條曰：「全緯，與李德裕同時人。」又收錄全緯〈城隍廟記〉一篇。至書名曰「姑臧」，直齋曰「未詳」。張宗泰《魯巖所學集》卷六、〈三跋書錄解題〉曰：「《書錄解題》失考者亦復不一而足，……又《李衛公備全集》下云：『《姑臧集》者，兵部員外郎段令緯所集，其曰姑臧，未詳。』按十六國之呂光據姑臧，其地爲今涼州，德裕爲劍州西川節度使，當是取其地之相近者以名《集》也。」所言至足參考。

衞公三為浙西，出入十年，皆治京口，故秉直刻其《集》。廣棪案：元抄本無「直」字。

案：《舊唐書》德裕本傳載：「德裕凡三鎮浙西，前後十餘年。」《新唐書》本傳亦謂：「德裕三在浙西，出入十年。」《解題》據《新唐書》。

若永嘉，則其事頗異。郡故有海神廟，本城北隅叢祠。元祐中太守范峋夢其神，自言李姓，唐武宗時宰相，南遷以沒。寤而意其為德裕，訪得其祠，遂作新廟，且列上其事。自是日盛，賜廟額，封王爵。然衞公平生於溫，蓋邈乎不相及也，殊有不可曉者。

案：范峋，《宋史》無傳。《宋會要輯稿》第五十二冊、〈瑞異〉三之四二載：「元豐六年夏又蝗，五月沂州蝗。《續宋會要》：『元豐六年七月十日詔：「聞開封府界諸縣蝻蟲猥多，今田稼既成，恐害豐稔。宜令提點刑獄范峋親督人夫，速剪除之。」』」同書第七十四冊、〈職官〉二七之一四載：「（元豐七年）六月九月詔：『河東、鄜延、環慶路，各發戶馬二千匹。河東路可就給本路，鄜延路以永興軍等路，環慶路以秦鳳等路，其少數即以開封府界。戶馬如尚少，內鄜延路仍以京西路坊郭戶馬所發。馬官、買者給元價，私買者三等，上三十千，中二十五千，下一十千，以解鹽司賣鹽錢阜財監應副市易。錢先借支。開封府界以左藏庫錢，餘以本路錢，專管勾官：開封府界委范峋，河東范純粹，秦鳳等路李察，永興軍等路葉康直。其買過戶馬限三年。』」同書第八十八冊、〈職官〉四八之三〇載：「（元豐六年）閏六月十九日，權發遣提點開封府界諸縣鎮范峋上殿言：『知雍邱縣向宗慤違法劾奏。』上曰：『已逐之矣。諸縣可稱者何人？』峋言：『奉議郎、知考城縣孫載簿案嚴整，稅課辦集；通直郎、知咸平縣朱勛未滿任而去，民至今思之。』上曰：『朱勛嘗有薦廣西幹當者。』峋言：『趙卨征安南，嘗奏勛隨行。』上曰：『違慢者既斥逐，有善狀者復收擢，則官吏自然戒勸。』詔孫載、朱勛中書省記姓名。」同書第八十九冊、〈職官〉四八之六五載：「（元豐）七年十月四日，權開封府界提點范峋等言：『諸縣尉專捕草市賊盜，及通管縣務，歲下鄉常以百數；若省縣尉，一主簿不能辦事，乞依舊。』從之。」同書第九十八冊、〈職官〉六六之三一載：「（元豐七年）十月二十五日，朝散郎、直龍圖閣，權提點開封府界諸縣鎮公事范峋落職，知臨江軍，以應奉山陵，與戶部更相論奏不直也。」同書第一百七十八冊、〈方域〉一之一八載：「(元豐六年) 九月十三日，提舉京城所言：『先准朝旨，發夫開新城外壕，候興役令。開封府界提點司與提舉京城所官同提舉勘會，本所見檢計分放工料難更同提舉。緣今夫役近在輦轂之下，全藉鎮撫欲望差管軍臣僚都大提舉。』詔：『開封界發夫五萬人，仍差權開封府推官祖無頗、提點開封府界諸縣鎮公事范峋、殿前都虞候苗擾都大提舉編攔。』」又考吳廷燮《北宋經撫年表》卷四載：「元祐元年（1086）四月，范峋以左朝請郎知(福州)。」綜上所記，則峋於元豐六、七年（1083～1084），所任官不過以朝散郎，直龍圖閣，權提點開封府界諸縣鎮公事，其後且以論奏不直，貶知臨江軍。至元祐元年（1086），乃以左朝請郎知福州；峋至溫為太守，則在元祐四年（1089）間矣。

平泉雜文一卷

《平泉雜文》一卷，即《別集》第九、第十卷。平泉山居所作詩、賦、記也。

廣棪案：《郡齋讀書志》卷第十八、〈別集類〉中著錄：「《李德裕會昌一品集》二十卷、《姑臧集》五卷、《平泉詩》一卷、《窮愁志》三卷、《別集》八卷。……《別集》乃裒合古賦、〈平泉詩〉、集外雜著。」是〈平泉詩〉一卷在《別集》內也。《宋史》卷二百八、〈志〉第一百六十一、〈藝文〉七、〈別集類〉著錄：「李德裕《窮愁志》三卷，又《雜賦》二卷、《平泉草木記》一卷。」是《窮愁志》、《雜賦》、《平泉草木記》亦在《別集》內也。平泉，乃平泉別墅之省稱。《中國古今地名大辭典》「平泉莊」條載：「在河南洛陽縣南二十里，周四十里，唐李德裕別墅也。德裕有〈平泉樹石記〉。」考《舊唐書》文饒本傳載：「東都伊闕南置平泉別墅，清流翠篠，樹石幽奇。初未仕時，講學其中。及從官藩服，出將入相，三十年不復重遊，而題寄歌詩，皆銘之於石。今有〈草木記〉、〈歌詩篇錄〉二石存焉。」可供參證。《全唐文》卷七百八收錄有〈平泉山居誡子孫記〉、〈平泉山居草木記〉二篇，當為《平泉雜文》所采入也。

樊川集二十卷、外集一卷

《樊川集》二十卷、《外集》一卷，唐中書舍人京兆杜牧牧之撰。廣棪案：《文獻通考》無此句。**牧，佑之孫。**廣棪案：《文獻通考》「佑」作「許」，誤。

廣棪案：《新唐書》卷六十、〈志〉第五十、〈藝文〉四、〈別集類〉著錄：「杜牧《樊川集》二十卷。」《崇文總目》、錢東垣輯釋本。《宋志》著錄同。《郡齋讀書志》卷第十八、〈別集類〉上著錄：「杜牧《樊川集》二十卷、《外集》一卷。」與《解題》同。《通志》卷七十、〈藝文略〉第八、〈別集〉四〈唐〉著錄：「杜牧《樊川集》二十卷，又《外集》一卷，又《別集》一卷。」則較《解題》多《別集》一卷，此或即《解題》所謂「又在天台錄得集外詩一卷」也。牧，從郁子，佑之孫，武宗時遷中書舍人，《舊唐書》卷一百四十七、〈列傳〉第九十七，《新唐書》卷一百六十六、〈列傳〉第九十一均附其祖〈杜佑〉。

其甥裴延翰編而序之。廣棪案：《文獻通考》無此句。

案：延翰，裴度從子。延翰有〈樊川文集後序〉，中曰：「長安南下杜樊鄉，酈道元注《水經》實樊川也，延翰外曾祖司徒歧公之別墅在焉。上五年冬，仲舅自吳興守拜考功郎中，知制誥，盡吳興俸錢，創治其墅。出中書直，亟召昵密往遊其地。一旦談啁酒酣，顧延翰曰：『司馬遷云：「自古富貴，其名磨滅者，不可勝紀。」我適稚走於此，得官受俸，再治完具。俄及老為樊上翁，既不自期富貴，要有數百首文章，異日爾為我序，號《樊川集》。如此顧樊川一禽魚、一草木無恨矣，庶千百年未隨此磨滅邪！』明年冬，遷中書舍人，始少得恙，盡搜文章，閱千百紙，擲焚之，纔屬留者十二三。延翰自撮髮讀書學文，率承導誘。伏念始初出仕入朝，三直太史筆，比四出守，其間餘二十年，凡有撰制，大手短章，塗藁醉墨，碩夥纖屑，雖適僻阻，不遠數千里，必獲寫示。以是在延翰久藏蓄者，甲乙籤目，比校焚外，十多七八，得詩、賦、傳、錄、論、辯、碑、誌、序、記、書、啓、表、制，離為二十編，合為四百五十首，題曰《樊川文集》。嗚呼！雖當一時戲感之言，孰見魄兆而果驗白耶？」可知編輯此書概況

《外集》皆詩也。廣棪案：《文獻通考》無此句。**又在天台錄得《集外詩》一卷，**廣棪案：《文獻通考》脱「又」字。「《集外詩》」作「《外集詩》」。**別見〈詩集類〉，未知是否？**

案：《郡齋讀書志》卷第十八、〈別集類〉中著錄：「杜牧《樊川集》二十卷、《外集》一卷。右唐杜牧牧之也。京兆人。大和二年進士，復舉制科。會昌中，以考功郎中知制誥，終中書舍人。牧善屬文，剛直有奇節，敢論列大事，指陳利病，爲詩情致豪邁，人號『小杜』，以別甫云。臨終自爲〈墓誌〉，悉焚所爲文章。其甥裴廷翰輯其稿編次，爲之〈後序〉。樊川蓋杜氏所居。《外集》皆詩也。」是《郡齋讀書志》亦云《外集》皆詩。至所謂《集外詩》一卷者，則《解題·詩集類》未見著錄。如非直齋失慎，則《四庫全書》本《解題》仍有所漏略也。

牧才高，俊邁不羈，其詩豪而艷，有氣概，非晚唐人所能及也。

案：延翰〈後序〉云：「嘻！文章與政通，而風俗以文移。在三代之道，以文與忠敬隨之，是爲理具與運高下。探採古作者之論，以屈原、宋玉、賈誼、司馬遷、相如、揚雄、劉向、班固爲世魁傑。然騷人之辭怨刺憤懟，雖援及君臣教化，而不能霑洽持論；相如、子雲瑰麗詭變，諷多要寡，漫羨無歸，不見治亂；賈、馬、劉、班乘時君之善否，直豁己臆，奮然以拯世扶物爲任，纂緒造端，必不空言，言之所及，則君臣、禮樂、教化、賞罰，無不包焉。竊觀仲舅之文，高騁敻厲，旁紹曲摭，絜簡渾圓，勁出橫貫，滌濯滓窳，支立欹倚。呵摩鄣瘃，如火煦焉；爬梳痛痒，如水洗焉。其抉剔挫偃，敢斷果行，若誓牧野，前無有敵；其正視嚴聽，前衡後鑾，如整冠裳，祗謁宗廟；其聒蟄爆聾，迅發不慄，若大呂勁鳴，洪鐘橫撞，撐裂噎喑，戛切韶濩；其砭熨嫉害，堤障初終，若濡槁於未焚，膏癰於未穿；栽培教化，翻正治亂，變醨養瘠，堯醲舜薰，斯有意趨賈、馬、劉、班之藩牆者邪？其文有〈罪言〉者，〈原十六衛〉者，〈戰守二論〉者，〈與時宰論用兵〉、〈論江賊〉二書者，上獵秦漢、魏晉、南北二朝，逮貞觀至長慶數千百年，兵農刑政，措置當否，皆能採取前事，凡人未嘗經度者，若繩裁刀解，粉畫線織，布在眼見耳聞下。其譎往事，則〈阿房宮賦〉；刺當代，則〈感懷詩〉；有國欲亡，則得一賢人，決遂不亡，則〈張保皋傳〉；尚古兩柄，本出儒術，不專任武力者，則注《孫子》而爲其〈序〉；褒勸賢傑，表揭職業，則〈贈莊淑大長公主〉，及〈故丞相奇章公、汝南公墓誌〉；

摽白歷代取士得才，率由公族子弟爲多，則〈與高大夫書〉；諫諍之體，非訐醜惡，與主鬪激，則〈論諫書〉；若一縣宰，因行德教，不施刑罰，能舉古風，則〈謝守黃州表〉；一存一亡，適見交分，則〈祭李處州文〉；訓勵官業，告柬君命，擬古典謨，以寓誅賞，則〈司帝之誥〉。其餘述喻讚誡，興諷愁傷，易格異狀，機鍵雜發，雖綿遠窮幽，醲腴魁礨，筆酣句健，窕眇碎細，包詩人之軌憲，整揚、馬之衙陣，聳曹、劉之骨氣，掇顏、謝之物色，然未始不撥斸治本，緪幅道義，鈎索於經史，觝禦於理化也。故文中子曰：『言文而不及理，是天下無文也，王道何從而興乎？』噫！所謂文章與政通，而風俗以文移，果於是以卜。」《四庫全書總目》卷一百五十一、〈集部〉四、〈別集類〉四著錄：「《樊川文集》二十卷、《外集》一卷、《別集》一卷，內府藏本。唐杜牧撰。……平心而論，牧詩冶蕩甚於元、白，其風骨則實出元、白上。其古文縱橫奧衍，多切經世之務。〈罪言〉一篇、宋祁作《新唐書・藩鎮傳論》實全錄之。費衮《梁谿漫志》載：『歐陽修使子棐讀《新唐書・列傳》，臥而聽之。至〈藩鎮傳敘〉，歎曰：「若皆如此傳，筆力亦不可及。」識曲聽眞，殆非偶爾。』即以散體而論，亦遠勝元、白。觀其《集》中有〈讀韓杜集詩〉，又〈冬至日寄小姪阿宜詩〉曰：『經書刮根本，史書閱興亡。高摘屈宋豔，濃薰班馬香。李杜泛浩浩，韓柳摩蒼蒼。近者四君子，與古爭強梁。』則牧於文章具有本末，宜其睥睨長慶體矣。」均足資參證。

李義山集八卷、樊南甲乙集四十卷

《李義山集》八卷、《樊南甲乙集》四十卷，廣棪案：《文獻通考》作「李商隱《樊南甲集》二十卷、《乙集》二十卷，又《文集》八卷」。**唐太學博士河內李商隱義山撰**。廣棪案：《文獻通考》無此句。

廣棪案：《新唐書》卷六十、〈志〉第五十、〈藝文〉四、〈別集類〉著錄：「李商隱《樊南甲集》二十卷、《乙集》二十卷，《玉溪生詩》三卷，又《賦》一卷、《文》一卷。」與《解題》著錄微有異同。《郡齋讀書志》卷第十八、〈別集類〉中著錄：「李商隱《樊南甲集》二十卷、《乙集》二十卷，又《文集》八卷。」與《解題》同。《宋史》卷二百八、〈志〉第一百六十一、〈藝文〉七、〈別集類〉著錄：「李商隱《文集》八卷，又《四六甲乙集》四十卷、《別集》二十卷、《詩集》三卷。」又著錄：「《李商隱賦》一卷，又《雜文》一卷。」所著錄內容較《解題》為多。商隱字義山，懷州河內人。宣宗大中年間補太學博士。《舊唐書》卷一百九十下、〈列傳〉第一百四十下、〈文苑〉下，《新唐書》卷二百三、〈列傳〉第一百二十八、〈文藝〉下有傳。

商隱，令狐楚客。開成二年進士，書判入等。廣棪案：元抄本、盧校本「書」作「平」。《文獻通考》無上二句。**從王茂元、鄭亞辟，**廣棪案：《文獻通考》「從」上有「後」字。**二人皆李德裕所善，坐此為令狐綯所憾，竟坎壈以終。**廣棪案：《文獻通考》「竟」作「意」，形近而誤。**《甲乙集》者，**廣棪案：《文獻通考》無「者」字。**皆表章、啟牒四六之文。既不得志於時，歷佐藩府，自茂元、亞之外，**廣棪案：《文獻通考》無此句。**又依盧弘正、柳仲郢，故其所作應用若此之多。商隱本為古文，令狐楚長於章奏，遂以授商隱。然以近世四六觀之，當時以為工，今未見其工也。**廣棪案：《文獻通考》末數句作「所作當時以為工，以近世四六較之，未見其工也」。

案：《舊唐書》本傳載：「商隱幼能為文。令狐楚鎮河陽，以所業文干之，年纔及弱冠。楚以其少俊，深禮之，令與諸子遊。楚鎮天平、汴州，從為巡官，歲給資裝，令隨計上都。開成二年，方登進士第，釋褐祕書省校書郎，調補弘農尉。會昌二年，又以書判拔萃。王茂元鎮河陽，辟為掌書記，得侍御史。茂元愛其才，以子妻之。茂元雖讀書為儒，然本將家子，李德裕素遇之，時德裕秉政，用為河陽帥。德裕與李宗閔、楊嗣復、令狐楚大相讎怨。商隱既為茂元從事，宗閔黨大薄之。時令狐楚已卒，子綯為員外郎，以商隱背恩，尤惡其無行。俄而茂元卒，來遊京師，久之不調。會給事中鄭亞廉察桂州，請為觀察判官、檢校水部員外郎。大中初，白敏中執政，令狐綯在內署，共排李德裕逐之。亞坐德裕黨，亦貶循州刺史。商隱隨亞在嶺表累載。三年入朝，京兆尹盧弘正奏署掾曹，令典牋奏。明年，令狐綯作相，商隱屢啓陳情，綯不之省。弘正鎮徐州，又從為掌書記。府罷入朝，復以文章干綯，乃補太學博士。會河南尹柳仲郢鎮東蜀，辟為節度判官、檢校工部郎中。大中末，仲郢坐專殺左遷，商隱廢罷，還鄭州，未幾病卒。商隱能為古文，不喜偶對。從事令狐楚幕，楚能章奏，遂以其道授商隱，自是始為今體章奏。博學強記，下筆不能自休，尤善為誄奠之辭。」《新唐書》本傳同，可供參證。

玉溪生集三卷

《玉溪生集》三卷，館臣案：《文獻通攷》作二卷。　廣棪案：《文獻通考》亦作三卷，館臣誤。**李商隱自號。此《集》即前卷中賦及雜著也。**

廣棪案：《唐才子傳》卷七「李商隱」條載：「商隱文自成一格，後學者重之，謂『西崑體』也。有《樊南甲集》二十卷、《乙集》二十卷、《玉溪生詩》三卷，初自號玉溪子。廣棪案：張采田《玉溪生年譜會箋》曰：『子是生誤。』又《賦》一卷、《文》一卷，並傳於世。」可參證。

孫樵集十卷

《孫樵集》十卷，館臣案：《文獻通攷》作三卷。**唐職方郎中孫樵可之撰。**廣棪案：《文獻通考》無此句。

廣棪案：《新唐書》卷六十、〈志〉第五十、〈藝文〉四、〈別集類〉著錄：「孫樵《經緯集》三卷，字可之，大中進士第。」《郡齋讀書志》、《通志略》、《宋志》著錄同。或疑《解題》著錄有誤。然《四庫全書總目》卷一百五十一、〈集部〉四、〈別集類〉、四著錄：「《孫可之集》十卷，浙江鮑士恭家藏本。唐孫樵撰。樵字可之，又字隱之，自稱關東人。函谷以外，幅員遼闊，不知其籍何郡縣也。大中九年進士。授中書舍人。僖宗幸岐隴時，詔赴行在，遷職方郎中，上柱國，賜紫金魚袋。《新唐書・藝文志》、《通志》、《通考》皆載樵《經緯集》三卷。《書錄解題》稱樵自爲〈序〉，凡三十五篇。此本十卷，爲毛晉汲古閣所刊。稱王鏊從內閣鈔出。前載樵〈自序〉，稱『藏書五千卷，常自探討。幼而工文，得其眞訣。廣明元年，駕避岐隴，朝廷以省方蜀國，文物攸興、品藻朝論，旌其才行。遂閱所著文及碑碣、書檄、傳記、銘誌，得二百餘篇。撮其可觀者三十五篇』云云。與陳振孫之說合。又稱『編成十卷，藏諸篋笥』云云。則與三卷之說迥異。」是樵《集》亦有作十卷者。樵，兩《唐書》無傳。《全唐文》卷七百九十四「孫樵」條載：「樵字可之，韓昌黎門人。大中中進士。」則樵爲宣宗時人。徐松《登科記考》「唐宣宗元聖至明成獻文睿智章仁神聰懿道大孝皇帝」（大中）九年乙亥載：「進士三十人：孫樵。《郡齋讀書志》：『孫樵字隱之，大中九年進士。』《新書・藝文志》作『樵字可之』。《孫可之文集》〈自序〉云：『幼而工文，得之眞訣。提筆入貢士列，於時以文學見稱，大中九年叨登上第。』按樵〈祭梓潼帝君文〉:『大中十八年，鄉貢進士孫樵再拜獻詞。』考大中無十八年，蓋『十』字衍文。樵於九年登第，故八年猶稱鄉貢。」可供參證。

自為〈序〉。廣棪案:《文獻通考》「自為〈序〉」前有「其文」二字。**凡三十五篇，蓋其刪擇之餘也。樵，大中九年進士。**廣棪案:《文獻通考》無此句。

案:樵〈自序〉曰:「樵家本關東，代襲簪纓，藏書五千卷，常以探討。幼而工文，得之眞訣，提筆入貢士列，于時以文學見稱。大中九年叨登上第，從軍邠國，忝歷華資，久居蘭省。廣明元年，狂寇犯闕，駕避岐隴，詔赴行在，遷職方郎中。朝廷以省方蜀國，文物攸興，品藻朝倫，旌其才行。詔曰:『行在三絕:右散騎常侍李潼有曾、閔之行，職方郎中孫樵有揚、馬之文，前進士司空圖有巢、由之風，可載青史，以彰有唐中興之盛。』樵遂檢所著文及碑碣、書檄、傳記，銘誌，得二百餘篇，叢其可觀者三十五篇，編成十卷，藏諸篋笥，以貽子孫。是歲中和四年也。朝散大夫、尚書職方郎中、上柱國、賜緋魚袋孫樵。」可供參證。《解題》著錄此書作十卷，正據〈自序〉也。

東坡嘗曰:「學韓愈而不至者為皇甫湜，學湜而不至者為孫樵。」

案:《孫可之文集》第三卷、〈書・與王霖書〉曰:「樵嘗得爲文眞訣於來無擇，來無擇得之於皇甫持正，皇甫持正得之於韓吏部退之。然樵未始與人言及文章，且懼得罪於時。今足下有意於此，而自疑尚多，其可無言乎!樵再拜。」又〈與友人論文書〉，曰:「顧頑朴無所知曉，然嘗得爲文之道於來公無擇，來公無擇得之皇甫公持正，皇甫持正得之韓先生退之。其所聞者如前所述，豈樵所能臆說乎?」是東坡謂湜學韓而樵學湜，固有所據也。《四庫全書總目》著錄此書，曰:「推〈與王霖秀才書〉云:『某嘗得爲文眞訣於來無擇，來無擇得之於皇甫持正，皇甫持正得之於韓吏部退之。』其〈與友人論文書〉，又復云然。今觀三家之文，韓愈包孕羣言，自然高古。而皇甫湜稍有意爲奇，樵則視湜益有努力爲奇之態。其彌有意於奇，是其所以不及歟?《讀書志》引蘇軾之言:『稱學韓愈而不至者爲皇甫湜，學湜而不至者爲孫樵。』其論甚微，毛晉跋是《集》，乃以軾言爲非，所見淺矣。」可供參考。惟《四庫全書總目》以《解題》所引，而誤作《郡齋讀書志》，則館臣讀書未盡心細可知矣。

李甘文集一卷

《李甘文集》一卷，唐侍御史李甘和鼎撰。甘欲壞鄭注麻，坐貶死。

廣棪案：《新唐書》卷六十、〈志〉第五十、〈藝文〉四、〈別集類〉著錄：「《李甘文》一卷。」《崇文總目》、錢東垣輯釋本。《宋志》同。甘，《舊唐書》卷一百七十一、〈列傳〉第一百二十一，《新唐書》卷一百一十八、〈列傳〉第四十三有傳。《舊唐書》本傳載：「李甘字和鼎。長慶末進士擢第，又制策登科。大和中，累官至侍御史。鄭注入翰林侍講，舒元輿既作相，注亦求入中書。甘唱於朝曰：『宰相者，代天理物，先德望而後文藝。注乃何人，敢茲叨竊？白麻若出，吾必壞之。』會李訓亦惡注之所求，相注之事竟寢。訓不獲已，貶甘封州司馬。」《新唐書》同，足供參證。

杜牧所為賦詩者也。

案：《新唐書》卷一百六十六、〈列傳〉第九十一、〈杜牧〉載：「牧剛直有奇節，不為齪齪小謹，敢論列大事，指陳病利尤切至。少與李甘、李中敏、宋祁善，其通古今，善處成敗，甘等不及也。」可見牧、甘交誼，蓋以氣味相投也。牧所撰〈李甘〉詩，載《樊川文集》第一，其〈詩〉云：「天和八九年，訓、注極虓虎。潛身九地底，轉上青天去。四海鏡清澄，千官雲片縷。公私各閑暇，追遊日相伍。豈知禍亂根，枝葉潛枝莽。九年夏四月，天誡若言語。烈風駕地震，獰雷駈猛雨。夜於正殿階，拔去千年樹。吾君不省覺，二凶日威武。操持北斗柄，開閉天門路。森森明庭士，縮縮循牆鼠。平生負名節，一旦如奴虜。指名為錮黨，狀跡誰告訴？喜無李杜誅，敢憚髡鉗苦。時當秋夜月，曰直日庚午。喧喧皆傳言，明晨相登注。予時與和鼎，官班各持斧。和鼎顧予云，我死有處所。當庭裂詔書，退立須鼎俎。君門曉日開，赭案橫霞布。儼雅千官容，勃欝吾纍怒。適屬命鱗將，趙耽。昨之傳者誤。明日詔書下，謫斥南荒去。夜登青泥坂，墜車傷左股。病妻尙在牀，稚子初離乳。幽蘭思楚澤，恨水啼湘渚。怳怳三閭魂，悠悠一千古。其冬三兇敗，渙汗開湯罟。賢者須喪亡，讒人尙堆堵。予於後四年，諫官事明主。常欲雪幽冤，於時一裨補。拜章豈艱難，膽薄多憂懼。如何干斗氣，竟作炎荒土。題此涕滋筆，以代投湘賦。」詩中所記事甚詳實也。

薛逢四六集一卷

《薛逢四六集》一卷，唐祕書監河東薛逢陶臣撰。

廣棪案：《新唐書》卷六十、〈志〉第五十、〈藝文〉四、〈別集類〉著錄：「《薛逢詩集》十卷，又《別紙》十三卷、《賦集》十四卷。」《宋史》卷二百八、〈志〉第一百六十一、〈藝文〉七、〈別集類〉著錄：「《薛逢別集》九卷。《薛逢賦》四卷，又《別紙》十三卷。」又著錄：「《薛逢詩》一卷。」均與《解題》不同。逢字陶臣，河南人，懿宗咸通中遷秘書監。《舊唐書》卷一百九十下、〈列傳〉第一百四十下、〈文苑〉下，《新唐書》卷二百三、〈列傳〉第一百二十八、〈文藝〉下有傳。《舊五代史》卷六十八、〈唐書〉四十四、〈列傳〉第二十、〈薛廷珪〉載：「薛廷珪，其先河東人也。父逢，咸通中爲秘書監，以才名著于時。……初廷珪父逢，著〈鑿混沌〉、〈眞珠簾〉等賦，大爲時人所稱。」足資參證。

勅語堂判集一卷

《勅語堂判集》一卷，唐宰相滎陽鄭畋台文撰。

廣棪案：《新唐書》卷六十、〈志〉第五十、〈藝文〉四、〈別集類〉著錄：「鄭畋《玉堂集》五卷，又《鳳池稾草》三十卷、《續鳳池稾草》三十卷。」《郡齋讀書志》卷第十八、〈別集類〉中著錄：「《鄭畋集》五卷。」《宋史》卷二百八、〈志〉第一百六十一、〈藝文〉七、〈別集類〉著錄：「《鄭畋集》五卷，又《詩集》一卷、《論事》五卷。」均與《解題》不同。畋字台文，滎陽人，僖宗時爲相。《舊唐書》卷一百七十八、〈列傳〉第一百二十八，《新唐書》卷一百八十五、〈列傳〉第一百一十有傳。《舊唐書》本傳謂：「畋年十八，登進士第，釋褐汴宋節度推官，得秘書省校書郎。二十二，吏部調選，又以書判拔萃授渭南尉，直史館事。」是畋固精擅書判者。《郡齋讀書志》亦載：「《鄭畋集》五卷。右唐鄭畋台文也。滎陽人。會昌二年進士，書判入等，授校書郎，調渭南尉，知制誥，中書舍人。乾符四年，以本官同中書門下平章事。二年，召復秉政。至成都，以疾不拜，終太子少保。《稿草》皆乾符掌判敕語云。」《郡齋讀書志》末句「《稿草》皆乾符掌判勅語云」，蓋指此書也。乾符，僖宗年號。

文泉子十卷

《文泉子》十卷，唐中書舍人長沙劉蛻復愚撰。

廣棪案：《新唐書》卷六十、〈志〉第五十、〈藝文〉四、〈別集類〉著錄：「劉蛻《文泉子》十卷，字復愚，咸通中書舍人。」《通志略》、《宋志》同。蛻，兩《唐書》無傳。《全唐文》卷七百八十九「劉蛻」條載：「蛻字復愚，自號文泉子，長沙人。大中時擢進士，累遷右拾遺、中書舍人。忤宰相令狐綯，出爲華陰令，終商州刺史。」足資參證。

自為〈序〉云：「覃以九流之旨，廣棪案：〈自序〉原文「旨」上有「文」字，疑衍。**配以不竭之義，曰泉。」**

案：復愚〈文泉子自序〉曰：「於西華主之降也，其三月辛卯，夜未半，埜水入廬，漬壞簡筴。既明日，燎其書，有不可玩其辭者。噫！當初不能自明其書十五年矣。今水之來寇，余命也已矣。故自褐衣以來，辛卯以前，收其微詞屬意古今上下之間者，爲外內篇焉。復收其怨抑頌記嬰於仁義者，雜爲諸篇焉。物不可以終雜，故離爲十卷。離則名之不絕，故授之以爲《文泉》。泉之時義大矣哉！盆覃以九流之文旨，配以不竭之義曰泉。崖谷結珠璣，昧則將救之。雲雷亢粢盛，乾則將救之。予豈垂之空文哉！自辛卯迄甲午，覆研於襄陽之野。」《解題》所引殆據此。

有〈文塚銘〉，甚奇。

案：復愚有〈梓州兜率寺文冢銘〉，曰：「文冢者，長沙劉蛻復愚爲文，不忍去其草，聚而封之也。蛻愚而不銳於用，百工之技，天不工蛻也，而獨文蛻焉。故飲食不忘於文，晦冥不忘於文，悲戚怨憤，疾病嬉遊，羣居行役，未嘗不以文爲懷也。適當無事，而天下將以文爲號。文明代生殖明晦，皆效文用，故日月星辰，文乎旂常，昆蟲鳥獸，文乎彝器，徐方之土，文于侯社，夏翟之羽，文於旌旄，登龍於章，升玉於藻，百工婦人，雕礱染練，以供宗廟祭祀之文用，豈獨蛻也。生知效用，不及時文哉！然而意常獲助於天，而不獲助於人。故其窮，雖窮無憾也。當勤意之時，不敢噫，不敢咳，不敢唾，不敢跛倚。嗜慾躁競，忘之於心，其祇祇畏畏，如臨上帝。故有粲如星光，如貝氣，如蛟宮之水；又有黯如屯雲，如久陰，如枯腐熬燥之色。則有如春陽，如華川，逶逶迤迤，則有如海運，如震怒，動盪怪異。夫十爲文不得十如意，少如意，則豈非天助乎！帝欲使天下聞之而必行，覩之而必蹈，散之茫洋以爲道，演之浸淫以及物，然後爲農文之，使風雨以時；兵文之，使戎虜以順；文于野，文於市，使得其所。幽隱之士以出，口者使之言，材者使之用，然而自振者無力，終知者甚稀，豈非不獲於人助乎！嗚呼！十五年矣，實得二千七百八十紙。有塗者乙者，有注揩者，有覆背者，有朱墨圍者。於是以《周易》筮之，遇〈復〉之〈同人〉。筮者曰：『鳴於地中，殷殷隆隆，七日其復，復來而天下昭融乎？』他日，更召龜而令之，將聽襲吉，卜於火，如秦兆。惟曰不吉，卜於水，不成乎河洛兆，則亦惟曰不吉，卜於土而閟之。土叶吉，纍纍爲冢，則汲之兆乎？峭峭爲壁，則魯之兆乎？且其占曰土之文，爲山河，爲華英，將不崩不竭，爲滋味而傳乎？結爲邱陵，爲其設險乎？融爲川瀆，率其朝宗乎？華爲百穀，以絜祭祀之粢盛乎？不然，使其速腐爲墟壤，生芻藁以食牛羊乎？化塗泥爲陶旊以作器乎？將塊爲五色，而茅社分封乎？流於樂，爲土鼓，爲由桴，以洩其和聲乎？夷爲都邑，以興宮廟，坎爲洿池，以澤生殖乎？祀爲壇竈乎？窾爲井墓乎？吾皆不得而知也。當既不爲吾用，惟速化爲百工之用，愼無朽爲芝菌，以怪人自媚；愼無堅爲金鐵，以作貨起爭；愼無潏爲醴泉，以味乎諂口；愼無禱爲城社，以狐鼠憑妖；愼無聳爲良材，以雕斲傷性；愼無萌爲蘭茝，仄佩服見褻。嗚呼！介而爲石，使之能言；舒而爲蟦，使之飲泉。既而他年遊魂之未返者，亦命巫師而弔，三招之，號曰：『在几閣而來歸兮，奄爲塵垢。在耳目而來歸兮，奄視聽汝醜。在口吻而來歸兮，讐不汝久。噫！絕筆之年，而麟見祟，文其無祟乎？唅非珠玉，歛無裙襦，後世詩禮之儒，無驚吾之幽墟。其冢也，在莽蒼之野，大塊之邱。』時有唐大中之丁卯，而戊辰之季秋。銘云：『文乎文乎！有鬼神乎！風水惟貞，將利其子孫乎！』」文固奇甚，然莫知其旨也。

蛻，大中四年進士。

案：《登科記考》卷二十二載：「（大中）四年庚午，進士三十人：劉蛻，《摭言》：『大中四年，劉蛻舍人以荊府解及第。』」足資參證。

其為西掖，在咸通時。

案：《舊唐書》卷十九上、〈本紀〉第十九上、〈懿宗〉載：「（咸通四年）十一月，長安縣尉、集賢校理令狐滈爲左拾遺。制出，左拾遺劉蛻、起居郎張雲上疏，論滈父綯秉權之日，廣納賂遺，受李琢賄，除安南，致生蠻寇，滈不宜居諫諍之列。時綯在淮南，上表論訴，乃貶雲興元少尹，蛻華陰令，滈改詹事司直。」為西掖者，蓋指蛻任職中書，為左拾遺也。

一鳴集一卷

《一鳴集》一卷，館臣案：《文獻通攷》作三十卷。　廣棪案：元抄本、盧校本作「十卷」。**唐兵部侍郎虞鄉司空圖表聖撰。**館臣案：虞鄉即今解州，原本作「虞卿」，誤。今改正。　廣棪案：《文獻通考》無此句。**圖見〈卓行傳〉，唐末高人勝士也。**

廣棪案：《新唐書》卷六十、〈志〉第五十、〈藝文〉四、〈別集類〉著錄：「司空圖《一鳴集》三十卷。」《郡齋讀書志》、《通志略》、《宋志》同。疑《解題》著錄卷數有誤。圖，字表聖，河中虞鄉人。昭宗時召拜兵部侍郎。《舊唐書》卷一百九十下、〈列傳〉第一百四十下、〈文苑〉下，《新唐書》卷一百九十四、〈列傳〉第一百一十九、〈卓行〉有傳。《新唐書・卓行傳》載：「圖，咸通末擢進士，禮部侍郎王凝特所獎待，俄而凝坐法貶商州，圖感知己，往從之。凝起拜宣歙觀察使，乃辟置幕府。召為殿中侍御史，不忍去凝府，臺劾，左遷光祿寺主簿，分司東都。盧攜以故宰相居洛，嘉圖節，常與游。攜還朝，過陝虢，屬於觀察使盧渥曰：『司空御史，高士也。』渥即表為僚佐。會攜復執政，召拜禮部員外郎，尋遷郎中。」可供參證。

蜀本但有雜著，無詩。自有詩十卷，別行。詩格尤非晚唐諸子所可望也。廣棪案：《文獻通考》無「也」字。

案：圖此書〈自序〉曰：「知非子雅嗜奇，以為文墨之伎，不足曝其名也。蓋欲揣機窮變，角功利於古豪。及遭亂竄伏，又顧無有憂天下而訪於吾者，曷以自見平生之志哉？因捃拾詩筆，殘缺亡幾，乃以《中條別業一鳴》以目其前集，庶警子孫耳。其述先大夫所著家牒照乘傳、及補亡舅（名權，四歲能諷誦其舅〈水輪陳君賦〉，十六著《劉氏洞史》三十卷）贊祖彭城公中興事，并愚自撰《密史》，皆別編次云。有唐光啓三年，泗水司空氏中條王官谷渥纓亭記。」據是則《一鳴集》之《前集》為詩集，即《解題》所謂「自有詩十卷，別行」之本，而其「別編」即蜀本，其本「但有雜著，無詩」也。

其論詩以「梅止於酸，廣棪案：元抄本、盧校本「梅」作「醯」。**鹽止於鹹；**廣棪案：元抄本、盧校本「鹹」作「鹾」。**鹹酸之外，醇美乏焉」，**廣棪案：《文獻通考》此句作「其論詩酸鹹之喻」。**東坡嘗以為名言。**廣棪案：《文獻通考》無「嘗」字。

案：《文獻通考》卷二百三十三、〈經籍考〉六十、〈集別集〉著錄此條，下引容齋洪氏《隨筆》曰：「東坡稱司空表聖詩文高雅，有承平之遺風。蓋嘗自列其詩之有得於文字之表者二十四韻，恨當時不識其妙。」又云：「表聖論其詩，以爲得味外味。如『綠樹連村暗，黃花入夢稀』，此句最善。又『棊聲花院靜，旛影石壇高』。吾嘗獨入白鶴觀，松陰滿地，不見一人，惟聞棋聲，然後知此句之工。但恨其寒儉，有僧態。予讀表聖《一鳴集》，有〈與李生論詩〉一書，乃正坡公所言者。其餘五言句云：『人家寒食月，花影午時天。』『雨微吟足思，花落夢無憀。』『坡暖冬生戾，松涼夏健人。』『川明虹照雨，樹密鳥衝人。』『夜短猿悲減，風和鵲喜靈。』『馬色經寒慘，鵰聲帶晚飢。』『客來當意愜，花發遇歌成。』七言句云：『孤嶼池痕春漲滿，小欄花韻午晴初。』『五更惆悵迴孤枕，猶自殘燈照落花。』皆可稱也。」可供參證。圖有〈與李生論詩書〉，曰：「文之難，而詩尤難，古今之喻多矣。愚以爲辨於味，而後可以言詩也。江嶺之南，凡足資於適口者，若醯非不酸也，止於酸而已；若鹾非不鹹也，止於鹹而已。中華之人所以充飢而遽輟者，知其鹹酸之外，醇美者有所乏耳。彼江嶺之人，習之而不辨也，宜哉！詩貫六義，則諷諭抑揚，渟蓄淵雅，皆在其中矣。然直致所得，以格自奇，前輩諸集，亦不專工於此，矧其下者耶？王右丞、韋蘇州，澄澹精緻，格在其中，豈妨於道學哉！賈閬仙誠有警句，然視其全篇，意思殊餒，大抵附於蹇澁，方可致才，亦爲體之不備也，矧其下者哉！噫！近而不浮，遠而不盡，然後可以言韻外之致耳！」《解題》所述圖論詩云云，蓋本此。

自號知非子，又曰耐辱居士。

案：圖此書〈自序〉，已自號知非子。《郡齋讀書志》卷第十八、〈別集類〉中著錄：「《司空圖一鳴集》三十卷。右唐司空圖表聖也。河中人。咸通十一年，王凝下及第。黃巢陷長安，僖宗次鳳翔，召爲知制誥、中書舍人。朱溫將篡，召爲禮部尚書，不赴。聞哀帝遇弒，不食而卒。圖居中條山，自號知非子、耐辱居士。《集》自爲〈序〉，以《濯纓亭》、《一鳴牕》名其集。子荷別爲〈集後記〉。最長於詩，其論詩有曰：『梅止於酸，而鹽止於鹹，味常在於酸鹹之外。』謂其詩『棋聲花院靜，旛影石壇高』之句爲得之，人以其言爲然。」足供參證。

文藪十卷

《文藪》十卷，廣棪案：《文獻通考》作「《皮日休文藪》十卷。」**唐太常博士襄陽皮日休襲美撰。日休，咸通八年進士。**廣棪案：《文獻通考》闕以上二句。**黃巢之難，陷賊中，**廣棪案：《文獻通考》「陷」上有「日休」二字。**為「果頭三屈律」之讖，賊疑譏己髮拳，遂見害。**

廣棪案：《新唐書》卷六十、〈志〉第五十、〈藝文〉四、〈別集類〉著錄：「《皮日休集》十卷，又《胥臺集》七卷、《文藪》十卷、《詩》一卷。」《崇文總目》、錢東垣輯釋本。《郡齋讀書志》、《宋志》著錄《文藪》十卷同。日休，兩《唐書》無傳。《唐才子傳》卷第八「皮日休」載：「日休，字襲美，一字逸少，襄陽人也。隱居鹿門山。性嗜酒，癖詩，號『醉吟先生』，又自稱『醉士』；且傲誕，又號『閒氣布衣』，言己天地之閒氣也。以文章自負，尤善箴銘。咸通八年，禮部侍郎鄭愚下及第，爲著作郎，遷太常博士。時値末年，虎狼放縱，百姓手足無措，上下所行，皆大亂之道，遂作《鹿門隱書》六十篇，多譏切謬政。有云：『毀人者，自毀之；譽人者，自譽之。』又曰：『不思而立言，不知而定交，吾其憚也。』又曰：『古之殺人也怒，今之殺人也笑。』又曰：『古之置吏也，將以逐盜；今之置吏也，將以爲盜。』等，皆有所指云爾。日休性沖泊無營，臨難不懼。乾符喪亂，東出關，爲毗陵副使，陷巢賊中。巢惜其才，授以翰林學士。日休惶恐跼蹶，欲死未能。劫令作讖文以惑眾，曰：『欲始聖人姓，田八二十一；欲知聖人名，果頭三屈律。』賊疑其裹恨必譏己，遂殺之。臨刑，神色自若，無知不知，皆痛惋也。日休在鄉里，與陸龜蒙交擬金蘭，日相贈和。自集所爲文十卷，名《文藪》，及《詩集》一卷，《滑臺集》七卷，又著《皮氏鹿門家鈔》九十卷，並傳。」《郡齋讀書志》卷第十八、〈別集類〉中著錄：「《皮日休文藪》十卷。右唐皮日休字襲美，一字逸少，襄陽人。隱鹿門山，自號醉吟先生。以文章自負，尤善箴。咸通八年，登進士第，爲著作佐郎，太常博士。乾符之亂，東出關，爲毘陵副使，陷巢賊中。賊遣爲讖文，疑其譏己，遂害之。《集》乃咸通丙戌年居州里所編。〈自序〉云：『發篋次類文稿，繁如藪澤，因以名之。』凡二百篇。」足資參證。

陸游《筆記》以〈皮光業碑〉辨其不然。廣棪案：《文獻通考》「辨」作「辯」。

案：陸游《老學庵筆記》卷十載：「《該聞錄》言：『皮日休陷黃巢爲翰林學士，巢敗被誅。』今《唐書》取其事。按尹師魯作〈大理寺丞皮子良墓誌〉，稱：『曾祖日休，避廣明之難，徙籍會稽，依錢氏，官太常博士，贈禮部尚書。祖光業，爲吳越丞相。父璨，爲元帥府判官。三世皆以文雄江東。』據此，則日休未嘗陷賊爲其翰林學士被誅也。光業見《吳越備史》頗詳。孫仲容在仁廟時，仕亦通顯，乃知小說謬妄，無所不有。師魯文章傳世，且剛直有守，非欺後世者，可信不疑也。故予表而出之，爲襲美雪謗於泉下。」《解題》所述蓋本此。惟陸游之辨，所據者乃尹師魯撰〈大理寺丞皮子良墓誌〉，而非〈皮光業碑〉。光業爲子良之祖，師魯所撰〈墓誌〉言之甚明。直齋誤矣。

笠澤叢書四卷、補遺一卷

《笠澤叢書》四卷、《補遺》一卷，廣棪案：《文獻通考》作「陸龜蒙《笠澤叢書》四卷」。**唐處士吳郡陸龜蒙魯望撰。**廣棪案：《文獻通考》無此句。

廣棪案：《新唐書》卷六十、〈志〉第五十、〈藝文〉四、〈別集類〉著錄：「陸龜蒙《笠澤叢書》三卷，又《詩編》十卷、《賦》六卷。」《崇文總目》、錢東垣輯釋本。《通志略》著錄此書亦作三卷。《郡齋讀書志》卷第十八、〈別集類〉中著錄：「陸龜蒙《笠澤叢書》四卷。」而無《補遺》一卷。《宋史》卷二百八、〈志〉第一百六十一、〈藝文〉七、〈別集類〉著錄：「《陸龜蒙集》四卷。」疑即此書。龜蒙字魯望，《新唐書》卷一百九十六、〈列傳〉第一百二十一、〈隱逸〉有傳。

為甲、乙、丙、丁，廣棪案：《文獻通考》「為」上有「《叢書》」二字。**詩文、雜編。政和中朱袞刊之吳江。**

案：此書有袞〈後序〉，曰：「進退取舍，君子之大節。惟循於道而不悖，然後無愧於聖人之門。非明輕重之理，知好惡之正者，未有不爲物所勝也。天隨子居衰亂之世，仕不苟合，家於松江，躬勞苦，甘淡薄，而以讀書考古爲事。所養者厚，故其爲文氣完而志直，言辯而意深，一歸於尊君愛民，崇善沮惡，玆非所謂循於道而不悖者耶？世所傳《叢書》多舛繆，袞既至是邑，想其遺風，因求善本校正，刊之於板，俾覽者非獨玩其辭而已矣，於其志節將有取焉。政和改元季夏四日，毗陵朱袞記。」是此書刊於政和元年（1111）辛卯六月也。袞，《宋史》無傳。《宋史翼》卷三十三、〈列傳〉三十三、〈孝義〉附其父〈朱道誠〉曰：「冕弟袞字補之，讀書知名。元符中，王鞏坐司馬光黨，削尚書郎籍，貶全州，冕與袞日從之遊。鞏嘗訪其家，以欣欣名其亭，爲之作〈記〉。謂『德文眞絕不苟，補之開爽喜文』云。黃庭堅南遷過湘，因鞏識冕兄弟，賦詩贈之。」可知其概況。

末有四賦，用蜀本增入。

案：蜀本，指元符中樊開所刊之本。

笠澤叢書蜀本十七卷

《笠澤叢書蜀本》十七卷，館臣案：《文獻通考》作七卷。　廣棪案：元抄本、盧校本亦作七卷。**元符中郫人樊開所序**。廣棪案：《文獻通考》無「元符中」三字。**龜蒙自號天隨子、甫里先生、江湖散人。**

廣棪案：樊開，《宋史》無傳。所撰此書〈序〉曰：「唐賢陸龜蒙字魯望，三吳人也。幼而聰悟，通六籍，尤長於《春秋》。常體江謝賦事，名振江右。與顏蕘、皮日休、羅隱、吳融爲友。性高潔，家貧親老，屈與張摶爲湖、蘇二郡佐。嘗至饒州三月，無詣，刺史率官屬就見之，龜蒙不樂，拂衣去。居松江甫里，多所論譔。著《吳興實錄》四十卷、《松陵集》十卷、《笠澤叢書》八十餘篇，自謂江湖散人，或號天隨子、甫里先生。唐末，以左拾遺授之，詔下日疾終，贈左補闕。本朝宋景文公重修《唐書》，仍列於〈隱逸傳〉。今蜀中惟《松陵集》盛行，《笠澤叢書》未有。是書家藏久矣，愚謂貯之篋笥以私一人之觀覽，不若鏤板而傳諸好事，庶斯文之不墜，而魯望之名復振，亦儒者之用心也。時聖宋元符庚辰歲仲秋月，郫人樊開題。」可供參證。惟此書應據《文獻通考》作七卷。

與皮日休善，有《松陵倡和集》，皆不在《文藪》、《叢書》中。

案：《郡齋讀書志》卷第二十、〈總集類〉著錄：「《松陵集》十卷，右唐皮日休與陸龜蒙酬唱詩，凡六百五十八首。龜蒙編次之，日休爲〈序〉。

松陵者，平江地名也。」《解題》卷十五、〈總集類〉亦著錄：「《松陵集》十卷，唐皮日休、陸龜蒙倡和詩也。」

羅江東甲乙集十卷、後集五卷、湘南集三卷

《羅江東甲乙集》十卷、廣棪案：《文獻通考》作「《羅隱甲乙集》十卷」。**《後集》五卷、《湘南集》三卷，**廣棪案：《文獻通考》無此二書，而有「《讒書》五卷」。**唐鄉貢進士新城羅隱昭諫撰。隱舉進士不第，更辟諸鎮幕府，羅紹威待以從叔。晚依吳越，奏授給事中。**廣棪案：《文獻通考》闕以上數句。

廣棪案：《郡齋讀書志》卷第十八、〈別集類〉中著錄：「《羅隱甲乙集》十卷，《讒書》五卷。」《通志》卷七十、〈藝文略〉第八、〈別集〉五〈五代〉著錄：「《羅隱集》二十卷，又《羅隱江東後集》三卷，又《吳越掌記集》五卷。」《四庫闕書目》著錄：「《羅隱甲乙集》十卷。」徐松編輯本。《秘書省續編到四庫闕書目》卷二、〈集類・別集〉著錄：「《羅隱甲乙集》十卷，闕。又《外集》一卷，闕。又《四六集》一卷，又《後集》五卷。」葉德輝考證本。《宋史》卷二百八、〈志〉第一百六十一、〈藝文〉七、〈別集類〉著錄：「羅隱《湘南應用集》三卷，又《淮海寓言》七卷、《甲乙集》三卷、《外集詩》一卷、《啓事》一卷、《讒本》三卷、《讒書》五卷。」各書所著錄與《解題》有所異同，可資參證。隱，《舊唐書》卷一百八十一、〈列傳〉第一百三十一附〈羅弘信〉，載：「(羅)威性明敏，達於吏道。伏膺儒術，招納文人，聚書至萬卷。每花朝月夕，與賓佐賦咏，甚有情致。錢塘人羅隱者，有當世詩名，自號江東生。威遣使賂遺，敘其宗姓，推爲叔父。隱亦集其詩寄之。威酷嗜其作，目己所爲曰《偷江東集》，凡五卷，今鄴中人士諷詠之。」《舊五代史》卷二十四、〈梁書〉二十四、〈列傳〉第十四隱本傳亦載：「羅隱，案《唐才子傳》：隱字昭諫。(《舊五代史考異》) 餘杭人。案：《澗泉日記》作新城人。詩名於天下，尤長於詠史，然多所譏諷，以故不中第，大爲唐宰相鄭畋、李蔚所知。隱雖負文稱，然貌古而陋。畋女幼有文性，嘗覽隱詩卷，諷誦不已，畋疑其女有慕才之意。一日，隱至第，鄭女垂簾而窺之，自是絕不詠其詩。唐廣明中，因亂歸鄉里，節度使錢鏐辟爲從事。案《唐新纂》：羅隱初為吳

令，後以羅昭威薦，為錢鏐所辟。據《薛史》，則隱自歸里即為鏐從事，後復為紹威薦也。與《新纂》異。開平初，太祖以右諫議大夫徵，不至，魏博節度使羅紹威密表推薦，乃授給事中。年八十餘，終於錢塘。案《潤泉日記》云：唐光啓三年，吳越王表奏為錢塘令，遷著作郎，辟掌書記。天祐三年，充判官。梁開平二年，授給事中。三年，遷發運使。是年卒，葬於定山鄉。金部郎中沈崧銘其墓。(《舊五代史考異》) 有文集數卷行於世。《永樂大典》卷五千六百七十八。案《唐才子傳》云：隱所著《讒書》、《讒本》、《淮海寓言》、《湘南應用集》、《甲乙集》、《外集》、《啓事》等，並行于世。(《舊五代史考異》)」足供參證。

《甲乙集》皆詩；《後集》有律賦數首；廣棪案：《文獻通考》「《後集》」下有「五卷」二字。《湘南集》者，長沙幕中應用之文也。

案：《四庫全書總目》卷一百五十一、〈集部〉四、〈別集類〉四著錄：「《羅昭諫集》八卷，浙江巡撫採進本。唐羅隱撰。……考《吳越備史》隱本傳云：『隱有《江東甲乙集》、《淮海寓言》及《讒書》、《後集》，並行於世。鄭樵《通志·藝文略》載《羅隱集》二十卷、《後集》三卷，又有《吳越掌記集》三卷。至陳振孫《書錄解題》，則《甲乙集》僅十卷，而《後集》反有五卷，又多《湘南集》三卷。且註《甲乙集》皆詩，《後集》有律賦數首，《湘南集》乃長沙幕中應用之文。隱又有《淮海寓言》及《讒書》等，求之未獲云云。據此，則不特《吳越掌記集》不傳，即《淮海寓言》、《讒書》二種，振孫且不得見矣。此本爲康熙初彭城知縣張瓚所刻。後有瓚〈跋〉云：『昭諫諸集，今不復見，僅得《江東集》鈔本於邑人袁英家。嗣後得《甲乙集》刻本，合而讀之，雖全集不獲盡睹，窺豹者已得一斑矣。』蓋出於後人所掇拾，非舊帙也。所載詩四卷，又有雜文一卷。詩與毛晉所刻《甲乙集》合，雜文則不知原在何集。其《湘南集》僅存〈自序〉一篇，列於卷中。〈序〉謂『湘南文失落於馬上軍前，僅分三卷，而舉業祠祭亦與焉』。今雜文既無長沙應用之作，亦無舉業祠祭之文。惟諸啓多作於湖南，或即《湘南集》中之遺歟？《文苑英華》有隱〈秋雲似羅賦〉一篇，蓋即《後集》之律賦，此本失載，則所採亦尚遺漏矣。第七卷末一篇爲〈廣陵妖亂志〉。前十一篇疑即《淮海寓言》之文也。第八卷有〈兩同書〉十篇，《唐志》著錄。其說以儒道爲一致，故曰兩同。似乎《讒書》之外，又有此書者。其異同則不可考矣。」可供參考。

隱又有《淮海寓言》、《讒書》等，求之未獲。

《讒書》刊于新城縣。隨齋批注。

案：《讒書》五卷，最早著錄者爲《郡齋讀書志》，隨齋批注亦謂：「《讒書》刊于新城縣。」是公武，隨齋均獲見此書。《淮海寓言》七卷，《宋志》著錄，元人辛文房《唐才子傳》卷第九、〈羅隱〉載：「所著《讒書》、《讒本》、《淮海寓言》、《湘南應用集》、《甲乙集》、《外集》、《啓事》等，並行於世。」是《淮海寓言》元時猶在，惜直齋「求之未獲」耳。

投知小錄三卷

《投知小錄》三卷，唐神策判官部陽秦韜玉中明撰。田令孜客。中和二年特賜及第。

廣棪案：《新唐書》卷六十、〈志〉第五十、〈藝文〉四、〈別集類〉著錄：「秦韜玉《投知小錄》三卷，字中明，田令孜神策判官、工部侍郎。」《郡齋讀書志》、〈通志略〉著錄同。《宋史》卷二百八、〈志〉第一百六十一、〈藝文〉七、〈別集類〉著錄：「《秦韜玉集》三卷。」疑爲同一書。《郡齋讀書志》卷第十八、〈別集類〉中著錄：「秦韜玉《投知小錄》三卷。右唐秦韜玉字中明，京兆人。有詞藻，工歌吟，險而好進，爲田令孜所善。僖宗幸蜀，令孜引爲工部侍郎。中和二年，賜進士第，編入春榜。」韜玉，兩《唐書》無傳。《唐才子傳》卷第九、〈秦韜玉〉載：「韜玉，字中明，京兆人。父爲左軍軍將。韜玉少有詞藻，工歌吟，恬和瀏亮。慕柏耆爲人，然險而好進，諂事大閹田令孜。巧宦，未期年，官至丞郎，判鹽鐵，保大軍節度判官。僖宗幸蜀，從駕。中和二年，禮部侍郎歸仁紹放榜，牧敕賜進士及第，令於二十四人內安排，編入春榜。令孜引擢工部侍郎。韜玉歌詩，每作人必傳誦。〈貴公子行〉云：『堦前莎毬綠未捲，銀龜噴香挽不斷。亂花織錦柳撚線，妝點池臺畫屏展。主人功業傳國初，六親聯絡馳朝車。鬬雞走狗家世事，抱來皆佩黃金魚。卻笑書生把書卷，學得顏回忍飢面。』又瀟水出道州九疑山中；湘水出桂林海陽山中，經靈渠，至零陵，與瀟水合，謂之瀟湘，爲永州，永，二水也，清泚一色。高秋八九月，才丈餘，淺碧見底。過衡陽，抵長沙，入洞庭。韜玉賦詩云：『女媧羅裙長百尺，擔在湘江作山色。』又云：『嵐光楚岫和空碧，秋染湘江到底清。』由是大知名，號爲絕唱。今有《投知小錄》三卷行於世。」足資參證。郜陽，縣名，在今陝西關中道。故《郡齋讀書志》、《唐才子傳》稱韜玉爲京兆人。

鳳策聯華三卷

《鳳策聯華》三卷，唐虞部郎中淮南從事秋浦顧雲垂象撰。

廣棪案：《新唐書》卷六十、〈志〉第五十、〈藝文〉四、〈別集類〉著錄：「《集遺具錄》十卷，顧雲，字垂象，池州人。虞部郎中，高駢淮南從事。」《崇文總目》卷五、〈別集類〉一著錄：「《苕川總載集》十卷。」錢東垣輯釋本。所著錄均非此書。《通志》卷七十、〈藝文略〉八、〈別集〉四〈唐〉著錄「顧雲《苕川總載集》十卷，又《集遺具錄》十卷，又《鳳策聯華》三卷、《玉秉集》一卷，又《編遺》十卷。」《宋史》卷二百八、〈志〉第一百六十一、〈藝文〉七、〈別集類〉著錄：「顧雲《集遺》十卷，又《賦》二卷、《啓事》一卷、《苕一作昭。亭雜筆》五卷、《纂新》十卷、《苕一作昭。川總載》十卷。」又著錄：「顧雲《編藁》十卷，又《鳳策聯華》三卷。」是雲著述甚富贍。雲，兩《唐書》無傳。《唐詩紀事》卷六十七「顧雲」條載：「雲，字垂象，池州鹺賈之子也。風韻詳整，與杜荀鶴、殷文圭友善，同隸業九華。咸通中登第，爲高駢淮南從事。師鐸之亂，退居霅川，杜門著書。宰相杜某，奏雲與盧知猷、陸希聲、錢翊、馮渥、司空圖等，分修宣、懿、德三朝實錄，皆一時之選也。書成，加虞部外郎。乾寧初卒。有文號《鳳策聯華編藁》、《昭亭雜筆》。」足供參考。

多以擬古為題，蓋行卷之文也。

案：《玉海》卷第五十五、〈藝文・著書・雜著〉載：「《書目》三卷，顧雲撰，並〈序〉。有〈續魏徵遺表〉、〈代尉遲敬德答隱太子箋〉、〈補十八學士寫象贊〉、〈安西護府重築碎葉城碑〉，大抵皆因舊事而作。《崇文目・別集類》。」是此書多以擬古爲題。《唐詩紀事》卷六十七「顧雲」條載：「雲著述目爲《鳳策聯華》。雲初下第，鄭谷有詩勉之云：『《鳳策聯華》是國華，春來偶爲上仙槎。鄉連南渡思菰米，淚滴東風避杏花。吟聒暮鶯歸廟院，睡消遲日寄僧家。一般情緒應相信，門靜莎深樹影斜。』」是此書乃行卷之文也。

雲，咸通十五年進士。

案：《登科記考》卷二十三載：「唐僖宗惠聖恭定孝皇帝咸通十五年甲午，十一月庚寅，大赦，改元爲乾符。《舊書・本紀》。進士三十人：顧雲，《永樂大典》引《池州府志》：『顧雲字垂象，一字士龍，貴池人。咸通十五年進士第。』」可參證。

聱書十卷

《聱書》十卷，廣棪案：《文獻通考》作「《聱書》」、《宋志・別集類》作「《聲書》」，均形近而誤。**唐天復進士沈顏可鑄撰。**廣棪案：《文獻通考》無此句。

廣棪案：《新唐書》卷六十、〈志〉第五十、〈藝文〉四、〈別集類〉著錄：「沈顏《聱書》十卷。」《崇文總目》、錢東垣輯釋本。《郡齋讀書志》、《通志略》、《宋志・雜家類》同。顏，兩《唐書》、《新》、《舊五代史》均無傳。其〈傳〉見吳任臣《十國春秋》卷第十一、〈吳〉十一、〈列傳〉，惟內容幾全據《郡齋讀書志》。

傳師之孫，廣棪案：《文獻通考》「傳師」上有「顏」字。**仕偽吳，順義中為翰苑。名「聱」者，以元結聱叟自況也。**廣棪案：《文獻通考》無以上四句。**其文䶉皵，而〈自序〉之語，極其矜負。**

案：《郡齋讀書志》卷第十八、〈別集類〉中著錄：「《沈顏聱書》十卷。右僞吳沈顏字可鑄，傳師之孫。天復初進士，爲校書郎。屬亂離，奔湖南，辟巡官，吳國建，爲淮南巡官、禮儀使、兵部郎中、知制誥、翰林學士。順義中卒。顏少有辭藻，琴棊皆臻妙。場中語曰『下水船』，言爲文敏速，無不載也。性閑淡，不樂世利。嘗疾當時文章浮靡，倣古著書百篇，取元次山『聱叟』之說附己志而名書。其〈自序〉云：『自孟軻以後千餘年，經百千儒者，咸未有聞焉。天厭其極，付在鄙子。』其誇誕如此。」《解題》所述，遠較《郡齋讀書志》簡略。

李後主集十卷

《李後主集》十卷，江南國主李煜重光撰。

廣棪案：《崇文總目》卷五、〈別集類〉二著錄：「《李煜集》十卷。」錢東垣輯釋本。《郡齋讀書志》、《通志略》、《宋志》同。煜字重光，初名從嘉。

其〈傳〉見《新五代史》卷六十二、〈南唐世家〉、第二附〈李昪〉，《十國春秋》卷第十七、〈南唐〉三、〈後主本紀〉。《郡齋讀書志》卷第十八、〈別集類〉中著錄：「《李煜集》十卷。右僞唐主李煜重光也，璟之子。少聰悟，喜讀書屬文，工書畫，知音律。建隆三年嗣僞位。開寶八年，王師克金陵，封違命侯。太平興國三年，終隴西郡公，贈吳王。江隣幾《雜志》云爲秦王廷美所毒而卒。」可供參考。

田霖四六集一卷

《田霖四六集》一卷，南唐田霖撰。

廣棪案：《文獻通考》卷二百三十三、〈經籍考〉六十、〈集別集〉著錄：「《田霖四六集》一卷。晁氏曰：『南唐田霖撰。』」惟《郡齋讀書志・別集類》無此條，是馬端臨將「陳氏曰」誤作「晁氏曰」也。田霖，生平無可考。

扈載集十卷

《扈載集》十卷，後周翰林學士范陽扈載仲熙撰。少俊，早達，年三十六以死。廣棪案：《文獻通考》誤作「晁氏曰」。

廣棪案：《崇文總目》卷五、〈別集類〉二著錄：「《扈載文集》二十卷。」錢東垣輯釋本。《宋史》卷二百八、〈志〉第一百六十一、〈藝文〉七、〈別集類〉著錄：「《扈載集》五卷。」所著錄卷數均與《解題》不同。載字仲熙，北燕人。《舊五代史》卷一百三十一、〈周書〉二十二、〈列傳〉第十一，《新五代史》卷三十一、〈周臣傳〉第十九有傳。《舊五代史》載本傳曰：「扈載，少好學，善屬文，賦、頌、碑、贊尤其所長。廣順初，隨計於禮部，文價爲一時之最，是歲昇高等。《冊府元龜》卷八百四十一。載因遊相國寺，見庭竹可愛，作〈碧鮮賦〉題其壁。世宗聞之，遣小黃門就壁錄之，覽而稱善，因拜水部員外郎，知制誥，遷翰林學士，賜緋。案：載以賦受知，據《宋史・李穀傳》則載之遷官，當由王朴薦之。(《舊五代史考異》)《宋史・李穀傳》：『扈載以文章馳名，樞密使王朴薦令知制誥，除書未下，朴詣中書言之，穀曰：「斯人命薄，慮不克享耳。」朴曰：「公在衡石之地，當以材進人，何得言命而遺才。」載遂知制誥、遷翰林學士，未幾卒。世謂朴能薦士，穀能知人。』（殿本）而載已病，不能謝，居百餘日，乃力疾入直學士院。世宗憐之，賜告還第，遣太醫視疾。《永樂大典》卷一萬四千八百二十七。載爲翰林學士，年三十六卒。載始自解褐至終纔四年，而與劉袞皆有才無命，時論惜之。《冊府元龜》卷九百三十一。」可供參證。

其子蒙，顯於國初。

案：《宋史》卷二百六十九、〈列傳〉第二十八蒙本傳曰：「扈蒙字日用，幽州安次人。曾祖洋，涿州別駕。祖智周，盧龍軍節度推官。父曾，內園使。蒙少能文，晉天福中，舉進士，入漢爲鄠縣主簿。趙思綰叛，遣郭從義討之。郡縣吏供給皆戎服趨事，蒙冠服褒博，舉止舒緩，從義頗訝之。轉運使李穀謂曰：『蒙文學名流，不習吏事。』遂不之問。周廣順中，從歸德軍節度趙暉爲掌書記，召爲右拾遺、直史館、知制誥。蒙從弟載時爲翰林學士，兄弟並掌內外制，時號『二扈』。」據是，則蒙乃扈載從兄，直齋誤也。《宋史》蒙本傳又曰：「宋初，由中書舍人遷翰林學士，坐請託於同年仇華，黜爲太子左贊善夫人，稍遷左補闕，掌大名市征。六年，復知制誥，充史館修撰。開寶中，受詔與李穆等同修《五代史》，詳定《古今本草》。五年，連知貢舉。……太宗即位，召拜中書舍人，旋復翰林學士。與李昉同修《太祖實錄》。太平興國四年，從征太原還，轉戶部侍郎，加承旨。雍熙三年，被疾，以工部尙書致仕。未幾，卒，年七十二。贈右僕射。」是蒙顯於宋初。